公立高校教師
YouTuber
が書いた

一度読んだら
絶対に忘れない

WORLD HISTORY
TEXTBOOK

世界史
の教科書

山﨑圭一

世界史には、"1つ"の ストーリーがある！

「先生、YouTubeで授業を公開してよ！　先生が異動しても先生の授業を聴きたいんです！」

かつての私の生徒からこのような要望をもらい、2013年、YouTube上で世界史の授業動画『世界史20話プロジェクト』を始めました。

高校生だけでなく、大学生やビジネスパーソン、主婦、教育関係者など、幅広い層の方々に視聴いただいており、今では日本史や地理の動画を合わせて総再生回数が850万回を数えるようになりました。

私は公立高校の社会科の教員なので、世界史だけでなく、日本史や地理も教えています。

YouTubeでは、世界史とともに日本史と地理の授業動画も公開していますが、世界史の動画だけに「プロジェクト」という名称を付けています。

これは、けっして気まぐれではありません。

私の中で、世界史の授業動画をアップするのは、日本史や地理と違って、まさに一大プロジェクトという想いがあったからです。そして、最も反響が大きかったのも世界史でした。

なぜ、世界史の授業動画が一大プロジェクトだったかというと、本編でもあらためて詳しくお話ししますが、じつは、<u>一般的な教科書には「わかりにくさ」という大きな"問題"がある</u>からです。

その問題により、世界史が苦手な人をたくさん生み出している原因になっている可能性があると考えたからです。

日本史は小学校から高校まで繰り返し学び、「あらすじ」ぐらいは多くの

人が知っているのに対して、世界史の「あらすじ」を知っている人は少ないのではないでしょうか？世界史はグローバル時代に必須の教養なのに、非常に残念なことだと思います。

20年近く社会科の教員を務める中で、私は数多くの生徒を見てきました。

社会科に苦手意識を持っている生徒をなんとかしたい、歴史に興味を持ち、教養の幅を広げてほしい。

そんな想いから、世界史の教え方について試行錯誤を重ねた結果、**1つのストーリーに基づき、世界史を解説する**という本書の形にたどり着きました。

本書で解説する世界史の特徴を具体的に申し上げると、以下の3つになります。

---

① 一般的な教科書とは違い、すべてを数珠つなぎにして
　「1つのストーリー」にしている
②「主語」が変わるのを最小限におさえている
③ 年号を使わない

「年号を使っていない歴史の本なんて……」と思う方がいるかもしれませんが、この3つの工夫により、高校で学ぶ世界史のあらすじを一度読むだけで理解できるようになると思います。

本書が、世界史の教養をこれから身につけたいという方々のお役にたてれば幸いです。特に、学生時代に世界史が苦手で、学びなおしをしたいと思っている社会人の方や「なかなか点数が上がらず、まずは平均点を目指したい」という大学受験生には最適な一冊になるかと思います。

世界史を学ぶ「はじめの一歩」を本書で踏み出し、映画、小説、旅行、音楽、美術など、様々な世界史のコンテンツにアクセスして、人生をより豊かにしていただけることを願っています。

山﨑 圭一

一度読んだら絶対に忘れない 世界史の教科書

公立高校教師YouTuberが書いた

はじめに
世界史には、"1つ"のストーリーがある！　2

ホームルーム①
「わかりにくい」という世界史の教科書の"弊害"　16

ホームルーム②
世界史は"数珠つなぎ"にして学べ！　18

ホームルーム③
世界史は「年号」を使わずに学べ！　22

ホームルーム④
本書の構成について　24

序章
人類の出現・文明の誕生

人類の出現
化石の発見が語った人類誕生の歴史　28

文明の誕生
文明はいつ、どこで、どのように生まれたのか？　31

CONTENTS

CONTENTS

第1章 ヨーロッパの歴史

第1章 ヨーロッパの歴史 **あらすじ** 34

エーゲ文明
神話や伝説に包まれたヨーロッパのルーツ 36

ポリスの形成
「オリンピック」はポリスたちの祭典だった 37

アテネ
民主主義に"目覚めた"アテネの人々 38

スパルタ
「スパルタ教育」の秘密は人口構成にあった 40

ペルシア戦争とペロポネソス戦争
ペルシアに勝利後、内部から崩れたギリシア 41

アレクサンドロスの帝国
英雄アレクサンドロスが世界を駆け抜ける! 43

共和政ローマ
ヨーロッパを1つにした巨大国家の誕生 45

帝政ローマ
名君たちによって「ローマの平和」が訪れる 50

CONTENTS

キリスト教の成立
ローマ帝国時代にキリスト教が生まれた理由 54

ゲルマン人の移動
民族移動と混乱から「中世」が始まる 56

ノルマン人・スラヴ人の移動
第2、第3の民族移動はヨーロッパの北と東から 61

ビザンツ帝国
1000年続いたローマ帝国の正式な継承国家 63

キリスト教の分裂
教会同士の対立から2つの宗派が生まれた 64

カトリック教会の発展
神の権威を背景に教皇が最高権力者へ 66

封建社会の成立
モザイク状の国家たちがヨーロッパの多様性を生んだ 68

十字軍
聖地奪還のため、大遠征軍が派遣された 70

十字軍の影響
十字軍が中世ヨーロッパにもたらした2つのこと 72

中世のイギリス
議会政治の始まりはイギリス王の失政から 75

中世のフランスと百年戦争
フランスの危機にジャンヌ＝ダルクが立ち向かう！ 77

中世のスペイン
イスラーム勢力を追い出し、大西洋に進出した 79

中世のドイツ・イタリア
"メンツ"にこだわって、国内が空中分解 80

第2章 中東の歴史

第2章 中東の歴史 **あらすじ** 82

メソポタミア文明
最古の文字を生み出した民族とは？ 84

エジプト文明
ピラミッドを生んだ文明は２千年にわたって栄えた 86

シリア・パレスチナの民族
鉄・アルファベット・一神教はここから始まった 88

オリエントの統一
寛容な統治で巨大化したペルシア人の帝国 91

イランの諸王朝
ローマの"ライバル"となったイラン人の王朝たち 93

イスラームの成立
「神の前の絶対平等」を合い言葉に急成長 94

イスラームとは
イスラームが世界の４分の１の人をひきつける理由 96

7世紀のイスラーム世界
アラブ人の国家が「巨大帝国」に成長 98

8世紀のイスラーム世界
"平安の円形都市"バグダードが繁栄を謳歌した 100

10世紀のイスラーム世界
イスラームが分裂し、「戦国時代」がやってきた 102

11世紀のイスラーム世界
トルコ人がついにイスラームの主役に 104

CONTENTS

| 12世紀のイスラーム世界
十字軍と死闘を演じた"英雄の中の英雄"サラディン　106

| 13世紀のイスラーム世界
トルコ人奴隷が建国した2つの王朝　108

| 14〜16世紀のイスラーム世界①
軍事の天才「鬼武者」ティムールの登場　110

| 14〜16世紀のイスラーム世界②
トルコ人王朝の"決定版"オスマン帝国の成立と拡大　111

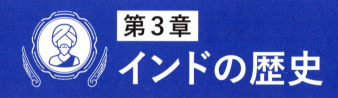

第3章 インドの歴史

第3章 インドの歴史 **あらすじ**　114

| インダス文明
高度な都市計画をもつ「インドの源流」　116

| アーリヤ人の流入とヴェーダ時代
インドに根強く残るカーストがここから始まる　117

| 小国分立の時代
ブッダの"悟り"が新宗教を生み出す　119

| マウリヤ朝とクシャーナ朝
初めてインドを"1つ"にした巨大王朝　121

| グプタ朝とヴァルダナ朝
ヒンドゥー教が確立し、インドの古典文化が花開く　124

| イスラーム化とムガル帝国
ヒンドゥー教とイスラーム教の融和と分裂　126

第4章 中国の歴史

第4章 中国の歴史 **あらすじ** 130

中国の古代文明
2つの大河が高度な文明をはぐくんだ 132

殷と周
「美女に溺れて滅んだ!?」2つの王朝 133

春秋・戦国時代
500年間続いた中国史上最大の戦乱時代 135

諸子百家
君主たちの"コーチ"を務めた思想家たち 137

秦王朝
初めて中国を"1つ"にした始皇帝 139

前漢王朝
「漢字」「漢文」「漢民族」に名を残す中国の代表的王朝 142

後漢王朝
西のローマ帝国と並ぶ東の大帝国に成長 145

三国時代
劉備・曹操・孫権が天下を争った三国時代 147

南北朝時代
異民族の侵入が続き、王朝が南北に分裂 149

隋王朝
"嫌われ者"だが優秀だった隋の皇帝たち 151

唐王朝
隋の後継国家として空前の繁栄を迎えた唐 154

CONTENTS

宋王朝
「平和をお金で買った」現実主義の宋王朝　160

モンゴル帝国と元王朝
アジアをまたにかけ広がったチンギス＝ハン旋風　164

明王朝
秘密警察と宦官が暗躍した「暗黒時代」　168

清王朝
中国史上に残る「名君」が続いた清王朝　173

第5章
一体化する世界の時代

第5章 一体化する世界の時代 **あらすじ** 178

大航海時代
アジアの香辛料を求め、欧州諸国が大西洋へ　180

大航海時代の影響
欧州と新大陸がつながり、「欧米世界」が形成　182

ルネサンス
美術作品が「神の目線」から「人の目線」へ　184

宗教改革
カトリックへの批判から新しい宗派が次々誕生　186

主権国家体制の成立
戦争の大規模化により、「国のあり方」が変わる　190

近世のスペインとオランダ
「小国」オランダに足元をすくわれたスペイン　192

CONTENTS

近世のイギリス
混乱を乗り越え、イギリスに議会政治が確立　194

近世のフランス
フランスの栄光、ルイ14世とヴェルサイユ宮殿　198

近世のドイツ
ドイツ全土の荒廃を招いた三十年戦争　201

近世のロシア
ロシアの絶対君主となったドイツ人女王　204

ヨーロッパの世界進出
世界の一体化で、ヨーロッパの支配が加速　206

第6章
革命の時代

第6章 革命の時代 **あらすじ**　210

産業革命
「失業した農民」が「都市の労働者」へ　212

アメリカ独立革命
"理不尽"な英国に反旗を翻した13の植民地　214

フランス革命
国王をギロチンで処刑！ ヨーロッパ中に動揺が走る！　217

ウィーン体制
王政に逆戻りしたウィーン体制に民衆は反発　226

19世紀のフランス
王政に戻ったフランスに再び革命の嵐が吹き荒れる！　228

CONTENTS

19世紀のイギリス
イギリス史上空前の繁栄・ヴィクトリア時代 232

ドイツ・イタリアの統一
軍事・外交の天才ビスマルクが「ドイツ」をつくる 233

ロシアの南下と東方問題
暖かい地へ！ ロシア南下の野望と挫折 236

アメリカ南北戦争
経済政策と奴隷制で真っ二つになったアメリカ 239

第7章
帝国主義と世界大戦の時代

第7章 帝国主義と世界大戦の時代 あらすじ 242

帝国主義の始まり
資本主義の発展が植民地の拡大をあと押し 244

英仏の帝国主義
「世界の半分」を支配したイギリスとフランス 246

アフリカ分割
「早い者勝ち」で次々と植民地化する列強たち 248

アメリカの帝国主義
南北戦争で出遅れた米国が太平洋に進出 250

日露戦争と第一次ロシア革命
ついに、ロシアの矛先が日本に向けられる 251

第一次世界大戦
世界に挑戦状を叩きつけたドイツの"青年"皇帝 253

■ロシア革命
２度の革命で"世界初"の社会主義国が誕生　259

■ヴェルサイユ体制
新体制は次の戦争への「つかの間の平和」に終わる　261

■大戦後のヨーロッパ
"お金持ち"アメリカが荒廃したヨーロッパを救う　263

■アメリカの繁栄と世界恐慌
「永遠の繁栄」といわれたアメリカ経済のまさかの転落　265

■ブロック経済とファシズム
第二次世界大戦の構図は「持てる国」と「持たざる国」　267

■第二次世界大戦
破竹の勢いのナチス、及び腰の英仏　270

第8章
近代の中東・インド

第8章 近代の中東・インド **あらすじ**　274

■オスマン帝国の衰退
「内から」「外から」衰退したオスマン帝国　276

■トルコ革命
「トルコの父」がトルコ共和国をつくった　281

■インド帝国の成立
女王が統治するイギリスの最重要植民地　283

■第一次大戦後のインド
約束を守らないイギリスに不服従運動が始まる　286

CONTENTS

第9章 近代の中国

第9章 近代の中国 **あらすじ** 290

アヘン戦争
「お茶」を求めてイギリスが中国に進出 292

アロー戦争と太平天国の乱
国内外で起こる戦争にお手上げになった清 294

中国分割
弱体化が全世界にバレた清が半植民地化の道へ 297

辛亥革命
近代化の道を自ら閉ざした清がついに滅亡 299

国共合作と分離
国民党と共産党、二大勢力の誕生 301

満州事変と第二次国共合作
日本の大陸進出がライバル同士を結び付けた 303

第10章 現代の世界

第10章 現代の世界 **あらすじ** 306

国際連合の成立
新たな国際秩序の中心は戦勝国たちだった 308

ベルリン封鎖

アメリカの物量が冷戦の第1ラウンドを制す 310

朝鮮戦争

冷戦の第2ラウンドはアジアでの"熱い戦争" 312

雪どけ

世界の構造を変えたスターリンの死 314

スプートニク＝ショックとキューバ危機

「雪どけ」から一転、世界中が核戦争の危機に 316

ベトナム戦争とプラハの春

「テレビの力」が冷戦を終結に導く 318

冷戦の終結

チェルノブイリの事故がソ連を崩壊に追い込む 321

戦後のヨーロッパ

戦後の荒廃の中から復興し、統一を模索 323

パレスチナ問題

宗教対立から始まった未だ解決しない「世界の宿題」 326

インドの独立

ガンディーの思いもむなしく、インドは分裂した 330

戦後の中国

共産党と国民党の対立が中国を2つに分けた 332

おわりに 334

巻末付録

教養としておさえておきたい文化史 336

年号も覚えておきたい人のための世界史年表 346

| 一度読んだら絶対に忘れない世界史の教科書 | ホームルーム① |

「わかりにくい」という世界史の教科書の"弊害"

 ### 世界史が苦手な人が多い理由

　世界のグローバル化に伴い、世界の歴史、文化を学ぶ意義は非常に高まっています。私も世界の歴史という、スケールが大きく、様々なエピソードが詰まった素晴らしい科目を教えることは非常にやり甲斐を感じています。この本を手にとった皆さんも、そんな世界史を学びたいという方々だと思います。

　その反面、社会人も高校生も世界史の勉強を苦手に感じている人が多くいます。理由は、多くの人が、英語の単語帳を覚えるように、「何の脈絡もなくひたすら用語や年代を暗記する科目だと思っている」ことにあると思います。

　こうした"誤解"を生む1つの要因が、学校で使われている一般的な世界史の教科書の構成にあるのではないかと私は考えています。

　右の図をみてください。高校で使われる、一般的な『世界史B』の教科書を前から順に読んだときの項目の流れです。

　縦に年代・横に地域を並べ、「学ぶ順番」を矢印で表しています。図から明らかなとおり、矢印があっちこっちに飛んでいるため、教科書をはじめから読んでも"全体像"がいっこうに頭に浮かびません。

　もちろん、教科書を制作している側も、意地悪をするためにこのような構成にしているわけではありません。ちゃんと狙いはあるのですが、現状では何を学んでいるのかさっぱりわからなくなって、その結果、「覚える」ことが学習の中心となり、「世界史はつまらない暗記科目だ」という印象が身についてしまうことになっているのです。

図 H-1　一般的な教科書は、地域や年代が目まぐるしく変わる

ホームルーム

人類の出現

文明の誕生

ヨーロッパ	中東	インド	中国
	オリエント文明 古バビロニア アケメネス朝	インダス文明	黄河文明
エーゲ文明 ギリシア ヘレニズム		仏教の成立 マウリヤ朝	殷 周 秦 前漢
共和政ローマ	パルティア	クシャーナ朝	
帝政ローマ			後漢
	ササン朝		三国 五胡十六国
ゲルマン人の移動		グプタ朝	
フランク王国	イスラームの成立 ウマイヤ朝	ヴァルダナ朝	隋 唐
カール大帝	アッバース朝		
		ガズナ朝	
十字軍	セルジューク朝	ゴール朝	宋 南宋
		デリー=スルタン朝	元 明
百年戦争	イル=ハン国	ムガル帝国	
	オスマン朝		清

世界の一体化（大航海時代・ヨーロッパ諸国の海外進出）

欧米	中東・インド	中国
産業革命	オスマン帝国の動揺	アヘン戦争
市民革命		列強の中国分割
国民国家の発展	インドの植民地化	辛亥革命
帝国主義		満州事変
2つの世界大戦	諸地域の民族運動	日中戦争

冷戦構造の形成・現代世界

| 一度読んだら絶対に忘れない世界史の教科書 | ホームルーム② |

世界史は"数珠つなぎ"にして学べ！

 11のブロックを１つに串刺しに

　じつは、このような世界史の教科書の"構造"について問題意識を持ち、試行錯誤を重ねている学校の教員は数多くいます。

　ありがたいことに、多くの教員の方たちが、2016年からYouTube上で私が公開している世界史の授業動画『世界史20話プロジェクト』を視聴して、高い評価をくださいました。

　その評価の一番の理由は、私がこの教科書の問題に１つの解決策を提示したからです。

　右の図の矢印を見てください。

　17ページの図と違って、矢印が、**ヨーロッパから始まり、中東、インド、中国、大航海時代、近代、現代まで、"数珠つなぎ"になっている**のがおわかりいただけると思います。

　つまり、11個に分かれたブロック（かたまり）を串刺しにして１つにしてしまうのです。

　「串刺し」の内容を簡潔に説明するとすれば、「最初にヨーロッパ、中東、インド、中国の４つの地域の歴史を個別に学んだあとに、大航海時代を通じて４つの地域が１つに合流。次に近代、現代を通じて、ヨーロッパ世界がアジアを中心とした世界に影響力を強めていく過程を学ぶ」ということになります。

　右の図は、世界史を学ぶ前に、自分の頭に入れておく「器」になります。フレームワーク（枠組み）と言い換えてもよいでしょう。要は、世界史の道案内の地図です。

図 H-2 「ヨーロッパから現代まで」、すべてを数珠つなぎに！

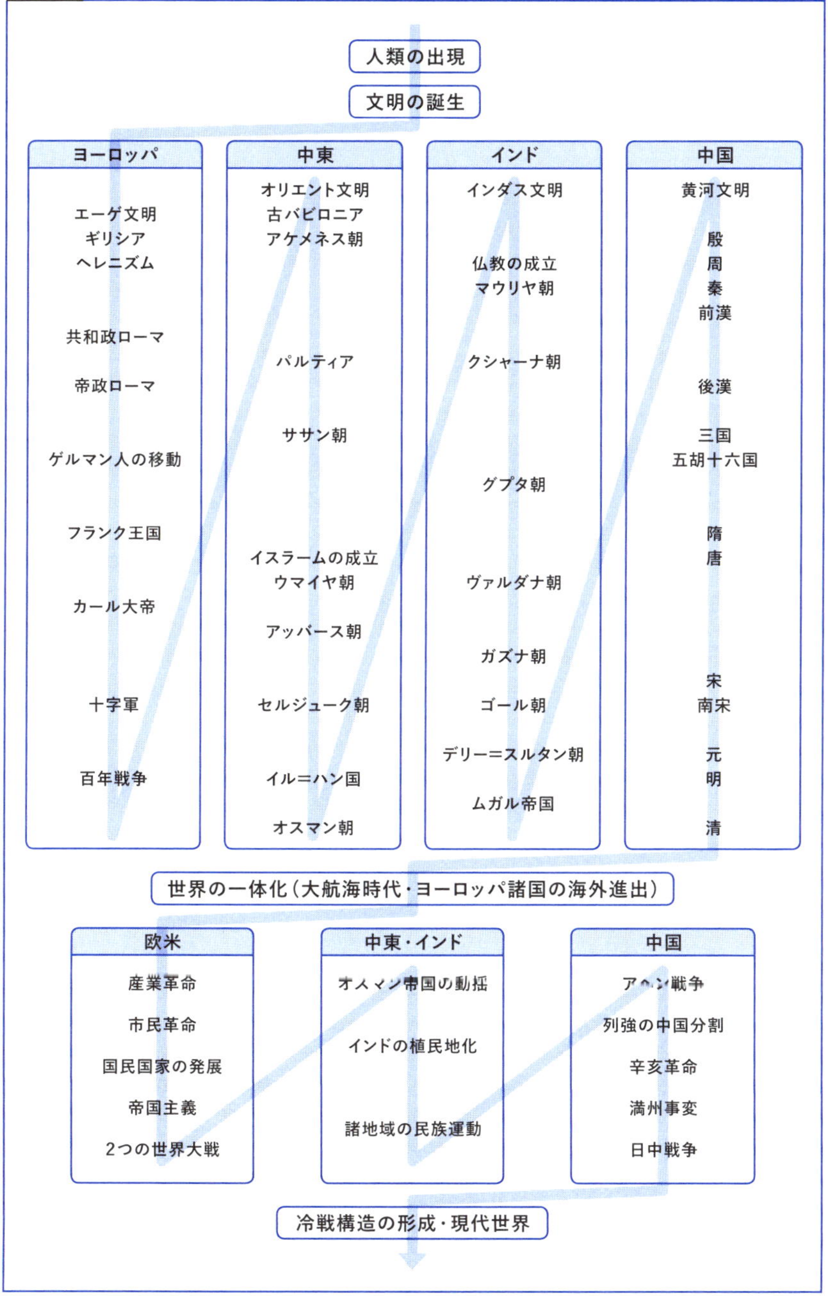

ホームルーム

人類の出現

文明の誕生

ヨーロッパ	中東	インド	中国
エーゲ文明 ギリシア ヘレニズム	オリエント文明 古バビロニア アケメネス朝	インダス文明 仏教の成立 マウリヤ朝	黄河文明 殷 周 秦 前漢
共和政ローマ 帝政ローマ	パルティア ササン朝	クシャーナ朝 グプタ朝	後漢 三国 五胡十六国
ゲルマン人の移動 フランク王国 カール大帝	イスラームの成立 ウマイヤ朝 アッバース朝	ヴァルダナ朝 ガズナ朝	隋 唐
十字軍 百年戦争	セルジューク朝 イル＝ハン国 オスマン朝	ゴール朝 デリー＝スルタン朝 ムガル帝国	宋 南宋 元 明 清

世界の一体化（大航海時代・ヨーロッパ諸国の海外進出）

欧米	中東・インド	中国
産業革命 市民革命 国民国家の発展 帝国主義 2つの世界大戦	オスマン帝国の動揺 インドの植民地化 諸地域の民族運動	アヘン戦争 列強の中国分割 辛亥革命 満州事変 日中戦争

冷戦構造の形成・現代世界

19

これまで、世界史がさっぱり理解できなかったり、用語の暗記作業を苦行のように繰り返したりしていた方は、本書を１度読んでいただければ、これまでとは違って、内容が自分の頭の中に驚くほど残っている状態になっているはずです。

「主語」をできるだけ固定して解説

　世界史のすべてを数珠つなぎにして解説するために、本書では１つの工夫をしています。

　それは、**地域、または王朝、国家などの「主役」の変化を最小限に留めて話を進めていく**ということです。

　一般的な世界史の教科書を一度でも読んだことがある人ならおわかりいただけると思いますが、文中で、めまぐるしく主語が変わります。あるページではヨーロッパの国々が「主語」になって語られ、数ページ進むと、今度は主語が中国になり、さらに数ページ進むと、いつのまにか中東の王朝が主語になっていたりします。

　世界の各地域は相互に関連していますので、もちろん、さまざまな視点から歴史を眺めることは大切です。

　ただ、17ページの図からもおわかりのとおり、地域や王朝などの「主語」があまりにも頻繁に変わってしまうと、「主語」を把握するだけで大きな負担がかかり、内容に集中しづらくなってしまいます。そのため、教科書をいくら読んでも、内容が頭に残らないのです。

　そこで本書では、「主役」の変化を最小限に留めるため、その他の地域は脇役として登場させています。

　主役が別の地域に変わるときは、それまで主役だった地域が今度は脇役にまわります。

　そうやって、**できるだけ"一直線"に読むほうが、結果的に、地域間、国家間の「横のつながり」がより理解できる**ことを実感していただけるはずです。

図 H-3 主役をできるだけ固定し、他の地域は脇役として登場

ホームルーム

一般的な教科書の文章

A 地域　　B 地域　　C 地域

頻繁に「主役」が
交代したり、
年代が前後したりする
ので理解しづらい

??　??　??

本書の文章

A 地域　　B 地域　　C 地域

C地域が主役のときは、
今度はB地域が脇役として登場

脇役

主役

「主役」を
できるだけ固定して、
他の地域は
脇役として登場させる

脇役

21

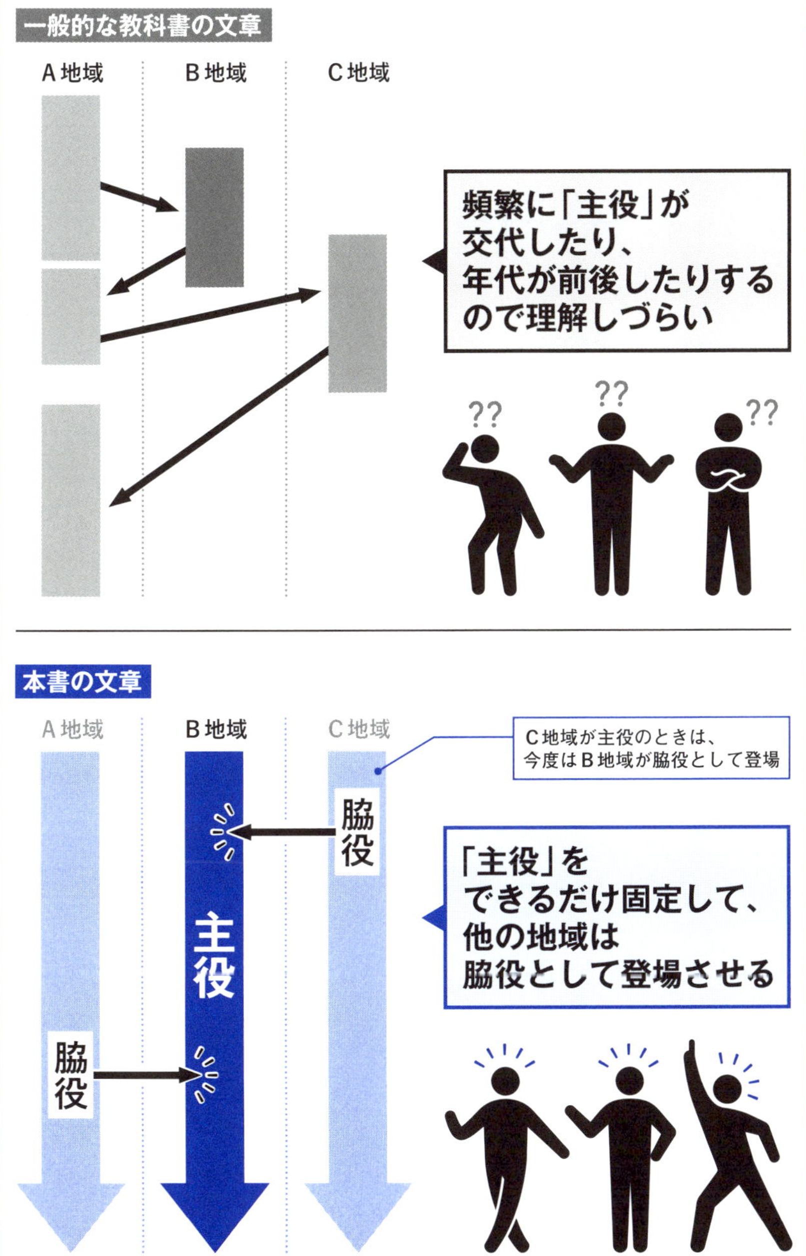

| 一度読んだら絶対に忘れない世界史の教科書 | ホームルーム③ |

世界史は「年号」を使わずに学べ！

 「年号がない」ほうがストーリーは際立つ

　本書には、もう1つ大きなしかけがあります。それは、**年号を一切用いない**ということです。

　年号を用いずに解説している世界史の教科書や学習参考書は、私が知る限りでは、ほとんどないと思います。

　なぜ、私が年号を使わないかというと、**"数珠つなぎ"にするときに、年号は"ノイズ（雑音）"になってしまう**からです。

　私の授業では、学生たちによく昔ばなしの「桃太郎」を例に出して説明します。

　「桃太郎」は、「おじいさん」「おばあさん」「柴刈り」「洗濯」「桃」「きび団子」「キジ」など、50ぐらいの用語で構成されています。日時や年号は出てきません。それでも、多くの人が、子供のときに読んだ桃太郎の話を大人になっても覚えていますよね。**昔ばなしのように、数珠つなぎにされたシンプルなストーリーは、頭に残りやすい**のです。

　しかも、年号がないほうが、かえって事件や人物の「関係性」「つながり」「因果関係」もより際立ってくることを実感してもらえるはずです。

　ただし、大学受験生の場合は、年号の知識もある程度必要になります。社会人の中にも、年号をおさえたいという方がいると思います。

　私が学校で受け持つ生徒たちには、まずは年号なしで世界史を学ばせたあと、大学受験の2か月前くらいに、本書の巻末付録に掲載しているセンター試験に必要な84の年号を覚えさせています。

　ほとんどの生徒は、4〜5日程度で年号を完璧に覚えてしまいます。**す**

べての知識を数珠つなぎに身に付けたあとであれば、**年号も簡単に頭に入れることができるようになる**のです。

「世紀」は、中東世界を軸に

年号は不要であるものの、ある程度のタテの時間軸をおさえておいたほうが、知識がより頭に残りやすくなります。

ただし、すべての用語を年代とセットで覚える必要はまったくありません。じつは、**年代を簡単に頭に入れられるコツがあるのです。本書の第2章にあたる「中東」の年代を軸にして整理すればよい**のです。

中東世界は、地理的に、西のヨーロッパと東の中国のちょうど中間点にあります。そのため、中東世界は、他の地域の歴史に「脇役」として頻繁に登場します。したがって、中東世界の知識を数珠つなぎで身に付けるときに、合わせて、年代もセットで頭に入れれば、**他の地域の年代もまとめて把握できてしまう**ということなのです。

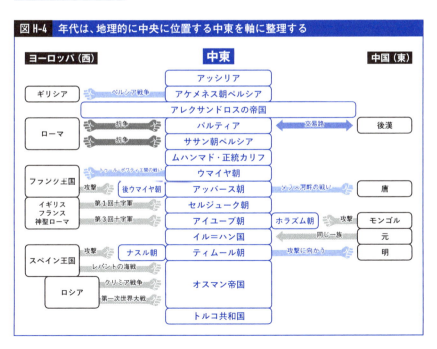

図 H-4　年代は、地理的に中央に位置する中東を軸に整理する

> 一度読んだら絶対に忘れない世界史の教科書　　　　　ホームルーム④

本書の構成について

 第5章を境に、大きく前半と後半に分けられる

　本書の構成は、5章を境に、前半と後半に大きく分けられます。

　まず、序章では、人類の出現や文明の誕生から話を始めます。

　次に、1章から4章までで、「ヨーロッパ」「中東」「インド」「中国」という4つの地域を取り上げ、それぞれ古代から大航海時代までの歴史を解説していきます。5章以降から、いよいよ4つの地域が一体化する世界史に入ります。5章では大航海時代をメインに、6章、7章で近代のヨーロッパ世界が、様々な革命を通じて世界中に影響力を強めていく過程を解説します。

　8章、9章で、近代のヨーロッパ世界に大きな影響を受けた中東・インド・中国などのアジア世界の変遷を解説します。

　そして最後に、10章において第二次世界大戦後から現代につながる世界の歴史を解説する、という流れになります。

 大航海時代以降、4つの地域が1つに合流する

　私がかつて遊んでいたテレビゲームに、「前半は、複数の主人公がバラバラにストーリーを展開し、後半でそれらの主人公が集まって1つの物語をつくっていく」というロールプレイングゲームがありましたが、本書の構成も、同じようなイメージです。

　まず、1章から4章までで取り上げる「ヨーロッパ」「中東」「インド」「中国」が、「大航海時代」に出会うまで、それぞれどのような歴史を歩み、また、どのような特徴を持つ地域になったのかを皆さんの頭にできるだけ

図 H-5　前半は4つの地域史、後半は4つの地域が一体化する世界史

ホームルーム

序章
人類の出現・
文明の誕生

4つの地域史

第1章
ヨーロッパの歴史

第2章
中東の歴史

第3章
インドの歴史

第4章
中国の歴史

4つの地域が一体化する世界史

第5章　一体化する世界の時代

第6章
革命の時代

第7章
帝国主義と
世界大戦の
時代

第8章
近代の
中東・
インド

第9章
近代の
中国

第10章　現代の世界

25

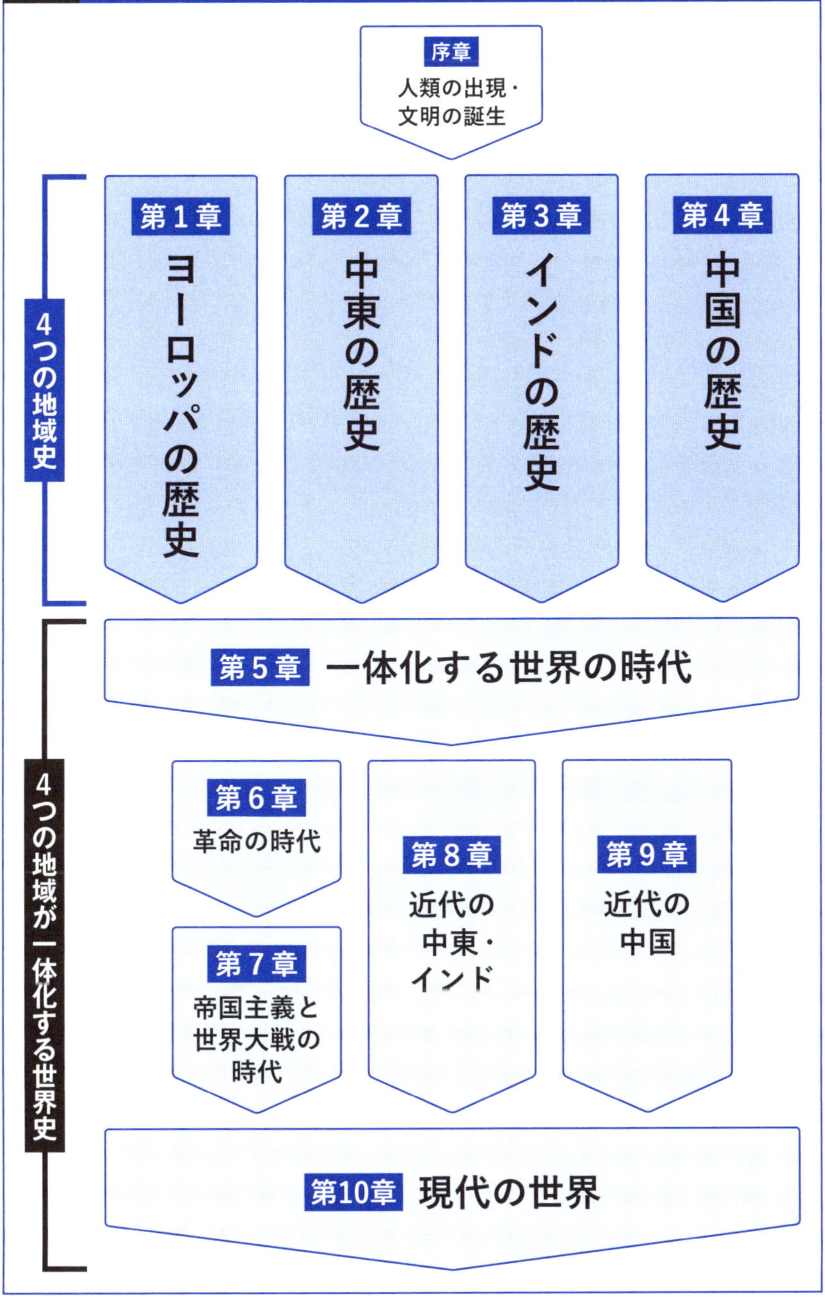

鮮明に描けるように解説していきたいと思います。

各地域には、気候風土に裏付けられた「個性」のようなものがあります。

たとえば、ヨーロッパは温暖な気候と生産力の高さをバックグラウンドに、有力な国が多く出現し、世界に大きな影響を及ぼしていきます。

中東は、砂漠に点在する多くの部族をまとめるイスラームの存在が欠かせないものとなります。

インドは宗教・民族・言語など、1つにまとまらない「多様性」が特徴となります。中国では、独裁的ともいえる強力な指導者が次々と登場します。

各地域の「個性」をつかむことで、5章以降の内容が、より立体的に理解できるようになります。

そして各章の主人公が1つになった5章から、いよいよ世界が一体化して展開される「世界史」のお話になります。地域史だった1章から4章までと異なり、5章以降では、各地域のつながりがより密接に、複雑に絡み合うようになります。

本書では、そうしたストーリーもできるだけ一直線に把握できるように工夫をしています。

取り上げていない地域について

ホームルームの最後に、もう1つ、みなさんにお伝えしておきたいことがあります。本書では、できる限り平易に記述するために割愛した用語が多く、アフリカと東南アジア、朝鮮半島、日本など、取り上げていない地域もあります。また、各国の文化史についても割愛しています。

けっして、これらを世界史において学ぶ必要がないと私が考えているわけではありません。できるだけコンパクトな本にしたいという意図があり、紙面に限りがある中で、みなさんに、「数珠つなぎにした世界史」をよりわかりやすい形で解説することを重視した結果、本書の構成になりました。

今回取り上げなかった地域の歴史や文化史については、改めて別の機会でご紹介したいと考えています。

序章

人類の出現・文明の誕生

序章　人類の出現・文明の誕生　　　　　　　　　　　　　　　　人類の出現

化石の発見が語った人類誕生の歴史

 世界中で波紋を呼んだ！　南アフリカの化石

　本章に入る前に、まずは、壮大な世界史の物語の出発点、つまり、「私たち人類は、いつ、どこで誕生したのか？」という人類の起源から話を始めたいと思います。

　みなさんは『猿の惑星』という映画を観たことがありますか？　猿のような生き物が二足歩行を行い、人間を支配するという設定の映画です。その設定が興味をひき、何度も続編やリメイクが出ている名作の１つです。

　今から約100年前、『猿の惑星』に出てくるような猿とも人ともつかない生き物の化石が南アフリカで発見されました。

　その化石を発見した解剖学者は、**アウストラロピテクス**（南の猿）と名付けます。すでにヨーロッパで発見されていたネアンデルタール人やクロマニヨン人よりもずっと古い地層から出土したという理由で、それが人類の祖先であると主張しました。

　当初、この主張は「人間は最初から神の姿に似せてつくられた」という教えがあるキリスト教徒や、人類の起源がヨーロッパにあると信じたい、当時アフリカを「支配」していたヨーロッパの人々に、まったく受け入れられませんでした。人と猿の中間の生き物の存在を認めることは、『猿の惑星』の世界を認めるのと同じような思いだったのかもしれません。

 人類の起源を一気にさかのぼらせた「猿人」

　しかし、「アウストラロピテクス」のような化石が、アフリカから次々と発見されます。

「直立二足歩行」と簡単な打製石器である「礫石器の使用」など、明らかに類人猿と異なる特徴を持つことがわかると、はじめはこの種の化石を人類と受け入れなかった人々も、最古の人類と認めざるを得なくなります。

この種は猿人と呼ばれることになり、約400〜250万年前のアウストラロピテクスがその代表です。現在では、700万年前までの猿人の化石が発見されています。

猿人の段階では、まだ脳の容積が小さく未発達なため（現在の人類の3分の1ほど）、『猿の惑星』に登場する猿たちとは違い、まだ言語も火の使用も行われていませんでした。

アフリカから各地に「原人」が広がる

約240万年前になると、原人が登場します。原人は石器をさらに鋭利にして用途を拡大したり、洞穴に暮らしたりするなど、周囲の環境への適応力が急激に増したことで、アフリカ以外の世界の各地に広がりました。

中国の北京原人やインドネシアのジャワ原人などが原人の代表です。この頃、言語の使用が始まったといわれています（ただし、赤ん坊の言葉に近かったようです）。また、北京原人は、火を使用したといわれています。

人間"らしさ"を持ち始めた「旧人」

約60万年前になると、さらに進化した旧人が登場します。その代表は、ヨーロッパに分布しているネアンデルタール人です。

ネアンデルタール人の遺跡では、骨の化石の周囲に花粉の化石が発見されていることから、死者を花で囲んで埋葬したという「死者をいたむ精神文化」があったことがわかります。

道具も進化し、石の固まりからカッターナイフのような薄い打製石器を次々と割り出す技法を発達させました。

人類として最も古い戦闘の痕跡も残っているので、これから延々と続くことになる「人類の戦いの歴史」はここから始まったといえるでしょう。

序章　人類の出現・文明の誕生

「現在の私たち」とほぼ同じ姿の「新人」

　今から20万年前以降の新人と呼ばれる段階になると、**現代の人類と体つきや脳の容積はほぼ同じです。**

　もし、「新人」がスーツを着てスマートフォンを持ち、あなたの職場の隣の席に座っていたとしても、おそらく違和感はまったくないでしょう。

　そうした意味での「今の私たち」のことを「現生人類」といいます（体つきは我々と同じですが、「旧石器時代」に属し、狩猟と採集を中心にしていて、農耕と牧畜が生産の中心である我々と生活様式が大きく違うため、「新人」というように名づけ、私たちと区別しているのです）。

　この代表は、ヨーロッパの**クロマニョン人**です。彼らは用途によって打製石器や、動物の骨や角でつくった骨角器を使い分け、生活を豊かにしました。フランスの**ラスコー**、スペインの**アルタミラ**などの洞窟の壁に、驚くほどリアルな動物の絵を描いた「洞穴美術」を作成しています。

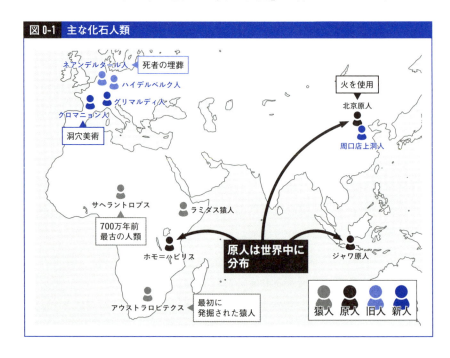

図 0-1　主な化石人類

序章　人類の出現・文明の誕生

文明の誕生

文明はいつ、どこで、どのように生まれたのか？

 現代のライフスタイルの「出発地点」

　今の日本でも、北海道の人々と沖縄の人々のライフスタイルが違うように、人は気候に合わせて生活をしていかなければなりません。

　今から1万年前、それまで寒冷であった地球が温暖化したことにより、地球が現在とほぼ同じ気候になりました。 そのタイミングで、人類も暖かくなった気候に合わせて生活をしなければならなくなったのです。

　この「1万年前」というタイミングが、現在の人類の「ライフスタイルの出発点」といえます。

　温暖化によって動物が小型化し、魚介類や植物の種類が多くなると、弓矢や網を使用する狩猟・採集などの獲得経済の技術を高めていきました。

　そして、**安定した温暖な気候を利用して、「食料を自分でつくって食べる」ことを開始した人々が登場**し、生産経済というライフスタイルが始まります。

　生産経済が始まると、人々は獲物を追い求めて移動するよりも、生産を行っている場所で暮らしたほうが有利になります。そうして、人々は集落をつくって定住するようになり、人口も増大していったのです。

　道具も変化します。従来の狩猟・採集に適した、肉を切り裂いたり、ものを切断したりするための打製石器の進化に加え、穀物をすり潰して粉にする道具や、耕作に使う鍬の刃先をつくり出すため、石をすり合わせて平たくする磨製石器も登場するなど、まさに農耕に適した"新"石器の時代が始まったのです。

「最適ではない土地」だからこそ文明が発達

　地球の温暖化は特に中緯度地域に大きな影響を与えました。中緯度では蒸発量が降水量を上回り、次第に乾燥を始めます。こうした乾燥地では生活や農耕に必要な水を大河に求め、大河のほとりに人々が密集します。

　決して農業に適しているわけではない乾燥した土地だからこそ、水を求めて大河流域に人口が密集し、都市が生まれ、多くの人口を養うための畑づくりや水路づくりの技術が結集されました。こうして、メソポタミアや黄河流域など、乾燥地を中心に世界最古の文明が生まれていきました。

　また、乾燥地以外にも、土地が狭く、交易の拠点が特定の場所に集中し、人口が密集したエーゲ海周辺や、人口を支える力が大きな米やトウモロコシをつくっていた長江流域やメキシコなどの地域にも文明が誕生しました。農耕や牧畜などによって人口が増加して**都市**が誕生すると、そこに富や技術が集中し、文字や金属器などが生み出されます。

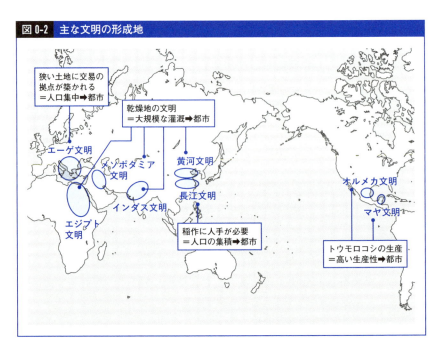

図 0-2　主な文明の形成地

第1章

ヨーロッパの歴史

第1章 ヨーロッパの歴史　あらすじ

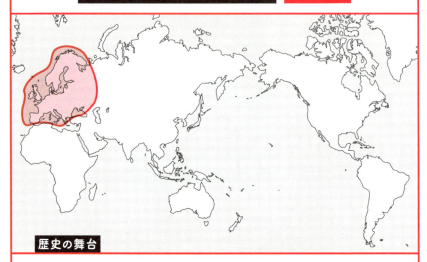

歴史の舞台

「多様」と「統一」という相反する"顔"を持つヨーロッパ

　ヨーロッパは、温暖な気候と高い生産力を持ち、古くから人口密集地域であることが特徴です。世界に大きな影響を与える大国が数多く出現し、国家や民族の激しい興亡が続いたことから、多様な言語や文化が生まれることになります。

　一方で、ヨーロッパは"共同体"という側面もあります。

　宗派は異なるものの同じキリスト教を信仰したり、ギリシア文字から分かれたアルファベットを使ったりするなど、共通の文化も持ち合わせているのです。

　このように、ヨーロッパの歴史は、常に「多様」と「統一」という相反する2つの"顔"を交互に覗かせるのです。

第1章 【ヨーロッパの歴史】の見取り図

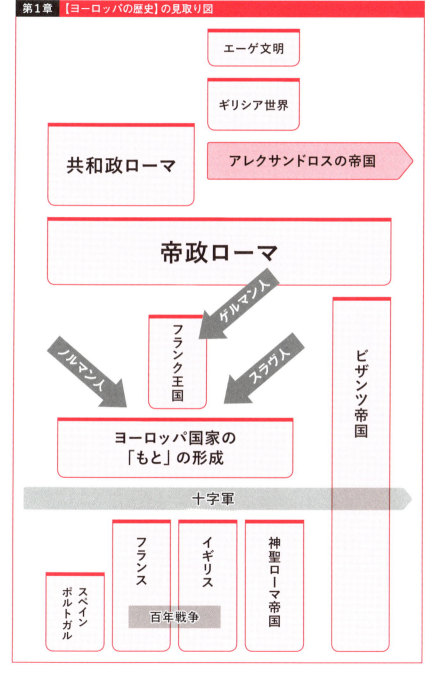

第1章 ヨーロッパの歴史　　　　　　　　　エーゲ文明

神話や伝説に包まれた
ヨーロッパのルーツ

 クレタ島からギリシア本土へ

　どんな文化や文明にも「ルーツ」があります。ヨーロッパの文化では、それが**ギリシア文明**にあたります。たとえば、英語やフランス語にはギリシア語を語源にする言葉がたくさんあります（歴史＝"history"の語源もギリシア語の"ιστορια"ヒストリアという言葉です）。

　そして、ギリシア文明のそのまた源流が東地中海のエーゲ海で生まれた**エーゲ文明**です。海上交易が盛んなエーゲ海周辺は、地形が複雑で平地が狭いため、交易の拠点が狭い平地に築かれて人口が密集したことから、早くから都市が発達していました。そのエーゲ文明にも「クレタ文明」と「ミケーネ文明」の2つの時代があり、前期のエーゲ文明はエーゲ海のクレタ島で栄えたので**クレタ文明**といいます。

　<u>クレタ文明は「明るい海洋文明」</u>といわれており、宮殿には城壁もなく、警戒心がない平和的な文明だったようです。それが仇となって、外敵の侵入に抵抗できずに滅びたともいわれています。中心地**クノッソス**には、大きな宮殿跡があります。この宮殿遺跡の巨大さから、ギリシア神話に登場する怪物「ミノタウルス」の住む迷宮の痕跡だともいわれました。

　後期エーゲ文明は、ギリシア本土に中心が移ります。これを**ミケーネ文明**といいます。<u>ミケーネ文明は「好戦的な文明」</u>といわれ、互いに激しい抗争を繰り広げ、遺跡の多くには巨石を積んだ城壁が存在しています。

　映画『トロイ』のモチーフとなったトロヤ戦争は、ミケーネ文明の時代に起きています。映画は完全に史実とはいえないものの、戦闘シーンの連続に当時の「好戦的な文明」の一端がうかがえます。

第1章 ヨーロッパの歴史　　　　　　　　　　ポリスの形成

「オリンピック」はポリスたちの祭典だった

「オリンピック」「ギリシア神話」が誕生

　クレタ文明やミケーネ文明は、すぐにギリシア文明へとつながったわけではありません。ミケーネ文明の崩壊後、約400年間にわたって実態が解明されていない「暗黒時代」といわれる混乱の時代が訪れます。

　「暗黒時代」が終わりにさしかかる頃、各地に**ポリス**と呼ばれる都市国家が生まれます。このポリスの形成者たちが、いわゆる「古代ギリシア人」です。

　彼ら**古代ギリシア人は、小高い山の周辺に集まって暮らすという特徴がありました。**ポリスの中心となった山を**アクロポリス**（城山）といい、有力者の指導のもと、神殿や城塞が築かれました。アクロポリスのふもとには**アゴラ**（広場）ができて、裁判や会議、商売が行われ、彼らの生活の中心になっていきます。

　ギリシア人のポリスは、使っている言語（方言）の違いによってイオニア人、ドーリア人などのグループに分かれ、お互いにライバル心を持ち、戦争をすることもありました。ただし、共通の「ギリシア神話」の神々を信仰し、オリンピアでのスポーツの祭典（古代オリンピック）を一緒に行うなど、**ギリシア人としての一体感も持ち合わせていたのです。**

　平野の少ないギリシアは、人口が増えると土地が不足します。そこでギリシア人は地中海の海上交易を活発に行い、各地に**植民市**を建設しました。

　たとえば、現在のイタリアのナポリは「ネアポリス」、フランスのマルセイユは「マッサリア」という植民市を起源としており、それら植民市からギリシア文化がイタリアやフランスに伝播していったのです。

37

| 第1章 ヨーロッパの歴史 | アテネ |

民主主義に"目覚めた"アテネの人々

 民衆が、貴族に立ち向かった！

　古代ギリシアで、今とはスタイルが少し違うものの、民衆が国の意思を決定するという<u>「民主主義」の原点が生まれます</u>。

　数あるポリスの中で中心的な存在だったイオニア人のポリス、**アテネ**において、市民全体（成人男性のみ）で意思決定を行う**直接民主政**という政治体制がとられるようになったのです。

　初めは、貴族が政治を独占して、民衆に参政権が与えられませんでした。参政権を求めたきっかけは、アテネの商工業が発展して、一般市民が経済力を高めるようになり、自ら武器を購入して重装歩兵として戦争に参加する市民が登場したことでした。<u>「私たちも国のために命がけで戦っているのに、貴族ばかりが政治を独占していてズルい！」という考えを市民が持つようになり、参政権を求めて貴族に身分闘争を挑むようになったのです。</u>

　アテネの民主政の基盤は段階的につくられました。

　まず、**ドラコン**という人物が成文法（誰でも読める文章で記された法）をつくり、「貴族による法の独占」を防ぎました。

　次に**ソロン**という人物が、納税額に応じて4つに市民を分け、段階的に参政権を与えるという**財産政治**を開始します。現代人の視点からすれば、まだまだ不平等な仕組みですが、<u>財産さえ持てば、参政権が与えられるという点において、参政権自体は大幅に拡大したといえます。</u>

　そして、**ペイシストラトス**が武力でアクロポリスを占拠し、一時アテネの実権を握ります。

　自ら独裁者となり、"自称"独裁者という意味の「僭主」を名乗ったので、

彼の政治を**僭主政治**といいます。独裁下においては、貴族も市民もないので、結果的に市民の立場が向上したといえます。しかし、ペイシストラトスのあとは、"悪い"独裁を行う僭主が続いてしまいます。

指導者**クレイステネス**は、そんな抑圧的な僭主の登場を防ぐため、**陶片追放**の制度を始めます。陶器のかけらに僭主になりそうな人を書き、得票数の多い者をアテネから10年間追放するという「逆投票」のような制度でした。また、血縁ごとの部族制をやめ、住んでいる土地ごとに民衆のグループを区分しました。この改革により「貴族の家系である」という血縁のメリットが次第に薄れていき、民主政の基礎ができていきます。

将軍**ペリクレス**の時代になると、アテネの民主政は完成形を迎えます。

成年男子市民が民会を開き、多数決で国家の政策を決定しました。役人も抽選で決めました。

奴隷や異民族、女性には参政権がないものの、**市民全員が政治に参加する直接民主政であった**ことがギリシアの民主政の特徴となったのです。

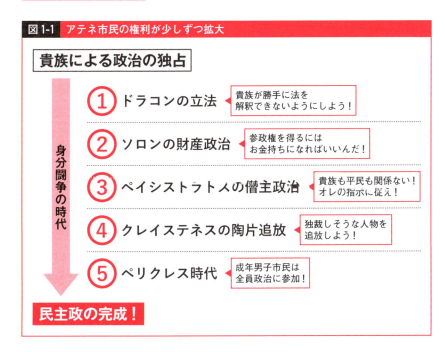

図1-1　アテネ市民の権利が少しずつ拡大

第1章 ヨーロッパの歴史　　スパルタ

「スパルタ教育」の秘密は人口構成にあった

5000人で7万人を支配

　アテネのライバルとして知られるドーリア人のポリスがスパルタです。**「スパルタ教育」の名で現在も知られるように**リュクルゴスの制**といわれた厳しい教育制度と軍国主義をとっていました。**スパルタは強大な軍事力と活発な遠征を行い、ギリシアのポリスの中では広大な支配領域を持っていました。周辺の民族をしたがえ、戦争奴隷を多く獲得したことがスパルタの人口構成を特徴づけ、軍国主義をさらに促すことになったのです。

　ドーリア人であるスパルタの男性市民は5000人ほどでしたが、征服した地から獲得した奴隷身分の農民（ヘイロータイ）が5万人、異民族を従属させて商工業に従事させた周辺民（ペリオイコイ）が2万人ほどいました。つまり、5000人が7万人を従属させている状況です。この7万人が一気に反乱を起こせば、5000人はひとたまりもありません。

　リュクルゴスの制のような厳しい訓練と軍国主義により、**スパルタ市民は平時であっても常にヘイロータイやペリオイコイに"ナメられない"ようにする必要があったのです。**

図1-2　スパルタの社会構造

少数の支配層
市民 5000人

厳しい訓練と軍国主義で反乱を抑止！
支配

ペリオイコイ 2万人
商工業

ヘイロータイ 5万人
奴隷身分の農民

圧倒的多数の被支配層

40

第1章 ヨーロッパの歴史　　　　ペルシア戦争とペロポネソス戦争

ペルシアに勝利後、内部から崩れたギリシア

「オリエントの覇者」がギリシアに襲いかかる！

　アテネ・スパルタのようなポリス社会が発展していた頃、東のほうではアケメネス朝ペルシアという国が一大帝国を築いていました。

　ギリシア世界はポリス、すなわち「点」の都市国家だったのに対し、ペルシア帝国は広大な領土、すなわち「面」をもつ国家として強大な軍事力を備える国でした。このペルシア帝国が、ギリシア世界に襲いかかった戦争を「ペルシア戦争」といいます。

　まず、ペルシア帝国内のギリシア人が、ペルシア支配からの離脱を訴え

図 1-3　ペルシアとギリシア世界

41

て反乱を起こします。それにアテネが手を貸します。アテネが手を貸したことに腹を立てたペルシアは、アテネに挑み、全面対決に突入します。

アテネは苦戦しながらも、「マラソン」の語源ともいわれるマラトンの戦い、将軍テミストクレスの巧みな戦術で勝利したサラミスの海戦、ライバル、スパルタと連合して勝利したプラタイアの戦いを通して、なんとか強敵のペルシアを退けることに成功します。

ペルシア戦争に勝利したギリシア世界ですが、**勝利したことによってかえってアテネとスパルタの間で主導権争いが起きてしまいます。**アテネはペルシアの来襲に備えて周囲のポリスと**デロス同盟**を結びます。これを「ポリスをとりこんで主導権をとりにいった」と考えたスパルタは、**ペロポネソス同盟**を率いてアテネに対抗しました。こうして、**ペロポネソス戦争**というアテネとスパルタの戦いが始まるのです。テーベという都市国家も参戦して三つ巴になり、戦争が長引いたことにより、ギリシア世界は次第に荒廃し、ポリス社会は滅亡への道をたどることになります。

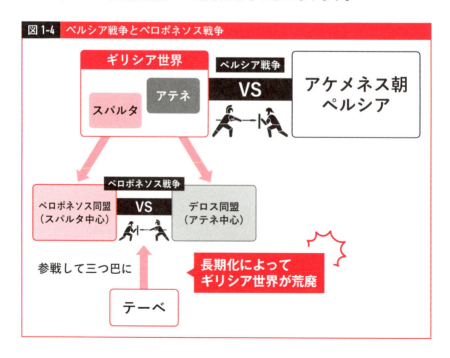

図1-4　ペルシア戦争とペロポネソス戦争

第1章 ヨーロッパの歴史　　　　　　　　アレクサンドロスの帝国

英雄アレクサンドロスが世界を駆け抜ける！

"漁夫の利"を得たマケドニア

　ペロポネソス戦争で混乱するギリシア世界の北に、マケドニアという国家がありました。**ペロポネソス戦争の混乱は、このマケドニアに「漁夫の利」をもたらします。**

　マケドニアはギリシア人の一派でしたが、ポリスをつくらないなどの生活スタイルの違いにより、ギリシアからは異民族とみなされ、"格下"扱いを受けていました。

　ところが、マケドニアの王**フィリッポス2世**は軍事力の増強に努め、ペロポネソス戦争の混乱につけいって、**カイロネイアの戦い**でアテネとテーベの連合軍を破ります。

　そして、フィリッポス2世はギリシアのポリスを「**コリントス同盟**」という形で統合し、支配下におさめることに成功したのです。

「ヨーロッパからインドまで」支配した巨大帝国

　フィリッポス2世の子が、**ヨーロッパからインドにまたがる巨大帝国を築いた**、歴史上に名をとどろかせることになる**アレクサンドロス**です。

　アレクサンドロスはギリシア世界にとっての脅威だった、東方のアケメネス朝ペルシア帝国を倒すため、マケドニアとギリシアの兵を率いて**東方遠征**に出発します。

　「重装歩兵で敵の主力を足止めし、自身は騎馬隊を率いて大きく迂回し敵の心臓部をつく」という機動戦を得意にしたアレクサンドロスは、イッソスの戦いやアルベラの戦いでペルシアを破り、さらにインド北西部に侵攻

43

して、破竹の勢いで大帝国を築きました。

ところが、ギリシアから遠くインドまで行軍してきた軍隊の疲労はピークに達し、インダス川流域まで侵攻したところで快進撃は止まってしまいます。そして、故郷マケドニアに帰る途中、アレクサンドロスは、バビロンの地で32歳の若さで死去してしまいました。

 ## 後継者争いが起きて分裂

このアレクサンドロスの突然の死が、新たな争いの種をまいてしまうことになります。

アレクサンドロスは「最も強き者が我が後を継げ！」と、なんとも曖昧な遺言を残していたために、**後継者争いが始まってしまうのです。**

この後継者（**ディアドコイ**）争いの末、アレクサンドロスの帝国はアンティゴノス朝マケドニア、セレウコス朝シリア、プトレマイオス朝エジプトという３カ国に分裂してしまいました。

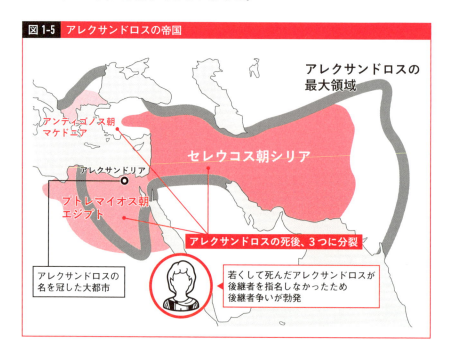

図1-5 アレクサンドロスの帝国

第1章 ヨーロッパの歴史　　　　　　　　　共和政ローマ

ヨーロッパを1つにした巨大国家の誕生

平民が「身分闘争」を起こす！

「古代ギリシア」とともに、ヨーロッパ文化の源流になったのが「ローマ帝国」です。**ローマ帝国は、西ヨーロッパから地中海全域に及ぶ大帝国だったため、道路や建築、言語など、ヨーロッパに「統一性」をもたらした1つの重要な要素となります。**

ローマ「帝国」というものの、**ローマの前半**（最初期を除いて）は、王や皇帝をもたない**「共和政」という時代でした。**

初期のローマの共和政も、ギリシアと同様に貴族と平民、奴隷間に身分差がありました。国の指導権をもつ会議だった**元老院**や、最高官職であった2名の**コンスル**（執政官）も、貴族に独占されていたのです。

ローマが強大化すると、ギリシアのときと同様、重装歩兵として戦争に参加していた平民は「俺たちは命がけで戦っているのに参政権がないのはおかしい！」と、貴族に対して身分闘争を挑みます。

こうしてローマもギリシアと同じく、段階を踏んで平民の参政権が向上していくことになります。まず、平民の権利を守る**護民官**という制度や、**平民会**という平民の会議が設置されます。続いて**十二表法**という文章で記された法律（成文法）が制定され、貴族による法の独占を防ぎました。

そして、定員2名のコンスルのうちひとりは平民から出すという**リキニウス＝セクスティウス法**が定められ、平民の権利がグッと拡大します。

「平等」が、かえって対立を生み出してしまう

「平民会の決議が元老院の承認なしに国の法律となる」という**ホルテンシ**

45

ウス法が定められた段階で、平民の権利と貴族の権利がほぼ平等になり、身分闘争は終わりを告げます。

ただし、「平等」と「仲が良い」は違います。平民は平民会で自分たちに有利な法をつくれるようになりましたが、国の指導権は依然、貴族たちの元老院が握っていました。

当然、貴族はその法を元老院において自分たちに有利になるように運用し始めます。"法をつくる"平民と、"法を運用する"貴族が対等の立場になったことで、両者の対立がますます深まることになってしまったのです。ギリシアのアテネは「身分が解消されて民主政になった」のに対し、ローマは「平等になったことで、平民と貴族がかえって対立を深める」ことになってしまいました。

地中海の"覇権"をかけた戦い・ポエニ戦争

平民と貴族の身分闘争のような内輪モメを抱えながらも、軍事面でローマは順調に強大化し、イタリア半島を統一していきます。

この段階のローマと衝突することになったのが、フェニキア人国家のカルタゴです。カルタゴは、イタリア半島のローマにとっては「地中海の向かい」にあり、お互いに「いつか倒さねばならないライバル」でした。

ローマとカルタゴが地中海の覇権をかけて戦ったポエニ戦争では、3回の大きな衝突が起こります。

第1回ではシチリア島をカルタゴから奪い取り、ローマが初めてイタリア半島の「長ぐつ」の外に領地を持ちます（この「海外植民地」のことを属州といいます）。

第2回では、「世界史上最高の名将」ともいわれるカルタゴの将軍・ハンニバルと戦います。

ハンニバルは、強敵ローマに奇策を用いました。

象からなる部隊を編成し、イベリア半島方面からアルプス山脈をひそかに越えさせ、北側から一気にローマに攻め込んだのです。誰も「アルプス

山脈を象が越えてくる」などとは思いもしません。

意表をつかれたローマは大混乱に陥り、滅亡の危機に追い込まれます。

しかし、ローマにもスキピオという名将が登場し、防戦一方になっていたローマからあえて出撃し、スペインやカルタゴの本土を攻撃しました。

本国の危機にハンニバルはローマの攻撃を中断して帰国し、おびき出されたハンニバルはスキピオに敗れ、第2回もローマが勝利します。

続く第3回もローマが勝利し、カルタゴの支配地域を奪って、**ローマが地中海の覇者となっていったのです。**

 戦争には勝ったのに、なぜか停滞ムードに

ポエニ戦争後、ローマは連戦連勝の破竹の勢いで支配領域を広げていきます。ところが、そのことがローマ社会に思わぬ悪影響をもたらすことになります。長期の戦争に駆り出された農民が久しぶりに自分の農地に戻ると、そこはすでに荒れ果てており、使い物にならなくなっていたのです。

さらに、ローマの拡大に合わせ、戦争によって獲得した奴隷たちがローマ国内に続々と流入してきます。お金持ちは、こうした奴隷たちをたくさん買っては、大規模な農園で働かせていました。

　手持ちの農地が荒廃したうえ、お金持ちが大規模な農園で安い作物を大量生産するようになってしまうと、農民に勝ち目はありません。

　そこで、失業した農民たちは生活の糧を求めて都市に向かいました。

　落ちぶれた大量の失業者は、1つ間違えると反乱勢力に豹変してしまいます。

　事態を危惧した**ローマの政治家や皇帝たちは、大量の失業者に「パンとサーカス」、すなわち食事と闘技場での剣闘などの娯楽を与えて彼らの不満を必死にそらそうとしますが**、戦争に勝てば勝つほど、ローマ国内は停滞ムードになっていってしまうのです。

"内乱の世紀"に起こった3つの内乱

　こうして、ローマ国内は「軍事的な勝利による拡大」と「国内の停滞ムード」という、相反する2つの方向に切り裂かれていきます。

　そして、「停滞ムード」がもたらした反乱や軍事衝突が頻発し、前2世紀から前1世紀にかけて「内乱の1世紀」といわれる混乱時代に入ります。「内乱の1世紀」では、大きく3つの内乱が起きました。

　1つ目は**平民派と閥族派の争い**です。

　身分闘争の結果、平等になったものの、ますます仲が悪くなった平民と貴族の争いは中々おさまりませんでした。

　2つ目の内乱は、剣闘士奴隷たちの大規模反乱、**スパルタクスの乱**です。闘技場で見世物として戦わされていた剣闘士奴隷を中心に、奴隷たちが大規模な反乱を起こします。

　3つ目の内乱は同盟市といわれたイタリア半島の都市がローマに対して反乱を起こした**同盟市戦争**といわれる戦乱です。

少人数支配が始まり、カエサルが登場

　混乱に直面したローマの人々は、激しい内乱を収拾できる強いリーダーシップを求めるようになります。そして、王のいない「共和政」のローマから三頭政治という「寡頭制（少人数で国をおさめる仕組み）」が成立したのです。これが「共和政」から「帝政」の移行期になります。

　ポンペイウスと**クラッスス**、そして民衆の絶大な人気を集めた**カエサル**の３人が、第１回三頭政治を開始します。この最中に、カエサルはガリア（フランス）に遠征し、目覚ましい戦果を重ねて名声をあげます。

　彼の名声に対し、ライバルのポンペイウスは元老院と結んでカエサルを倒そうとしますが、カエサルはこの勝負に勝利し、ローマの絶対権力者になります。

　ところが、臨時の最高職であった「独裁官」を終身の「終身独裁官」に変更し、自らその役職に就くことで事実上の「王」になろうとしたカエサルに、共和政を守ろうとする人々が反発します。

　結果、カエサルは、信頼していたブルートゥスという人物に裏切られて暗殺されてしまい、政治は再び混乱してしまうのです。

「共和政」から、皇帝の時代へ

　この混乱の中、カエサルの養子**オクタウィアヌス**、カエサルの部下**アントニウス**、そして名門の出身である**レピドゥス**の３人が、再び政治同盟を結んで第２回二頭政治を始めます。

　しかし、彼らはすぐに対立してしまい、３人の協調は長続きしません。主導権を握ったオクタウィアヌスに対し、アントニウスは"絶世の美女"とうたわれたプトレマイオス朝エジプトの女王**クレオパトラ**と手を結び、オクタウィアヌスに戦いをしかけます。

　迎え撃つオクタウィアヌスは、アクティウムの海戦という戦いによって、アントニウスとクレオパトラの連合軍を破り、決着がつきました。

第1章 ヨーロッパの歴史　　　　　　　　　　　　　　　　　帝政ローマ

名君たちによって「ローマの平和」が訪れる

「ローマ」から「ローマ帝国」へ

「共和政」から「三頭政治」を経て、いよいよローマは、強大なリーダーシップを持つひとりの皇帝が国をおさめる「帝政」という段階に移ります。

現在でも、ロシア、中国、アメリカなどの広大な領土の国をおさめる統治者には「独裁」ともいわれる強いリーダーシップがよく与えられます。

国家の規模が大きくなればなるほど、権力が集中するのは、歴史の1つの「パターン」です。

アントニウスを破り、権力の頂点に立った**オクタウィアヌス**は、元老院から「**アウグストゥス（尊厳者）**」という称号を得てローマの初代「皇帝」に就任します（そのため、「オクタウィアヌス」といわれることもあれば、「アウグストゥス」といわれることもあります）。

ただし、「皇帝」といっても、オクタウィアヌスは、**「独裁者」という肩書きを使わずに、あくまで「第一の市民（プリンケプス）」と名乗って「市民のリーダー」という立場を貫きます**（このタイプの帝政を「元首政」といいます）。「終身独裁官」を名乗って暗殺されたカエサルを見ていたオクタウィアヌスは、元老院の存在など、共和政の伝統を守りたいという人々に配慮したのです。「第一の市民」といっても、実質的に唯一の権力者として機能していたので、「皇帝」には変わりありません。ここからのローマが「ローマ帝国」となります。

"黄金期"の到来

初代皇帝オクタウィアヌスから、5人の優れた皇帝に統治された「五賢

帝」の時代までの200年間がローマの黄金期となり、空前の繁栄を迎えます。この五賢帝とは、12代皇帝のネルウァから、16代皇帝のマルクス＝アウレリウス＝アントニヌスまでの5人の皇帝を指します。

1人目が、優秀なトラヤヌスを次代の皇帝に抜擢した「巧みな人材活用」の**ネルウァ**。2人目が、ダキア（現在のルーマニア）を征服し、ローマの最大領域をもたらした「攻め」の皇帝**トラヤヌス**。3人目が、各地に防壁を築き、「守り」の皇帝となった**ハドリアヌス**。4人目が、その治世はローマ史上最も平和だったといわれる「人格者」の**アントニヌス＝ピウス**。最後の5人目が、ストア派の哲学者としても知られる「哲人皇帝」**マルクス＝アウレリウス＝アントニヌス**です。

地中海世界が圧倒的な力をもつローマ帝国に統治され、ローマ帝国内には誰もが平和を享受できる**ローマの平和**（パクス＝ロマーナ）の時代が到来します。商業活動も活発に行われ、季節風（モンスーン）を活用した季節風貿易により、遠く東南アジア、中国とも交易をしました。

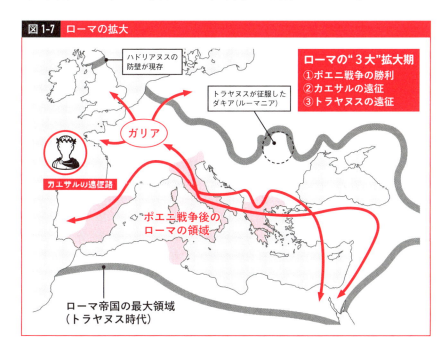

図1-7 ローマの拡大

数年に1度、皇帝が代わる混乱の時代

　五賢帝最後の皇帝マルクス＝アウレリウス＝アントニヌスの時代が終わると、ローマ初期の勢いが衰えて「3世紀の危機」という混乱の時代を迎えます。五賢帝の時代に最大領域を誇ったローマは、財政不振に陥ってしまったのです。**カラカラ帝**は、帝国内の全自由民にローマ市民権を与える代わりに徴税の対象を拡大しようとしましたが、彼の統治は"ローマ史上最悪の暴君"といわれるほど評判が悪く、うまくいきません。

　そして3世紀の中盤から**軍人皇帝時代**という時代に入ります。

　財政不振や異民族の侵入により、ついにローマ帝国自体の統率力も低下し始めてしまいます。

　各属州の軍団が独自に皇帝を乱立し始め、暗殺や戦死が続く（33年間で14人も皇帝が代わりました）、まさに大混乱の時代となるのです。

 ## 皇帝と"神"を一体化させる

　そこで、3世紀末に登場した**ディオクレティアヌス帝**は、さらに強大なリーダーシップを発揮するため、**皇帝を神として礼拝させ、皇帝を絶対の権力者とする専制君主政**を始めます。また、領土が巨大になりすぎていたローマ帝国を東と西に分け、それぞれ正帝と副帝の2人、すなわち4人で協力してローマ全土を統治するという四帝分治を行い、帝国の支配を再び安定させることに力を尽くします。

　ディオクレティアヌスは、ローマの安定に貢献したものの、「皇帝を神として礼拝」することに反発する**キリスト教徒に対して大迫害を行った**ために、後世のヨーロッパ世界ではあまり評判のよい皇帝ではありません。

　ディオクレティアヌスの政策を引き継ぎ、皇帝の専制的政治体制を強化しようとした**コンスタンティヌス帝**は、ディオクレティアヌスとは逆に、**ミラノ勅令**という命令を出し、キリスト教を公認します。この頃、キリスト教の信者が増加して無視できない勢力にまで成長したので、弾圧ではなく、

キリスト教の力を借りて帝国をまとめようとしたのです。

コンスタンティヌスは、キリスト教を保護したことにより、後世のヨーロッパ社会の評判が非常に高い皇帝になりました。他にも、この皇帝は帝国の東方の統治を重視してビザンティウム（現在のイスタンブール）に都を移し、自らの名を冠して**コンスタンティノープル**と改称します。

 ## もはやこれまで！ ゲルマン人の流入で帝国が崩壊

ディオクレティアヌスとコンスタンティヌスの改革により、一時的にローマは安定しました。しかし、膨大な国境線を維持する軍事費と官僚を支えるための費用が膨れ上がったことにより、ローマの財政は破綻し、属州が反乱を起こし始めてしまいます。

追い打ちをかけるように、ゲルマン人が大移動を行って異民族が帝国内に一斉に流入し始めたため、帝国は末期的な状況に陥っていきました。

ローマ帝国の最後の皇帝となる**テオドシウス帝**は、帝国を東西に分割して自分の2人の子に分け与えました。テオドシウスの死後、残念ながら、再びローマが1つになることはありませんでした。

テオドシウスは、早くからキリスト教の洗礼を受け、元老院もキリスト教を支持する者が多くいたことから、キリスト教以外の宗教を厳禁し、**キリスト教を国教化**しました。

こうして「ローマ帝国」の時代は終わりを告げ、次に「中世」のヨーロッパ世界が幕を開けることになります。

 ## ヨーロッパ世界の形成に貢献したローマ帝国

ローマが巨大帝国を築いたことによってローマの言葉（ラテン語）やアルファベットがヨーロッパの文字や言語の下地になり、キリスト教を国教化したことによってキリスト教がヨーロッパの宗教のベースになります。ローマ帝国はヨーロッパの「統一性」の最大の要因をつくったのです。

第1章 ヨーロッパの歴史　　　　　　　　　　　キリスト教の成立

ローマ帝国時代にキリスト教が生まれた理由

"三重苦"の民に手を差し伸べたイエス

　前項で、**キリスト教が「弾圧」から「公認」、そして「国教化」へ変化**したことを説明しました。ここで時間を少しだけ戻して、キリスト教の「出現」についてお話ししたいと思います。

　ローマでアウグストゥスによる帝政が始まった頃、世界史の中で最も大きな影響を与えた人物がローマ支配下のパレスチナ（現在のイスラエルやヨルダン）に誕生します。それが**イエス**です。

　当時、パレスチナの地で主に信仰されていたのは、ユダヤ教でした。

　パレスチナは豊かな土地ではないため、困窮する民衆が多いうえに、ローマ帝国がユダヤ教徒に強圧的な政治を行ったため、多くのユダヤ教徒が飢えに苦しんでいました。人々に救いを与えるはずのユダヤ教の祭司たちはというと、戒律を守ることと、戒律を破ることによる神の罰ばかりを説き、ユダヤ教徒たちの苦しみにまったく寄り添おうとしませんでした。**「もともと貧しいうえに、ローマ帝国の厳しい政治があり、さらにユダヤ教の祭司たちは厳しいことばかりを言う」という八方ふさがりの状況**がパレスチナのユダヤの民にはあったのです。

　こうした中で登場したイエスは、**「神は罰ではなく、愛を与えるのだ」**「神が愛を与えるように、周りの人に愛を与えなさい」という神の愛と隣人愛を説きます。

　「愛」という今までのユダヤ教にない考え方が、八方ふさがりで苦しむユダヤの民に救いを与えました。そのため、民衆はイエスに従い、イエスを救世主（ギリシア語で**キリスト**といいます）と呼ぶようになるのです。

一方、「お客をとられた」格好になったユダヤ教の祭司たちは、イエスを危険視し、ローマへの反逆者として訴えます。そして、イエスは十字架にかけられて処刑されてしまうのです。この**「イエスを十字架にかけた民」という事実が、のちにユダヤ教徒迫害の原因の１つになってしまいます。**

弟子がイエスの教えを「キリスト教化」した

イエスはあくまで「ひとりのユダヤ教徒」として、ユダヤ教の在り方に疑問を抱いていたので、**自ら新しい宗教を打ち立てようという意思は持っていませんでした。** しかし、イエスの弟子たちはイエスの教えや行動をもとに「キリスト教」を始めたため、ユダヤ教とは分離して**キリスト教**が成立したのです。イエスの教えは、**ペテロ**や**パウロ**などの「使徒」といわれる人々の布教活動によって、ローマ帝国内に徐々に広まっていきます。

弾圧から公認、そして国教へ

当時、ローマは多神教の国でした。ローマ皇帝も、「神のひとり」として崇拝されていたのです。そのため、唯一絶対の神を信じるキリスト教徒は、ネロ帝、ディオクレティアヌス帝や、多神教を信じる一般的なローマの民衆などから激しく迫害され、公然とはキリスト教を信仰できない状況でした（骨だらけの地下墓地などで細々と信仰が受けつがれるのみでした）。

しかし、水面下では、キリスト教がじわじわと民衆の間に広がっており、「禁じてしまったらローマ帝国はバラバラになってしまう」という段階まで達すると、一転して**コンスタンティヌス帝は、ミラノ勅令でキリスト教を公認して、キリスト教の保護に回ります。そして、キリスト教が爆発的に広まることになるのです。**

最終的には、テオドシウス帝により、ローマ帝国の人々は「キリスト教以外の信仰は許されない」という段階に至ります。こうして、現在の**ヨーロッパのほぼ全域にわたってキリスト教が信仰され、ヨーロッパに宗教的な「統一性」がもたらされる下地が完成したのです。**

第1章 ヨーロッパの歴史　　　　　　　　　ゲルマン人の移動

民族移動と混乱から「中世」が始まる

 フン族に押し出されたゲルマン人

　ローマ帝国の東西分裂後、大航海時代やルネサンスが始まるまでの約1000年間を **中世** といいます。

「中世」の時代に起きた **度重なる民族移動や小規模国家の分立が、その後のヨーロッパに「多様性」を与える要因となります。**

　まず、民族移動の先陣を切ったのは **ゲルマン人** です。

　ローマ帝国の末期、アルプス山脈の北ではゲルマン人と呼ばれる人々が狩猟や牧畜を行っていました。ローマの国境に近いところに暮らしていたゲルマン人は、時にローマに略奪をはたらく侵入者として、時に傭兵や小作人としてローマ社会にゆっくりと移住していきました。

　そうした状況を打ち破る変化が起きたのが、4世紀後半です。アジア系の **フン族** が、東から突如ゲルマン世界を圧迫し始めたのです。

　フン族が突然やってきたために、ゲルマン系の諸部族はビリヤードの球が弾けるように圧迫から逃れようとして、俗にいう **ゲルマン人の大移動** を開始します。

　そして、ゲルマン人は、それまで北西ヨーロッパに住んでいたケルト人や、ローマ帝国内のラテン人（ローマ人）を圧迫しながら新たな居住先を探し、移動先に次々と国を建てていきました。

　たとえば、「フランス」の語源となったフランク族、「イングランド」の語源となったアングロ＝サクソンの諸民族など（「アングロランド」が「イングランド」となります）が移動し、建国しました。この移動の混乱の中で、ローマ帝国の流れを汲んでいた「西ローマ帝国」が滅亡します。

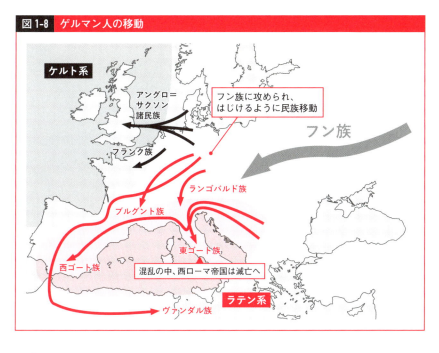

フランク王国の台頭

　大移動を行ったゲルマン人の諸民族の中でも、フランク人が建国したフランク王国が最も力を持ちました。なぜなら、**西ヨーロッパ随一の穀倉地帯である、現在のフランスに建国したからです。**その豊かさを背景に、ゲルマン人の諸国の中で最も安定した国家になりました（その他のゲルマン諸国の多くは短命に終わります）。5世紀には、メロヴィング家の**クローヴィス**が**メロヴィング朝**という王朝を建て、周囲の民族をしたがえると、キリスト教の正統派である**カトリックに改宗**します。

　ゲルマン人の多くは異端とされるアリウス派でしたが、クローヴィスがいち早くローマ帝国で正統派とされていたカトリックに改宗したことで、今までローマ帝国の貴族や市民だった人々も、「ゲルマン人の支配であっても受け入れてやろうかな」という気持ちにさせられ、**フランク王国が西ヨーロッパの中心勢力となる基盤を固めて**いったのです。

宮宰カール=マルテルの登場

　メロヴィング家の王家の相続方法は、子どもに人数分の領地を分け与えるという分割相続だったため、王の領地は次第に小さくなって衰えていき、代わりに**宮宰**という最高の行政職が権力を握るようになります。

　宮宰の中で最も有名な**カール=マルテル**は、メロヴィング朝の実権を握り、イベリア半島からフランク王国に迫っていたイスラーム勢力を**トゥール・ポワティエ間の戦い**で破ります（一説には、マルテルは「鉄槌」という意味を持ち、カール=マルテルは「鉄槌のカール」という、勇ましい名前だったともいわれています）。

ローマ教皇公認のクーデタで新王朝が成立

　カール=マルテルは、メロヴィング朝を倒す実力をもっていたものの、宮宰の地位にとどまっていました。その子**ピピン**の時代になり、メロヴィング朝の王から権力を奪い、**カロリング朝**をひらきます。このままでは単なるクーデタであり、王位を奪ったという汚名だけが残ることになりますが、ピピンは宗教勢力を活用します。スポンサーを求めていたキリスト教会の長、ローマ教皇に土地を寄進してクーデタを承認してもらい、**キリスト教世界公認の王としてフランク王国の継承を認めてもらった**のです。

東西南北に勢力を拡大したカール大帝

　ピピンの子が、**カール大帝**（ドイツ語読みでカール大帝、フランス語読みでシャルルマーニュといい、どちらの呼び名も一般的に使われます）です。彼は「大帝」という名のとおり、フランク王国を強大化させ、東のアヴァール人や西のイスラーム勢力、南のランゴバルド王国、北のザクセン人との戦いで次々と勝利をおさめて**現在のドイツ、フランス、北イタリアにまたがる広大な領土を手にします**。この広大な領土をカールはいくつもの州に分割し、伯を任命（「伯爵」という言葉のルーツです）して統治にあ

たらせました。ローマ教皇はピピンに続き、その子カール大帝にも接近し、関係を深めていきます。

ローマ教皇**レオ３世**は、カールに300年以上も前に滅びた西ローマ帝国の冠を授け（**カールの戴冠**）、**フランク王国を新しい西ローマ帝国と見立ててその復活を宣言し**、キリスト教勢力の拡大を図りました。

３分割されたフランク王国

カールが獲得した広大な領地は、カールの子の代までは維持しますが、孫の代になると、孫同士で領地を奪い合うようになります。

彼らカールの孫たちは**ヴェルダン条約**、**メルセン条約**という２回の条約によって王国を**東フランク王国**、**西フランク王国**、そして**イタリア**の３つに分けました。これが、**現在のドイツ・フランス・イタリアの「ルーツ」になります**。

ドイツの起源となった「東フランク王国」

東フランク王国（ドイツ）では、分裂後から100年も経たないうちにカール大帝の血をひくカロリング家が断絶し、諸侯の選挙で王が選ばれるようになります。中でも、**オットー１世**という人物は、アジア系の**マジャール人**やスラヴ人と戦って勝利し、名声を高めていきます。

すると、ローマ教皇がカール大帝に続きオットー１世に再び接近します。**カール大帝と同じようにオットー１世にも西ローマ皇帝の位と冠が与えられ、キリスト教会と東フランク王国は関係を深めました。**

のちに、キリスト教会と関係を結んだ東フランク王国は、**神聖ローマ帝国**といわれるようになります。

しかし、ドイツにある国が「ローマ」を名乗っていることを気にしてか（東京ディズニーランドが千葉にあるようなものです）、神聖ローマ帝国は、幾度となく、ローマを奪うべくイタリアに攻め込んでは撃退されるという状況がしばらく続きます。

フランスの起源になった「西フランク王国」

　西フランク王国（フランス）でもカロリング家は断絶し、パリの地を伯としておさめていた**ユーグ＝カペー**という人物が王位に就いて**カペー朝**という王朝を開きます。しかし、王の力は弱く、家来であるはずの諸侯のほうが王よりも広大な領地を持つなど、不安定な状況がしばらく続きました。

 ### ジェノヴァやヴェネツィアの成長

　イタリアでも、カロリング家はすぐに断絶してしまいます。

　その後、（名前にこだわって毎度攻めてくる）神聖ローマ帝国との抗争状態が続いたうえ、イスラーム勢力も南に侵入してくるようになったため、国内は分裂状態で大いに乱れます。統一感のない状態がかえって「地方は放置状態」を招き、ジェノヴァやヴェネツィア、ピサなどの有力な「地方都市」がイタリアの主役として頭角を現していきます。

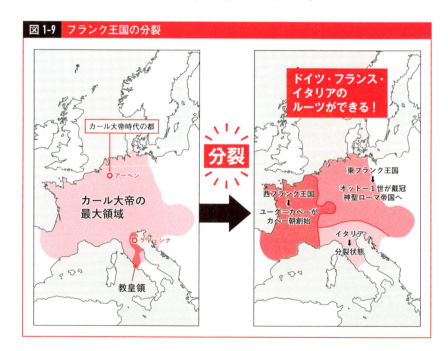

図1-9　フランク王国の分裂

第1章 ヨーロッパの歴史　　　　　　　　ノルマン人・スラヴ人の移動

第2、第3の民族移動はヨーロッパの北と東から

民族移動の第2弾・ノルマン人

　ゲルマン人の大移動と、それに続くフランク王国の分裂は、ヨーロッパの「多様性」をつくる1つ目の動きでした。

　2つ目の動きである新たな民族移動は、北ヨーロッパから起こります。

　それが、ゲルマン人に続く「第二次民族移動」ともいわれる**ノルマン人**（海賊や商業交易で知られる「ヴァイキング」のこと）の移動です。

　ノルマン人は、北欧諸国やフランス北西部（ノルマンディー公国）、南イタリア（両シチリア王国）、イギリス（ノルマン朝）やロシア（ノヴゴロド国）などに次々と国を建てていきます。中でも、イギリスの「ノルマン朝」はフランスの「ノルマンディー公」だった創始者の「征服王」ウィリアム1世がイギリスを征服して建てました。以降、イギリス王は、現在の王に至るまで全員がもとをたどればウィリアム1世に遡れるという、イギリス王家の源流になります。

民族移動の第3弾・東ヨーロッパのスラヴ人

　西ヨーロッパの民族移動の中心はゲルマン人やノルマン人でしたが、東ヨーロッパの民族移動のほうは、**スラヴ人**が中心になりました。

　ゲルマン人の移動が落ち着き、フン族の帝国が崩壊すると、その空白地帯に広がるようにスラヴ人が移動を始め、各地に国を建設します。

　東スラヴ人といわれた人々は、いわゆる「ロシア人」となり、先にできていたノルマン系のノヴゴロド国の人々と同化していきました。ロシアはギリシア正教を受容し、「ロシア正教」といわれるようになります。

61

西に広がった人々はポーランド人やチェック人（現在の「チェコ」のルーツ）と呼ばれ、中でも、ポーランドは東ヨーロッパの一大強国に成長しました。南のセルビア人やクロアティア人などは、のちにオスマン帝国の支配下に置かれてしまいました。

　これらのスラヴ系の国々は「ギリシア正教を受容したロシア人やセルビア人」と「カトリックを受容したポーランド人やクロアティア人」「神聖ローマ帝国に支配されたチェック人」と「オスマン帝国に支配されたセルビア人」というように宗教や国家による分断が進み、東ヨーロッパに多くの国が密集する要因となりました。

　こうしてゲルマン人、ノルマン人、スラヴ人などの動きは、様々な国の「ルーツ」をつくりました。たとえば「フランス」は「ラテン人ベースにゲルマン人が入り込み、ノルマン人が北西に乗っかった」ような国ですし、ドイツは「ほぼゲルマン人の国」というように、中世前半の民族移動が、現在の国の民族構成や言語・文化に大きな影響を与えているのです。

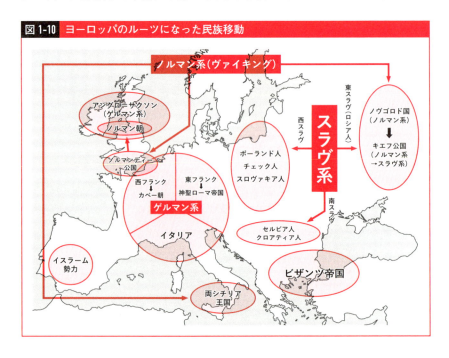

図 1-10　ヨーロッパのルーツになった民族移動

第1章 ヨーロッパの歴史　　　　　　　　　　　　　　　　ビザンツ帝国

1000年続いたローマ帝国の正式な継承国家

 1000年続いたビザンツ帝国

　現在のヨーロッパにある国家の「ルーツ」の話の最後は、ヨーロッパの東南の隅にある、現在のギリシアの「ルーツ」になった**ビザンツ帝国**です。

　ビザンツ帝国は、ローマが東西に分裂したあとの「東ローマ帝国」のほうを指します。**ビザンツとは、ビザンティウム（コンスタンティノープル）を都にしたために付けられたニックネーム**です。西ローマ帝国は、百年も経たずに滅亡しますが、ビザンツ帝国（東ローマ帝国）のほうは、**千年以上も永らえることになります。**西ヨーロッパ世界がゲルマン人やノルマン人の移動で混乱していたのを尻目に、「ヨーロッパの隅っこ」に位置するビザンツ帝国は、民族移動の影響が少なく安定した統治を行うことができ、都のコンスタンティノープルを中心に商業と貨幣経済が大いに繁栄しました。

　ビザンツ帝国最盛期の皇帝は、**ユスティニアヌス大帝**です。北アフリカのヴァンダル王国やイタリアの東ゴート王国を滅ぼし、地中海をグルッと取り囲む大帝国をつくりました。西ローマ帝国の滅亡後、ローマ帝国の正式な継承国家として『**ローマ法大全**』の編集を行い、世界遺産にもなったビザンツ様式の**ハギア＝ソフィア聖堂**を建てています。

　しかし、その後はササン朝との抗争で衰えていき、7世紀以降にイスラーム勢力というさらに強力な敵を迎え、次第に勢力圏を狭めていきます。

　11世紀には、イスラーム勢力のセルジューク朝に攻められて、十字軍に救援を求めたものの、13世紀には、十字軍に首都コンスタンティノープルを占領されてしまうなど、ちぐはぐな動きで衰退した結果、最後はオスマン帝国によって滅亡させられてしまいます。

63

第1章　ヨーロッパの歴史　　　　　　　　　　　　　　　キリスト教の分裂

教会同士の対立から
2つの宗派が生まれた

東西の教会の主導権争い

　ここまでで、「カトリック」と「ギリシア正教」という、キリスト教の2つの宗派の名前が登場しています。なぜ、同じキリスト教から、2つの宗派が生まれてしまったのでしょうか？　その答えは、ローマ帝国の分裂という出来事に大きな関係があります。

　ローマ帝国の末期、それまでキリスト教を弾圧していたローマ帝国は、一転、キリスト教の保護にまわりました。そして、帝国内の**五本山**といわれた5か所の教会がキリスト教の中心として成長します。中でも**ローマ教会**と**コンスタンティノープル教会**の2つは、それぞれローマ帝国の新旧の都の教会にあたり、キリスト教の主導権を競い合う関係になります。

　そんな中、ローマ帝国が東西に分裂してしまったため、ローマ教会は西ローマ帝国、コンスタンティノープル教会は東ローマ帝国（ビザンツ帝国）のそれぞれ保護下についたのです。なぜ、教会は国の保護を受けなければならなかったかというと、教会はあくまで「精神世界の権威者」のため、実際に教会を建てたり、布教をしたりするときには「現実世界の権威者」という"スポンサー"が必要だったからです。

　ところが、「ローマ教会」を保護していた西ローマ帝国は、ゲルマン人の移動のあおりで滅亡します。スポンサーを失ったローマ教会は、異民族のゲルマン人国家に周囲を囲まれることになってしまったのです。

「禁じ手」を使ったローマ教会

　ゲルマン人の信者をすぐにイチから獲得しなければならない状況に陥り、

なりふりをかまっていられなくなった**ローマ教会は、キリスト教では本来「禁じ手」だった「聖像」を使った布教を行います**（聖像の「見た目」が信者の信仰心を左右しかねないという理由で聖像崇拝が禁止されていました）。ローマ教会が聖像に手を出した理由は、言語も習慣も違う「異民族」のゲルマン人たちに布教するには、十字架の上で傷ついたキリスト像や慈悲深い表情を浮かべたマリア像を見せたほうが話が早かったからでした。

ライバルのローマ教会が「禁じ手」を使っていることを知ったコンスタンティノープル教会は、「主導権を握るチャンス！」とばかりに、ローマ教会を一斉に非難し始めます。そして、ビザンツ皇帝の**レオン3世**が**聖像禁止令**を出してローマ教会の聖像布教に「待った」をかけると、ローマ教会とコンスタンティノープル教会の対立は頂点に達し、両者の分裂は決定的となります。いつしか、ローマ教会は**カトリック**（普遍＝**みんなのキリスト教**）、コンスタンティノープル教会は**ギリシア正教**（**正しいキリスト教**）と名乗るようになり、別々の宗派として存在することになったのです。

図1-11　東西教会の分裂

| 第1章 ヨーロッパの歴史 | カトリック教会の発展 |

神の権威を背景に教皇が最高権力者へ

 急成長するカトリック教会

　宗派の分裂後、ギリシア正教は依然としてビザンツ皇帝の保護下にありましたが、**カトリック教会は自分で西ローマ帝国に代わるスポンサーを探さなければなりませんでした。**

　そんな矢先に、ゲルマン国家の中で急成長してメロヴィング朝を始めたフランク王国のクローヴィスが自らカトリックに改宗します。

　これはカトリック教会にとって、まさに渡りに船の出来事でした。カトリック教会は、フランク王国に接近し始め、ピピンに教皇領をもらいうけます。そして、カール大帝や東フランク王のオットー１世に西ローマ皇帝の冠を授け、**フランク王国や神聖ローマ帝国を「西ローマ帝国」に見立て、スポンサーになってもらって保護を受けようとしたのです。**

 ローマ教皇が西ヨーロッパの最高権威者に

　しかしながら、せっかく冠を授けたフランク王国は分裂してしまい、神聖ローマ帝国もいまひとつ国内が不統一でした。他の国の王権も軟弱だったため、後ろ盾を求めていた**カトリック教会が、結果的に西ヨーロッパで最高の権威者**になっていきました。そして、国王たちの誰もがローマ教皇にひれ伏す状況になるのです。

　カトリック教会は、西ヨーロッパ世界全体の農民から十分の一税という税を取りたてて経済力をつけると、教会の高位の聖職者が諸侯と並ぶ大領主になり、精神世界のみならず、実世界の支配者にのし上がりました。

　ところが、**絶大な権威をもったカトリック教会は、次第に金と権力にま**

みれるようになってしまいます。

「司教」や「大司教」といわれる高位の聖職者になれば、そこらの王様よりもよい暮らしができたため、ワイロを贈って聖職者になろうとする者が後を絶たず、教会の腐敗が進んでいってしまったのです。

雪の中で教皇に謝罪をした皇帝

そんな腐敗と堕落が進むカトリック教会を引き締めようと、ローマ教皇の**グレゴリウス7世**は聖職売買を禁じます。聖職者が妻を持つことも禁じ、さらに聖職者を任命できるのは教会のみであるとしました。

これに焦ったのが、神聖ローマ皇帝の**ハインリヒ4世**です。

国内が不安定だった神聖ローマ帝国内では、聖職者の任命を皇帝が行うことで聖職者たちに"恩"を売り、手なづけることによって国内の安定を図っていました。そのため、任命を禁止されると、国内の権力基盤が脅かされると思ったのです。

こうして、ローマ教皇（キリスト教の長）と神聖ローマ皇帝（ドイツ王）の間で、**叙任権闘争**という争いが巻き起こります。

グレゴリウス7世は、ハインリヒ4世に破門を宣告すると、ハインリヒ4世が支配下の諸侯からの支持を瞬く間に失ってしまいました。なぜなら、当時、**キリスト教会からの破門は「社会からの追放」に等しかったからです**。そして、諸侯から「破門された人間に従うつもりはない！」と、廃位の決議をされてしまうのです。

追い詰められたハインリヒ4世は、教皇に破門を解いてもらおうと、雪の中、裸足で3日間もグレゴリウス7世のいるカノッサ城の門の前に立ちつくして謝罪し、やっとのことで許しを得ます。この事件を**カノッサの屈辱**といいます。

この事件によって人々はローマ教皇の権威の絶大さを再認識することとなり、ローマ教皇自身も、その後、自分に逆らおうとする王が現れるたびに、自らの権威を誇示するかのように「破門戦術」を用いるようになります。

第1章 ヨーロッパの歴史　　　　　　　　　　　　　　封建社会の成立

モザイク状の国家たちがヨーロッパの多様性を生んだ

 複雑な契約関係で、モザイク状に領土が存在

　キリスト教会、特に**カトリック教会の成長はヨーロッパに「統一性」を**もたらしました。一方、もう1つの中世ヨーロッパ社会の要素、**「封建社会」**の成立はヨーロッパに「多様性」を生み出しました。「封建社会」とは、「土地を与えることによって主従関係を結ぶ」というような意味です。

　下の図を見てください。王は諸侯に、諸侯は騎士に、というように土地を与えて主従関係を結んでいます。土地をもらった家臣は、そのお返しに軍役、つまり、主君の要求に応じて戦いに参加をする義務を果たします。

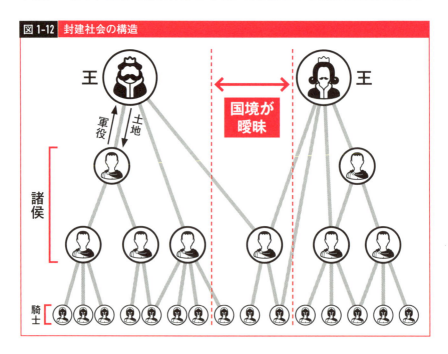

図1-12　封建社会の構造

68

もう一度左下の図をよく見てみると、不思議に思えるところが他にもあります。同時に2人の主君に仕えていたり、線をたどれば別々の王に行き当たったりしています。

　こうした事態が起きるのは、ヨーロッパの封建社会が**双務的な契約関係**でできていたからです。**主君が家臣に土地を与えることも、家臣が軍役を果たすこともお互いの合意の上の「契約関係」**なのです。契約関係ですから、契約を別々に結べば複数の主君を持つことも可能ですし、契約さえ成立すれば、騎士階級でも王と直接主従関係になることも可能です。

　また、「契約関係」なので、家臣から契約を解消することもできます。まれに、ある国の王が他の国の家臣になっていることもありました。

　家臣が複数の主君を持つ場合、その主君同士が戦ったらどうすればいいでしょうか？　そういう場合には、片方の主君からもらった土地を返上し、味方に付きたいほうへの軍役を果たせばよいのです。

　したがって、この頃の「国」は、国境が明確な現在のような国と違い、「この辺までは（他の国の影響もあるが）おおむねこの王の影響が強い」という**「契約関係の及ぶエリア」**が**「国」**とされており、国境はかなり曖昧だったのです。

　封建社会の成立の結果、ヨーロッパは「この人の領土」「あの人の領土」「ここはこの王の影響が強いが、ここから先はあの王の影響が強い」と**様々な領土がモザイク状に存在することになり、現在のヨーロッパの「多様性」が生み出される要因**になります。

 領主が農奴を支配

　封建社会において、主君から土地を与えられた家臣は、領主としてその土地（「封土」）を経営することになります。

　農民たちは農奴といわれ、**領主の厳しい支配のもと（裁判権さえも領主がもつので、領主は支配し放題）で様々な税負担を課せられ、搾取されていました**（領主のみならず、教会への税負担もありました）。

第1章 ヨーロッパの歴史　　　　　　　　　十字軍

聖地奪還のため、大遠征軍が派遣された

 イスラーム勢力の圧迫

　長いヨーロッパの「中世」において、その中間点に位置した事件が、<u>十字軍</u>の派遣です。約200年にもわたって、キリスト教世界がイスラーム世界に対して遠征軍を送り込んだ一大軍事行動でした。

　「十字軍」という言葉には、何だかカッコイイ印象がありますが、後半は連敗に終わり、「言いだしっぺ」のローマ教皇の権威が低下するなど、軍事的にはあまり「成功」とはいえませんでした。

　十字軍のきっかけは、ヨーロッパの民族移動が落ち着き、ヨーロッパの「もと」ができあがりつつあった頃、東のほうで大きな動きがあったことでした。イスラーム教国家の<u>セルジューク朝</u>が強大化し、ビザンツ帝国を圧迫してきたのです。そればかりか、キリスト教とイスラーム教共通の聖地だった<u>イェルサレムを占領し、イスラーム教徒が独占してしまいます</u>。

　圧迫を受けていたビザンツ帝国は、西ヨーロッパ世界にＳＯＳを発しました。救援要請を受けたローマ教皇<u>ウルバヌス２世</u>は、<u>クレルモン宗教会議</u>を開催してイスラーム勢力打倒とイェルサレムの奪回を図り、十字軍の派遣を決定します。

 「１勝３敗１分け」の惨敗

　十字軍は、ローマ教皇が主催者となり、フランス王、イギリス王、神聖ローマ皇帝などが兵を出し合って７回実行されます。その結果、「１勝３敗１分け」の大失敗に終わります（残り２回は、ノーカウント）。

　第１回十字軍は、イェルサレムの奪回に成功しますが、「成功をおさめた

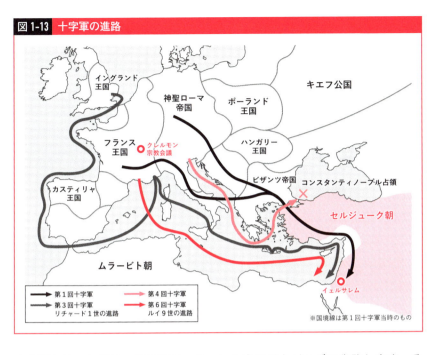

図1-13 十字軍の進路

十字軍」はこれだけ。第2回は、まったく成果が上がらずに失敗します。そして、のちに「十字軍の華」といわれる第3回十字軍では、イギリスの「獅子心王」**リチャード1世**、フランスの「尊厳王」フィリップ2世、神聖ローマ帝国の「赤髭王」フリードリヒ1世がイスラーム勢力の盟主、アイユーブ朝の**サラディン**と死闘を繰り広げますが、引き分けに終わります。

第4回十字軍はヴェネツィア商人にそそのかされ、ヴェネツィアのライバルだったビザンツ帝国の都・コンスタンティノープルを攻撃し、略奪のうえに占領してしまいます。宗派違いのギリシア正教とはいえ、**同じキリスト教徒の町を攻めたことにローマ教皇が激怒して**、十字軍全体が破門されたので、「ノーカウント」ということです。

裏取引が行われ、戦いのなかった第5回も「ノーカウント」、第6回、第7回はフランス王ルイ9世が中心に行われましたが、いずれも大失敗に終わります。

第1章 ヨーロッパの歴史　　　　　　　　　　　　　　十字軍の影響

十字軍が中世ヨーロッパにもたらした2つのこと

 十字軍の影響① 商業の発展

　十字軍の派遣は失敗に終わりましたが、代わりに「商業の発展」がヨーロッパ世界にもたらされました。

　十字軍以前のヨーロッパ世界は、ちょうど度重なる民族移動による混乱期で、国々は自らを守るのに必死でしたが、十字軍の派遣の頃には混乱がだいぶ落ち着いていました。十字軍は、ヨーロッパの国々が遠く西アジアやエジプトに軍を派遣できるほど安定したという証拠になったのです。

　また、**十字軍の通り道になった場所では道路が整備され、付近の都市では軍需物資が盛んに取引されるようになります。**このような安定と、モノや人の交流がヨーロッパの商業を大きく発展させたのです。

　十字軍の通り道としての恩恵を最も受けたのが、北イタリアをはじめとする商業圏です。**ヴェネツィア**、**ジェノヴァ**などの港町は、アジアの香辛料や絹などを交易して飛躍的に発展しました。

　また、内陸の**ミラノ**や**フィレンツェ**も手工業や金融で栄えます。北イタリアの都市は**ロンバルディア同盟**という都市同盟を結成しました。

　北ドイツの**リューベック**、**ハンブルク**、ブレーメンなどの諸都市は**ハンザ同盟**を結び、木材や穀物などの生活必需品を、また、**ブリュージュ**などを中心とする**フランドル地方**は毛織物の一大生産地として、ハンザ同盟やイングランドなどと取引をして栄えました。

　南北の中継地点ともなった中部フランスや南ドイツの都市も、大いに発達することになります。

72

図 1-14 中世都市の発展

☆…中世の街並みが世界遺産に指定されている都市

十字軍の影響② カトリックの権威の低下

　十字軍がもたらした2つ目は、十字軍前に絶大だったカトリック教会やローマ教皇の権威が落ちたことです。

　「神が味方に付いているから絶対勝てるぞ！」といって意気揚々と送り出した**十字軍が敗北を続けたため、十字軍の「言いだしっぺ」のローマ教皇の説得力がなくなってしまった**のです。

　そんなローマ教皇の権威が低下したことの象徴が**アナーニ事件**という出来事です。

　十字軍後に登場したフランス王**フィリップ4世**が国内の聖職者への課税を行った際、教皇**ボニファティウス8世**は「キリスト教会に課税をするとはなにごとだ！」、と、ローマ教皇にとっては"いつもの"破門戦術で、フィリップ4世を破門に処したのです。

　ところが、フィリップ4世は謝罪しないばかりか、逆に家臣を派遣して

ボニファティウス8世を襲撃します。ボニファティウス8世をぶん殴って、フランスに連行して監禁してしまったのです。ボニファティウス8世は、かろうじてローマに脱出しますが、あまりの屈辱により、その後「憤死」したと伝えられています。

十字軍前の「カノッサの屈辱」では、国王が教皇に謝罪しましたが、十字軍後は、国王が教皇を屈服させるという逆転現象が起きたわけです。

たたみかける仏王、追い詰められる教会

さらにフランス王フィリップ4世は、ローマ教皇に揺さぶりをかけます。

ローマ教皇に自分のおひざ元のフランス人が選出されたのを機に、教皇庁をフランスの**アヴィニョン**という町に移し、カトリック教会そのものを自分の監督下に置こうとしたのです。

以後、約70年にわたってローマ教皇はフランスに居住することになり、教皇を奪われた格好になったイタリア人（特にローマ市民）は大いに憤ります。のちにローマ側も教皇を独自に立て、フランスの教皇とローマの教皇が並び立ち、正統性をめぐって争うこととなります。

フランスがのちの百年戦争という争いで弱体化し、教皇庁を手放すまで続いたこの**教皇のバビロン捕囚**と**教会大分裂**というゴタゴタ騒ぎは、教会の権威の低下を示す事件となりました。

無茶な弾圧により、批判が強まる

こうした教会の権威の低下に対し、教会を立て直して権威の回復を図ろうという運動が起きるものの、教会はこうした立て直し運動をむしろ「教会への批判」ととらえ、異端審問や魔女裁判を強化して弾圧を加えました。

そして、聖職売買などの腐敗が進行するカトリック教会に対して正論を述べて立て直そうとする者には弾圧をしました。

そのため、教会への批判が日に日に高まっていき、のちの宗教改革へとつながっていきます。

第1章 ヨーロッパの歴史　　　　　　　　　中世のイギリス

議会政治の始まりはイギリス王の失政から

フランスの家臣が英王朝を継ぐ

　十字軍の派遣は失敗に終わりますが、王が諸侯や騎士を率いてイスラーム教徒と戦うことで、結果的に主君と家臣のチームワークが高まりました。王権が強化され、総じて中世後半の国々は「王国」らしく成長したのです。

　そんなヨーロッパ中世後半の国を、ここからイギリス、フランス、スペイン、ドイツ、イタリアの順に見ていきましょう。

　まずはイギリスです。ウィリアム１世が開いたノルマン朝という王朝は、100年ももたずに断絶します。その次の王として、血筋の関係からフランス王の家臣のアンジュー伯だった**ヘンリ２世**が継承します。ここからの王朝は**プランタジネット朝**と呼ばれます。

　ヘンリ２世は、もともとフランスに広大な領地を持っていたため、この時点でイギリスはフランスの西半分を領有していることになります。

　ヘンリ２世の子が「獅子心王」として名高い**リチャード１世**という人物です。第３回十字軍でサラディンと死闘を演じるヒーローですが、王位のほとんどを戦場で過ごし、イギリス王としての業績はほとんどありません。

「議会政治」のベースが確立

　その次の王が、リチャード１世の弟の**ジョン王**です。失政を重ねた挙句、フランス王フィリップ２世との戦いに敗れてフランス内のイギリス領を失い、教皇インノケンティウス３世には破門され、国内に重税をかけて国民の支持までも失います。そのため、貴族は、結束してジョンに**マグナ＝カルタ**という文章を突き付け、勝手な政治をしないことを誓わせます。

ジョンがこのような情けない王だったため、以後、イギリス王家では「縁起の悪い」ジョンという名前は避けられているというのが通説です。そのため、ジョンだけは「ジョン◯世」といわず、「ジョン」だけなのです。

　その次の王**ヘンリ3世**も、マグナ＝カルタを無視し、勝手な政治を行ったために**シモン＝ド＝モンフォール**という人物が反乱を起こし、議会を開いて政治について話し合うことを王に認めさせました（シモン＝ド＝モンフォールの議会）。

　次の王、**エドワード1世**は、「どうせ貴族たちが王の政治に意見や反発をするなら、はじめから議会を開いて共同で国をおさめるのがよい」という考えを持っていました。そこで、社会各層の代表を集めて**模範議会**といわれる議会をつくり、議会との協調によって国を運営しようとします。

　ヘンリ3世時代の**「シモン＝ド＝モンフォールの議会」**や、エドワード**1世以降の「模範議会」はイギリスの議会政治の基礎となり、比較的、王権に対して議会の力が強い**というイギリスの特徴が形づくられました。

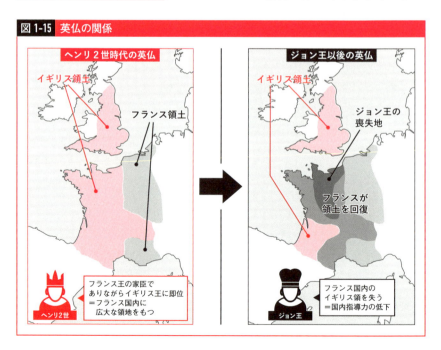

図 1-15　英仏の関係

第1章 ヨーロッパの歴史　　　　　中世のフランスと百年戦争

フランスの危機にジャンヌ＝ダルクが立ち向かう！

王権が徐々に強大化

　一方のフランスは、ユーグ＝カペーが開いたカペー朝が、しばらく続きます。当初、カペー朝の王権は弱いものでしたが、第3回十字軍に参戦した「尊厳王」**フィリップ2世**が登場すると、イギリスのジョン王に勝利し、フランス内のイギリス領を奪い返すことで、王の権威を高めます。

　フィリップ2世の孫、「聖王」**ルイ9世**は、第6回・第7回十字軍の中心人物です。十字軍は失敗に終わりますが、イスラーム勢力に対して奮戦したことで「聖王」の称号が与えられ、フランス王としてのリーダーシップは十分に発揮しました。

　そして、その孫、「端麗王（「イケメン王」という意味）」**フィリップ4世**は、教皇ボニファティウス8世と対立し、捕らえて連行する（**アナーニ事件**）など、教皇を上回る権威を持ちました。教皇を拉致する前に、聖職者・貴族・平民の代表からなる**三部会**を開催して、きちんと国民の支持を取り付けていたことも、王権を強大化するのに役立ちました。

イギリスとフランスの死闘

　このイギリスとフランスが中世ヨーロッパ世界の覇権をかけて百年以上の長きにわたって戦うのが**百年戦争**です。両国の間には羊毛生産地のフランドル地方（現在のベルギー）があり、常に取り合いになっていました。

　また、フランスのカペー朝が断絶し、**ヴァロワ朝**が成立した際、イギリスもフランスの血筋を引くために（当時、政略結婚で血縁関係があったのです）、イギリス王がフランス王家を横取りしようと王位継承を訴えたこと

77

から、両国の対立がさらに深まります。

百年戦争の結果については、**「前半はイギリスの勝利、後半はフランスの勝利」**といっていいでしょう。前半はエドワード3世の子、エドワード黒太子の率いるイギリス軍が連戦連勝を重ね、フランスは崩壊の危機に立ちます。ところが、後半に「オルレアンの少女」**ジャンヌ＝ダルク**という16歳の少女が登場し、フランス王**シャルル7世**を助けて逆転します。結果的には、イギリス勢力のほとんどを大陸から追い出し、戦争は終結しました。

ただし、百年戦争が終わった後も、イギリスでは戦いが続きます。ランカスター家とヨーク家という2つの家系の間で、王位継承争いが勃発したのです。これを**バラ戦争**といいます。この戦争は、ランカスター家の**ヘンリ7世**が即位し、ヨーク家の娘と結婚するというドラマチックな展開を見せて終結します。

ヘンリ7世以降のイギリス王朝はテューダー朝といい、エリザベス1世時代に大いに繁栄することになります。

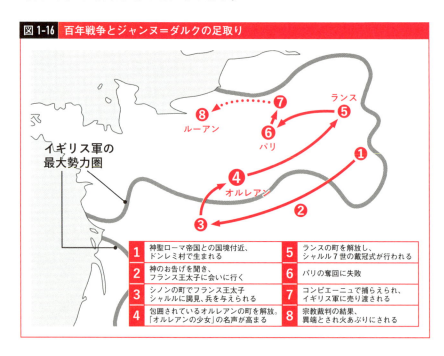

図 1-16　百年戦争とジャンヌ＝ダルクの足取り

1	神聖ローマ帝国との国境付近、ドンレミ村で生まれる	5	ランスの町を解放し、シャルル7世の戴冠式が行われる
2	神のお告げを聞き、フランス王太子に会いに行く	6	パリの奪回に失敗
3	シノンの町でフランス王太子シャルルに謁見、兵を与えられる	7	コンピエーニュで捕らえられ、イギリス軍に売り渡される
4	包囲されているオルレアンの町を解放。「オルレアンの少女」の名声が高まる	8	宗教裁判の結果、異端とされ火あぶりにされる

第1章 ヨーロッパの歴史　　　　　　　　中世のスペイン

イスラーム勢力を追い出し、大西洋に進出した

「恋愛結婚」によって成立したスペイン

　続いてスペインです。長らくイスラーム勢力に支配されていた中世のイベリア半島では、**キリスト教徒がイスラーム勢力からイベリア半島を取り戻そう**という**国土回復運動**（レコンキスタ）が続いていました。

　この戦いの中からカスティリャ王国とアラゴン王国という2つの国が頭角を現し、カスティリャ王女の**イサベル**とアラゴン王子の**フェルナンド**が結婚（恋愛結婚だったようです）したことで、スペイン王国が成立します。「カトリック両王」として共同統治した2人は、協力してイスラーム勢力と戦い、イスラーム勢力の最後の砦だったナスル朝のグラナダを落とし、**イスラーム勢力をイベリア半島から追い出すことに成功します。**

　ポルトガルは、もとはカスティリャ王国の一部でしたが、カスティリャから独立し、国王ジョアン2世のもとで成長を見せます。

　スペイン・ポルトガルは、レコンキスタ完成後、**ヨーロッパの西端という「地の利」を生かし、大西洋航路を開いて大航海時代の先陣を切ることになります。**

図 1-17　国土回復運動とスペインの成立

79

第1章 ヨーロッパの歴史　　　　　　　　　中世のドイツ・イタリア

"メンツ"にこだわって、国内が空中分解

「ローマ」にこだわり、国内がバラバラのドイツ

　中世のドイツ、つまり「神聖ローマ帝国」の歴代の皇帝たちは、国名の「ローマ」にこだわり、「神聖ローマ帝国がローマを所有していないのはおかしい！」とばかりに、カトリックの保護者たるべく、イタリアに攻め込んでは撃退されるという**イタリア政策**を続けていました。

　そのため、**国内が不統一で、諸侯たちや都市はバラバラに存在するような状況**だったのです。そのうえ、皇帝もうまく決まらず、**大空位時代**という皇帝不在の時期が長く続きました。

　その後、カール4世という人物が、7人の有力諸侯の選挙によって皇帝が選ばれるというルールを定めた「金印勅書」を出します。
「諸侯が皇帝を選んだ」ことからも、諸侯に比べて皇帝の権威がいまひとつ弱いことがわかります。中世末期には、オーストリアのハプスブルク家という一族が皇帝に就任すると、皇帝の位を独占するようになります。

「ドイツをどうするか？」で、揉めるイタリア

　イタリアもドイツと同様、多くの国や諸侯、都市に分裂して統一を欠いたうえに、神聖ローマ帝国が「イタリア政策」によって毎度のように出兵してきます。これに対して、「何度も、神聖ローマ帝国に攻められるのなら、いっそのこと、神聖ローマ帝国の一部になったほうがいいのでは？」という意見（**皇帝党**）と「いやいや、神聖ローマ帝国の支配からイタリアを守り抜いたほうがいい」という意見（**教皇党**）の2つに分かれ、イタリア国内の亀裂はますます深まっていくことになるのです。

第2章

中東の歴史

第2章 中東の歴史　あらすじ

歴史の舞台

ヨーロッパのライバルとなる"超"広域国家が数多く誕生した中東

　砂漠が広がる中東では、点在するオアシスの周辺に多くの部族社会ができます。そして、点在する部族社会を交易路がつなぐという「点と線」の世界が形成されました。

　複数の民族が統合されて新しい国家ができては滅ぼされる、という歴史を繰り返す中で強大化する国が生まれ、移動路を使って瞬く間に領土を拡大することで、「超」がつくほど広大な国家へと成長します。イスラーム教は、様々な民族を統合する精神的な支柱となることで、影響力を強めていきました。中東で生まれた「超」広域国家は、しばしばヨーロッパ世界と衝突し、ヨーロッパ世界の「最大のライバル」になります。

第2章 【中東の歴史】の見取り図

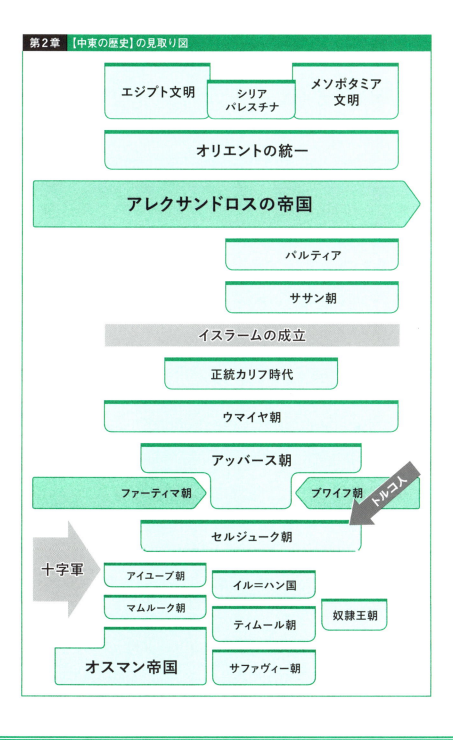

第2章 中東の歴史　　　　　　　　　　　　　　　　メソポタミア文明

最古の文字を生み出した民族とは？

 「最古の文字」をつくったシュメール人

　今から約6000年前、現在のイラク、ティグリス川とユーフラテス川の間のメソポタミアに、人類最古の文明の1つである**メソポタミア文明**が成立します。

　メソポタミア文明が高校の世界史の教科書の先頭に書かれていることが多いのは、この文明の持つ**楔形文字**が、今のところ発見されている世界で最も古い文字だからです。

　文字が存在するということは、当時の国の名前や人名、地名などの固有名詞を知ることができるということです。

　そうした固有名詞のうち、名前が解明できた最も古い民族が、メソポタミア文明が起こってから1000年ほど経った頃に現れた**シュメール人**です。彼らの町の名称が**ウル**や**ウルク**と呼ばれていたこともわかりました。

　彼らの土木に関する技術は非常に高度で、都市に信仰の中心となる「**ジッグラト**（聖塔）」という高さ20mほどの立派な建物を建てました。

　他にも、町の姿を驚くほど正確に写し取った地図も残っています。最古とはいっても、その文明レベルは非常に高かったようです。

 「点の国家」から「面の国家」へ

　シュメール人の次に登場した民族が、**アッカド人**です。

　シュメール人は「都市国家」、すなわち「点」の国家でしたが、アッカド人の建国した**アッカド王国は、メソポタミアを「面」的に支配しました。**

　シュメール人やアッカド人の次にメソポタミアに建国したのは、**アムル**

人という人々です。

彼らの国は、バビロンという都市を都にしたので「バビロニア」と呼ばれ、また、バビロンを都にしたメソポタミアの国の中でも古いほうの王朝だったので、古バビロニア王国と呼ばれます。

この王国の**ハンムラビ王**は、それまで各地で用いられていたシュメールなどがつくった法をまとめて文章で記したハンムラビ法典という法律をつくりました。この法律は「もし人が人の目を潰したならば、その人の目は潰されなければならない」という「目には目を、歯には歯を」といわれるような「復讐法」の原則で知られます。

「やられたらやり返せ！」という意味にとられがちですが、実際のところは、当時は復讐が過剰になることが多かったため、「正当な程度の復讐をしなさい」「人に与えた害は自分に返ってくるのだから、人に害を及ぼさないようにしなさい」という意味合いがあったようです。「目には目を」は、「復讐を防ぐため」の"抑止力"の言葉だったのです。

図 2-1　メソポタミア周辺にできた国家

第2章 中東の歴史　　　　　　　　　　　　　エジプト文明

ピラミッドを生んだ文明は2千年にわたって栄えた

毎年の大洪水のおかげで発展

　メソポタミアから目を西に移して、次はエジプトです。

　エジプトの国土は、世界最長の河川であるナイル川で貫かれています。この**ナイル川によって育まれたのが、エジプト文明です。**

　ナイル川は、毎年決まった時期に増水することで知られています。現在は大きなダムができているため、洪水には至りません。しかし、古代エジプト文明の時代は、ナイル川の下流のほとんどが水に浸かってしまうほどの大洪水が毎年のように起きていました。

　「農民たちはさぞや困ったことだろう」と思うかもしれませんが、じつは、**当時の農民にとって洪水は、むしろ喜ばしいことでした。**

　上流から水とともに豊かな土が運ばれてナイル川下流にばらまかれ、洪水がひいたときに水も土もスタンバイ状態になっているという「恵みの洪水」のおかげで、高度な文明が育まれたのです。

ピラミッドをつくった「古王国」

　「**ファラオ**」と呼ばれるエジプトの王たちが統治した時期の中で、最も古い時代を**古王国**といいます。古王国は**ピラミッド**の建造で知られ、クフ王のものをはじめとするギザ地方の三大ピラミッドが最も有名です。

　クフ王のピラミッドは、高さ137ｍと最も規模が大きく、四角錐の4辺が正確に東西南北に向き、平均2.5ｔの石が約300万個も使われています。

　このような高度な建築がエジプト文明の最初期、古王国の前半につくられていたことに驚きます。

異民族に支配された非力な「中王国」

中王国時代のファラオは、地方豪族の勢力が伸長したため、古王国に比べて権威は総じて高くありません。末期には、馬と戦車で押し寄せた異民族**ヒクソス**に侵入され、長期にわたって支配下におかれてしまいます。

エジプトー"個性派"ファラオの宗教改革

ヒクソスを追い払って建てられた新王国は、エジプトの王朝の中でも最大の領域を誇り、古代エジプト文明の最盛期となります。「王家の谷」という墓地遺跡やアブ・シンベル大神殿などの有名な世界遺産は、この新王国の代表的な遺跡です。

新王国のファラオのひとりに**アメンホテプ4世**という「個性派」がいます。彼は多神教の<u>エジプト世界を「一神教」にし、その神の信仰を"強制"させることによって自らの権威の拡大を図ります</u>。自らを神の名を冠した「イクナートン（アトンに愛された者）」と名乗り、都も移しました。しかし、急激な改革をして反対勢力が多かったため、彼の墓は破壊されてしまいます。このアメンホテプ4世の子が黄金のマスクで知られるツタンカーメン王です。彼は反対派貴族の意見に押され、アメンホテプの改革を白紙にして、多神教に戻します。虚弱で王権が弱く、若くして亡くなったために墓が小ぶりだったことが功を奏して盗掘から免れました。そのため、彼の財宝が現在に残ったのです。

図2-2 エジプトの真ん中を貫くナイル川

第2章 中東の歴史　　　シリア・パレスチナの民族

鉄・アルファベット・一神教はここから始まった

初めて「鉄」を実用化した小アジアの民族

「メソポタミア」や「エジプト」ほど、現代の人々にとって馴染みはないかもしれませんが、後世に与えた影響はものすごく大きいかもしれない民族が、小アジアやシリア、パレスチナなどの人々です。

　まず、**世界で初めて「鉄」を本格的に使用したという民族**が、小アジアの**ヒッタイト人**です。

　それまでの青銅の武器に比べ、刃こぼれしにくく折れにくい鉄製武器の使用は周辺諸国にとって大きな脅威になりました。

　ヒッタイトはメソポタミアやエジプトに進出して古バビロニア王国を滅ぼし、エジプト新王国と戦いますが、正体不明の「海の民」と呼ばれた民族によって滅ぼされてしまいます。

アラビア文字、アルファベットの源流をつくったシリアの民族

「海の民」はヒッタイトを滅ぼしただけではなく、エジプトにも侵入し、エジプト新王国を弱体化させます。

　ヒッタイトとエジプトの「通り道」にあったシリアやパレスチナ地方は、この両国の衰退によって「空き家」となり、そこにいくつかの民族が勢力を伸ばしました。アラム人やフェニキア人は商業が得意で、遠い国とも交易をしたため、両民族の言葉や文字が遠くまで広がり、現在の様々な国の言語や文字のルーツになりました。

　まず、シリアの「内陸」の民族が**アラム人**です。

　内陸の商業交易を手広く行っていたアラム人商人の使う言葉は西アジア

の「共通語」のような性格を持っていました。**その文字は、現在のアラビア文字や東南アジアの文字など、日本人にとっては「うねうねと波打っている」印象のある文字の源流**になります。

一方、「海側」の民族が、**フェニキア人**です。フェニキア人は東地中海の商業交易を行い、地中海各地に多くの都市をつくりました。

そうしたフェニキア人都市の中で最も強大化したのが、ローマと戦うことになる「カルタゴ」です。**フェニキア文字はギリシアに伝わり、欧米諸国のアルファベットの起源になります。**

フェニキア文字の1文字目は「アレフ」と読み、2文字目は「ベートゥ」と読みます。続けて読むと、「アレフベートゥ」です。ギリシア世界にこの文字が伝わると、ギリシア文字のαは「アルファ」、βは「ベータ」で、続けて読むと「アルファベータ」です。

「アレフベートゥ」や「アルファベータ」が、「アルファベット」の語源です。すなわち、"アルファベット"とは、「AとB」という意味なのです。

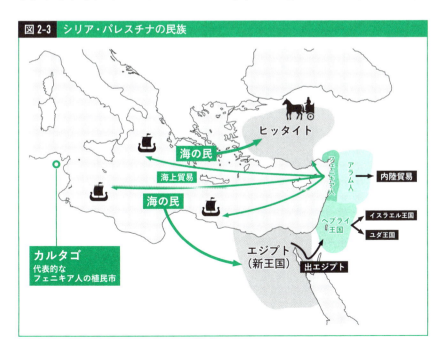

図 2-3　シリア・パレスチナの民族

「ユダヤ教」が生まれた"背景"とは？

次は、パレスチナの地に建国した**ヘブライ人**の話です。「ヘブライ人」とは、**のちに「ユダヤ人」と呼ばれる民族のことです。**

パレスチナの地から起こったヘブライ人は、エジプト人にパレスチナの地を征服されてエジプトに連れ去られ、奴隷的扱いを受けました。そこに指導者の**モーセ**が登場し、エジプト人の目をかいくぐってヘブライ人たちを結集、エジプトから脱出させ、映画『十戒』のクライマックスシーンのように、「紅海の海を割って」シナイ半島に渡ります。そこからパレスチナの地に移り、ヘブライ王国を建国するのです（エジプト脱出からヘブライ王国建国までの一連の出来事を**出エジプト**といいます）。ヘブライ王国は**ダヴィデ王**とソロモン王の時代に繁栄を迎えますが、のちに分裂します。

北のイスラエル王国はアッシリアに、南のユダ王国は新バビロニア王国により滅ぼされてしまい、ヘブライ人は新バビロニアに連行されて奴隷として使われるようになります（**バビロン捕囚**）。

新バビロニアの滅亡後、一時的にヘブライ人はパレスチナの地に戻されるものの、その後はアケメネス朝、ローマ帝国、イスラーム勢力と、支配されっぱなしで、「ヘブライ人によるヘブライ人の国家」は20世紀にイスラエルが建国されるまで成立することはありませんでした。

エジプトの奴隷に始まり、「バビロン捕囚」にあう。そんな民族的苦難を抱えたヘブライ人がのちに起こした民族宗教が**ユダヤ教**なのです。

ユダヤ教は、厳格な戒律と**一神教**、**救世主**の待望、ユダヤの民が「選ばれし民」であるという**選民思想**が特徴です。端的にいえば、「今は様々な苦難があるけれど、戒律を守ってただ１つの神を信じていれば、世界の終わりに救世主が現れ、ユダヤの民"だけ"が救われる」というのが彼らの言い分です。**こうした選民思想と高いプライドから様々な国と摩擦を生み、迫害されることも多い民族ですが、その背景には彼らの民族的苦難がある**のです。

第2章 中東の歴史　　　　　　　　　　オリエントの統一

寛容な統治で巨大化したペルシア人の帝国

強さと残酷さを兼ね備えた征服活動

ここまで、メソポタミア・エジプト・シリアなど、各地域の小国家を見てきました。ここで、それらの地域をまたにかける巨大国家が誕生します。

それが、**メソポタミアやエジプト、シリアやパレスチナを全部まとめて統一した「オリエントの統一王朝」**です。

最初に統一を成し遂げたのは、アッシリアです。

アッシュル＝バニパルという王らの征服活動により、「オリエント初の統一王朝」の栄誉に輝きます。しかし、**その統治は恐ろしいほどに残酷で**、抵抗した国家を徹底的に破壊していきます。

支配に逆らう民族を容赦なく虐殺するという抑圧策により、各地の反乱を招いて国が4つに分裂してしまい、短命に終わります。

「寛容な統治」で巨大帝国を築く

そのアッシリアから分かれたのが、「エジプト」、小アジアの「リディア」、メソポタミアの「新バビロニア」、イランの「メディア」の4つの国です。

中でも、**リディアは世界最古の金属貨幣**をつくったことで後世に名を残しました。**ここから、人類の「お金」の歴史が始まります。**

この4カ国を征服し、再びオリエントを統一したのが**アケメネス朝ペルシア**です。

ペルシア（イラン）の地から起こったアケメネス朝は、瞬く間にオリエントを統一し、3代目の王、**ダレイオス1世**の時代にインド北西部からギリシアの北東にまたがる大帝国を築きました。

91

アッシリアは、残酷な「剛」の統治により、短命に終わりました。

一方、**アケメネス朝は、納税や軍役を守ればその民族にその地の統治を任せるという寛容路線を敷きました。つまり、「柔」の統治です。**

アケメネス朝は全国を州に分け、サトラップという知事におさめさせたうえで、そのサトラップがきちんと働いているか、不正してはいないか、ということを王の目・王の耳という役職に監視させました。

また、王の道といわれる道路網も整備し、巨大帝国を上手に統治していきます。

巨大帝国のアケメネス朝は、盛んにヨーロッパ世界への遠征や介入も行いました。

ギリシアとのペルシア戦争に敗北したものの、その後もペロポネソス戦争に介入するなど、積極的にギリシアへの勢力拡大を狙います。

ところが、国内でサトラップたちが反乱を起こすなどして衰退してしまい、その後、アレクサンドロスの東方遠征によって滅亡します。

図 2-4　アッシリアとアケメネス朝ペルシアの統治の違い

第2章 中東の歴史　　　　　　　　　　イランの諸王朝

ローマの"ライバル"となった イラン人の王朝たち

オリエントの系譜

　オリエントの巨大帝国の系譜は、初めに**アレクサンドロスの帝国**、次にアレクサンドロスから広大なオリエントの領土を受け継いだ**セレウコス朝**、続いて遊牧民のイラン人が建てた**パルティア**という国、そして、農耕民のイラン人が建国した**ササン朝ペルシア**というように引き継がれました。

　パルティアは「共和政ローマ」の、ササン朝ペルシアは「帝政ローマ」や「東ローマ帝国（ビザンツ帝国）」の東側に位置する強国として、**長年にわたってローマのライバルとなり、抗争を繰り広げました。**

図 2-5　ローマのライバルになった、パルティアとササン朝

| 第2章　中東の歴史 | イスラームの成立 |

「神の前の絶対平等」を合い言葉に急成長

 2大帝国の争いが、イスラーム教を生んだ

　ササン朝とビザンツ帝国が抗争を繰り広げている7世紀前半の西アジアの状況を見てみましょう。

　この2つの大国の抗争が、世界史の中で最も重要なできごとの1つ、のちの世界宗教、イスラームの成立を引き起こしました。

　下の図のとおり、7世紀初頭の中東地域は、**ササン朝**と**ビザンツ帝国**の抗争の場となっています。この時代、商人たちは戦場での危険を避け、大きくアラビア半島へ迂回して、交易を行っていました。

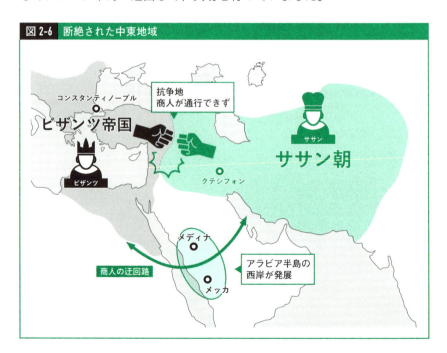

図 2-6　断絶された中東地域

そうすると、アラビア半島の紅海沿岸の都市に商人が立ち寄るようになり、**メッカ・メディナ**などの都市が経済的に発展するようになります。

この経済的な発展はよい面もたくさんありましたが、同時に「貧富の差の拡大」も生み出してしまいました。

お金がないときはみんな苦しいながらも仲良くやっていたのに、なまじ**お金を手にしたばかりに社会の分断や対立を招くようになったのです。**

そうした状況のメッカに登場したのが、イスラームの創始者である**ムハンマド**という人物です。メッカの貧富の格差による対立に悩んでいたムハンマドは、ある日の瞑想中に天使ガブリエルと出会い、「ただ1つの神」の教えを次々と授かります。

その後も瞑想をするたびに神の教えがムハンマドに与えられます。そしてムハンマドは**預言者**（神の教えを授かった者）であることを自覚し、その教え、つまり、イスラームを世に広めることを決意したのです。

イスラームの「元年」は「聖なる移動」から

ムハンマドの説く教えの中心が**「ただ1つの神の前の絶対平等」**です。「すべての人は平等だ」と説くムハンマドに、貧富の格差に悩む貧しい者たちは興奮し、「そうだ！そうだ！」とムハンマドになびきます。

反対に、富める者はムハンマドの平等の教えを、自分たちを攻撃する危険な思想ととらえ、ムハンマドに迫害を加えます（当時のメッカの宗教は多神教だったため、なおさら受け入れられなかったのです）。

メッカでの激しい迫害に身の危険を感じたムハンマドは、**メディナ**という町に逃れ、その地で信仰を広げていきます。この移動のことを**ヒジュラ**（聖なる移動）といい、**イスラームの世界では、ムハンマドの活動の「原点」とされています（イスラームの暦はこの「ヒジュラ」が元年）。**

メディナで安全を確保し、力を蓄えたムハンマドは、今度は自らメッカに攻め込み、メッカを攻略して改めて聖地に定めると、信者を拡大しながらアラビア半島のほぼ全域を支配下におさめることに成功しました。

第2章 中東の歴史　　　　　　　　　　　　　イスラームとは

イスラームが世界の4分の1の人をひきつける理由

 イスラームもキリスト教もユダヤ教も、みんな「同じ神」

　ムハンマドが創始したイスラームについて、「豚肉を食べてはいけない」「断食をしなくてはならない」など、断片的な知識を持っている人は多いかもしれません。また、ニュースで「イスラーム過激派」というような言葉を聞いて「少し怖い宗教」という印象の人もいるでしょう。

　しかし、そもそも、宗教そのものに魅力がなければ、世界の人口の4分の1もの人々が信仰するわけがありません。イスラームは、なぜ多くの人々の心を引き付けることができたのでしょうか？

　前にお話ししたとおり、イスラームの最大の教義は、「ただ1つの神の前の絶対平等」です。

「アッラー」といわれる唯一絶対神を信じ、他の神を認めません。これは、同じ一神教のキリスト教やユダヤ教も同じです。ということは、キリスト教の「God」、ユダヤ教の「ヤハウェ」、イスラームの「アッラー」は、すべて「同じ神」ということになります。もし、異教の神を「異なる神」と認めてしまうと「一神教」の建前が崩れてしまうからです。つまり、この3宗教は同じ概念を持つ、いわば「兄弟」なのです。

　3宗教の違いは、この「神」の言葉を授かった者が「モーセ」だけなのか、「イエス」や「ムハンマド」を含めるのか、という点です。

　イスラームにおいて、ムハンマドは人類最大最後の預言者であり、神の言葉を"完全に"伝えているため、「真の宗教」ということになっています。

　ユダヤ教は「神に選ばれし民」としてムハンマドを認めず、キリスト教は神とイエスを同一視するという違いがあります。

コーランの掟を守るかぎり、全員平等

ムハンマドが受けた神の教えを記したのが、イスラームの教典『コーラン』です。1日5回の礼拝や断食、聖地メッカへの巡礼、あるいは豚肉を食べないこと、お酒を飲まないことなど、イスラームの基本的な信仰のあり方と「信者が平等」であるための多くの決まりごとが書かれています。

こうした厳しい掟を等しく守ることで、信者の連帯と平等意識が生まれるのです。たとえ「アラブの石油王」でも、断食の期間は一緒に断食をするので、貧富の差を越えての平等意識があるというわけです。

ですから、イスラームの信者であれば、人種や民族、貧富の差もなく「平等」に扱われるということになるのです。

ただし、コーランに書かれていることを完璧に守るのは、とても大変です。特に、現代の社会の中で、1400年も前の教えを厳格に守ろうとするのは非常に困難といえるでしょう。

そのため、その教えをあくまで厳格に守ろうとする人々と、現状に合わせていこうとする人々の間で対立が起き始めてしまったのです。

ムハンマドの時代のイスラームの掟を厳格に守ろうとしないイスラーム教徒や、イスラームに相いれない考えを持つ人を攻撃する人々を「原理主義」や「過激派」などと呼びます。

文化の"中継地"の役割を担ったイスラーム世界

イスラームの広まった中東地域は、ちょうどヨーロッパ・エジプト・イラン・インドなどをつなぐ場所にあり、唐やモンゴル帝国の時代には中国文化の影響も受けています。こうした各地の文明を融合し、さらに高度化したイスラーム文化は、現在の我々にも大きな影響を与えています。

たとえば、インドの数学がイスラーム世界に伝わり、十進法やゼロの概念をアラビア数字で表すようになったり、中国の紙のつくり方の技法を世界に伝えたりと、文化の中継地としての役割を果たしました。

97

第2章 中東の歴史　　　　　　　　7世紀のイスラーム世界

アラブ人の国家が「巨大帝国」に成長

 ムハンマドの死後、"後継者"が活躍

　ムハンマドの死後、その意思を継いだ宗教的指導者を**カリフ**といいます。しばらくは、**信者の選挙により「正しい手順を踏んで選ばれたカリフ」**という意味の正統カリフがイスラームをおさめる**正統カリフ時代**が訪れます。正統カリフたちも教えを広めながら征服活動を行い、その範囲を大きく広げました。

 イスラーム世界"最大"の王朝の誕生

　順調に拡大を続けるイスラームですが、ここで大きな転換点が訪れます。
　4代目の正統カリフのアリーが何者かに暗殺されると、シリアのウマイヤ家の**ムアーウィヤ**という人物がカリフを自称し、代々ウマイヤ家がカリフの位を独占すると宣言して、**ウマイヤ朝**を建国したのです。
　このとき、イスラームは2派に分かれます。一部のイスラーム教徒が、カリフをウマイヤ家が独占しようとしていることに反発したのです。そして、ムハンマドと血がつながっている第4代正統カリフのアリーとその子孫のみを正統とする**シーア派**を形成しました。
　一方、多数のイスラーム教徒は、実力者であるムアーウィヤをカリフとして容認する**スンナ派**を形成します。

 「いっていること」と「やっていること」が違ったウマイヤ朝

　ウマイヤ朝は、正統カリフの領域からさらに拡大して、イランからイベリア半島までの超広域国家になります。

ヨーロッパの核心、フランク王国にまで攻撃の手を広げ、**トゥール・ポワティエ間**の戦いで敗北するまで、破竹の勢いで勝利を重ねます。

ところが、ここまで順調に拡大していたウマイヤ朝ですが、内部からほころびが生まれます。**原因は、ウマイヤ朝のアラブ人優遇政策でした。**

アラブ人とは「アラビア語を話すアラビア半島の人」のことで、イスラーム勢力の中核を形成していました。しかし、ウマイヤ朝の時代に、イスラームの領域がイランからヨーロッパまで広範囲に及んだことにより、イラン人やヨーロッパ人など、様々な民族が一緒になりました。

ウマイヤ朝は、こうした**征服地の諸民族に対して、人にかける税のジズヤ、土地にかける税のハラージュという2つの税をかける**一方で、**アラブ人には、この2つの税をかけなかったのです。**

そのため、「神の前の平等というからイスラームを受け入れたのに、アラブ人ばかり優遇されて、不平等だ！」と、征服地のイスラーム教徒が猛反発し始め、結局、ウマイヤ朝は崩壊してしまうことになるのです。

図 2-7　ウマイヤ朝の最大領域

第2章　中東の歴史　　　　　　　　8世紀のイスラーム世界

"平安の円形都市"バグダードが繁栄を謳歌した

異民族、異教徒の税制を改革

　ウマイヤ朝の税制上の不平等への不満が高まっていた頃、アッバース家のアブー＝アルアッバースが**アッバース朝**を建て、反ウマイヤ朝勢力を結集してウマイヤ朝を打倒します。これを「アッバース朝革命」といいます。

　ウマイヤ朝の税制の不満から成立したアッバース朝ですから、当然、民族間での税制の不平等を解消することから着手しました。

　まず、イスラーム教徒だろうと、異教徒だろうと、なんの民族であろうと、**ハラージュ（土地に対する税）は、帝国内の人々全員が払わなければならない**と決めます。そして、**ジズヤ（人にかかる税）は「異教徒にかかる税」**としました。帝国内でキリスト教やユダヤ教を信仰したいという者は、追加で税を払えば信仰が認められたのです。

　イスラーム教徒であれば、異民族であってもジズヤを払わなくてもよいという、とても明快な税制といえます。こうして、**イスラーム教徒の税制上の不平等は解消され、不満をおさめることに成功しました。**

イスラーム隆盛を象徴する都市・バグダードの建設

　建国直後、アッバース朝は東の強国である中国の唐王朝と接触します。

　唐との**タラス河畔**の戦いで唐に勝利をおさめると、捕虜にした唐の紙職人を都のバグダードまで連れて帰り、中国が長年秘密にしていた**紙のつくり方が世界に広がるきっかけをつくりました。**

　紙の伝播は各地の文化を大きく発展させたので、アッバース朝がなければ、現在の文明水準はもたらされなかったかもしれません。

2代目のカリフ、マンスールは、空から見ると"真ん丸"の形をした首都の**バグダード**を建設します。ニックネームは「平安の都（マディーナ＝アッサラーム）」。その名のとおり、繁栄と平和を謳歌する大都市でした。

　5代目のカリフ、**ハールーン＝アッラシード**のときに、アッバース朝は最盛期を迎えます。都のバグダードの人口は、100万人以上に達し、唐の長安と並ぶ世界の中心になりました。

　このハールーン＝アッラシードは、漫画『ドラえもん』にも登場しており、映画『のび太のドラビアンナイト』の中で"心優しい偉大な王"という描写をされています。また、イスラーム文学『千夜一夜物語（アラビアン・ナイト）』の中心人物のひとりとしても描かれており、その勢威ぶりと都のバグダードの繁栄がわかります。

　イベリア半島では、ウマイヤ朝が滅びる際、王族の生き残りがイベリア半島に逃れて建てた**後ウマイヤ朝**が成立しています。この王朝は、カール大帝の時代のフランク王国としばしば戦いました。

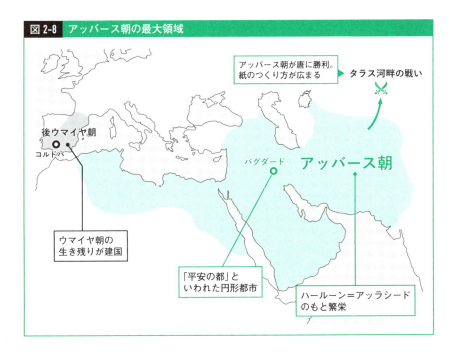

図 2-8　アッバース朝の最大領域

| 第2章 中東の歴史 | 10世紀のイスラーム世界 |

イスラームが分裂し、「戦国時代」がやってきた

カリフの形骸化

　8世紀から9世紀にかけて強大な勢威を誇ったアッバース朝ですが、10世紀の地図（図2-9を参照）を見るとだいぶ窮屈そうにしています。

　イランの**ブワイフ朝**、エジプトの**ファーティマ朝**という**2つのシーア派国家に挟まれ、その勢いはかなり衰えてしまいました。**

　ブワイフ朝はアッバース朝の都、バグダードを占領すると、アッバース朝のカリフから支配権をもぎ取ります。

　この時点で、アッバース朝のカリフは存続するものの、実権をもたない

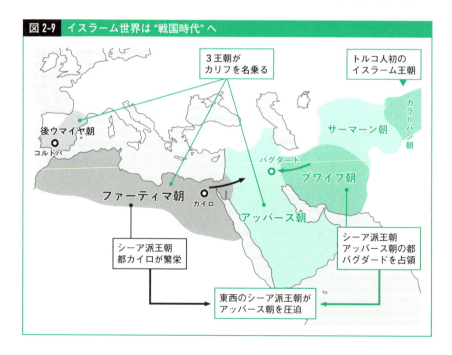

図 2-9　イスラーム世界は"戦国時代"へ

102

「お飾り」の存在に成り下がってしまいました。

一方、アッバース朝を西から圧迫しているファーティマ朝は、エジプトを支配して新しい都、カイロ（「勝利の都」という意味）を建設し、「我こそが真のカリフだ！」と主張してアッバース朝のカリフに対抗します。

カイロには、イスラームの高等教育施設、アズハル学院が建てられ、イスラーム教学の中心地となっていきました。

「トルコ共和国」のルーツは「小アジア半島」ではない

10世紀に起きたもう1つの大きな変化は、トルコ民族初のイスラーム国家、カラ＝ハン朝が中央アジアに誕生したことです。「トルコ」といえば、現在の小アジア半島に位置する「トルコ共和国」を連想する人がいるかもしれませんが、もともと、トルコ民族が生まれた地はカスピ海の東に広がる「トルキスタン地方」です。

トルコ人は体格がよく、戦闘に適性があるため、8世紀頃からイスラーム世界でも傭兵や奴隷兵として活用され始めていました。

そして10世紀に、このトルコ人自体が王朝（カラ＝ハン朝）を建設することになり、イスラームを受け入れます。

これをきっかけにトルコ人国家が各地に建設されるようになり、トルコ人は16世紀までイスラーム世界の中心的民族になります。

"自称"カリフの乱立

西にはウマイヤ朝の生き残り、後ウマイヤ朝が依然、存在しています。この後ウマイヤ朝もカリフの位を自称したので、この時代はアッバース朝、ファーティマ朝、後ウマイヤ朝の3人のカリフが同時に並び立つ状況になりました。

ここにひとりの指導者のもとで、広く信者を組織していくというムハンマド以来の伝統が失われ、イスラーム世界は次第に「戦国時代」のような様相を呈します。

| 第2章 中東の歴史 | 11世紀のイスラーム世界 |

トルコ人がついに
イスラームの主役に

 綺羅星のごとく登場したトルコ人王朝

　戦国時代のような不穏な空気に包まれたイスラーム世界に、11世紀後半、大きな変化が訪れます。

　それは、トルコ人王朝の**セルジューク朝**が、一躍イスラーム世界の主役になったことです。

　初代の**トゥグリル＝ベク**（"鷹の君主"というなんともカッコいい名前です）が、中央アジアからアラビア半島に勢力を広げると、ブワイフ朝に支配されていたバグダードを占領します。

　彼はアッバース朝のカリフをシーア派のブワイフ朝から解放したので、アッバース朝のカリフは、助けてもらった御礼として、同じスンナ派を信仰するトゥグリル＝ベクに**スルタン**の称号を与えました。

「スルタン」とは「支配者」という意味で、**宗教的指導者のカリフが実際の世界の統治権を与えて、代わりにおさめさせるという役割を果たします。**

　日本史で例えるならば、「天皇が征夷大将軍に実際の世界の統治権を与え、幕府を開かせる」という意味合いに近いでしょう。

　セルジューク朝の拡大は、ヨーロッパ世界にも大きな影響を与えました。

　聖地イェルサレムまで独占するほどに勢力を増していくセルジューク朝に対して、ビザンツ帝国が、西ヨーロッパに救援を求めたのです。

　そしてローマ教皇が救援を諸国に呼びかけたことから、第1章でも登場した**第1回十字軍の遠征が始まります。**

　以後、中東に成立した様々なイスラーム王朝は、キリスト教国が派遣した十字軍と、イェルサレムをめぐる戦いに突入します。

北アフリカの主役が「ベルベル人」に

目を西に移すと、後ウマイヤ朝が滅亡し、北アフリカからイベリア半島にかけて**ベルベル人**といわれた民族が建てた王朝、**ムラービト朝**が成長しています。

このムラービト朝が**アフリカの内陸、ガーナ王国を攻撃したため、アフリカ内陸部にイスラームが浸透することになりました。**

次に目を東に移すと、トルコ系王朝のカラ=ハン朝が存続しており、また、新たにアフガニスタンの地にガズナ朝が成立します。

ガズナ朝の誕生は、インド方面にイスラームが伝わるきっかけになりました。このガズナ朝もトルコ系です。

したがって、11世紀のイスラーム世界の東側は、セルジューク朝、カラ=ハン朝、ガズナ朝と、トルコ系王朝で独占されている状態になったといってよいでしょう。

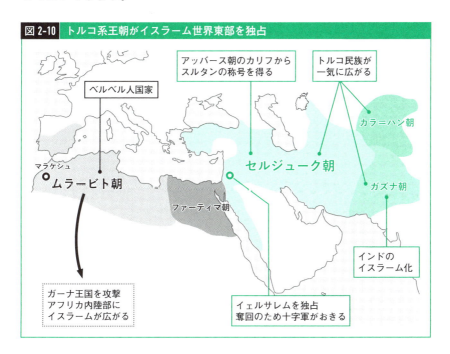

図 2-10　トルコ系王朝がイスラーム世界東部を独占

第2章 中東の歴史　　　12世紀のイスラーム世界

十字軍と死闘を演じた"英雄の中の英雄"サラディン

 "英雄中の英雄"サラディンの登場

　セルジューク朝が衰退して地方政権化すると、12世紀のイスラームの主導権はエジプトの**アイユーブ朝**に移ります。

　アイユーブ朝といえば、「**サラディン**」と呼ばれたサラーフ＝アッディーンが代表的人物です。第3回十字軍において、イギリスの「獅子心王」と呼ばれたリチャード1世と死闘を演じました。

　十字軍を率いたリチャード1世が、身代金を払えない捕虜のイスラーム教徒を容赦なく処刑したのに対し、サラディンは捕虜のキリスト教徒にそっとお金の入った袋を渡し、落ちのびて故郷に帰らせた、という人情味にあふれる数々のエピソードを残しています。

　戦場では激しく戦う武勇と知略にあふれる戦いぶりで、敵である**十字軍兵士からも真の勇者と称えられるほどの、英雄中の英雄でした。**

　アイユーブ朝のもとで首都カイロは繁栄し、セルジューク朝とともに衰退したバグダードに代わって、イスラーム世界の中心となりました。

　現代では、「カイロ」といえば郊外のピラミッドばかりが目立っていますが、イスラーム時代の文化遺産は他にもたくさんあり、イスラーム都市として世界遺産に登録されています。

 イラン・インド・北アフリカに王朝が続々と建設

　トルコ系王朝のホラズム朝は、一時期、イランから中央アジア方面に大勢力を築きます。しかし、この王朝が後世に名を残すことになったのは、強国ぶりではなく、その「滅びっぷり」のほうでした。

13世紀になると、東からチンギス＝ハンが率いるモンゴル帝国が拡大し、ホラズム朝に隣接するようになります。チンギス＝ハンは、ホラズム朝に通商使節を派遣しましたが、ホラズム朝の国境の町の太守は、なんと通商使節を皆殺しにしてしまったのです。

　450人もの使節を殺害されて激怒したチンギス＝ハンは、ホラズム遠征を行い、使節を殺害した国境の町の太守を捕らえ、両目と両耳に溶かした銀を流し込んで殺してしまいます。

　ホラズムの都サマルカンドはモンゴル帝国の徹底した破壊と略奪にあい、人口の4分の3が虐殺されたといわれています。こうして、ホラズム朝は、皮肉なことに「有名人に滅ぼされたこと」で有名になってしまったのです。

　この頃、インドではゴール朝が成立しています。それまでのガズナ朝よりもさらにインド側の領域が広がり、インドのイスラーム化が大いに進展しました。西にはムラービト朝に代わって、ムラービト朝と同じベルベル人のムワッヒド朝が成立しています。

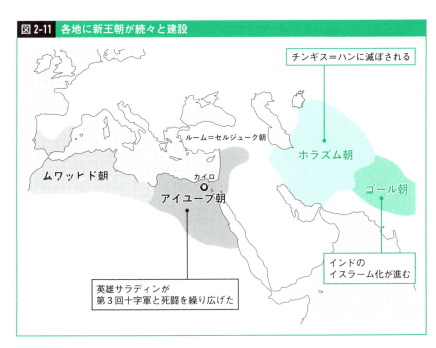

図2-11　各地に新王朝が続々と建設

107

第2章 中東の歴史　　13世紀のイスラーム世界

トルコ人奴隷が建国した2つの王朝

「モンゴル民族」が主役に

　13世紀は、チンギス＝ハンをはじめとするモンゴル民族が大帝国を築いた、まさに「モンゴルの世紀」です。中東一帯もチンギス＝ハンの孫、**フラグ**が建国した**イル＝ハン国**が登場し、モンゴル帝国の一部として西アジア地域の統治を担うようになりました。

　もともと、イル＝ハン国はモンゴル系の国家であり、**イスラーム国家ではありませんでしたが、イル＝ハン国の7代目のガザン＝ハンがイスラームに改宗し**、イスラーム国家として安定した統治を行うようになります。

トルコ人の奴隷兵が2つの王朝を建設

　イル＝ハン国の東西には「マムルーク朝」「奴隷王朝」という独特な名称の国家が成立しています。

　エジプトのマムルーク朝の「マムルーク」とは、「トルコ人の奴隷兵」のことで、奴隷身分出身の女性、シャジャル＝アッドゥルという人物がマムルーク軍団を率い、エジプトに政権を打ち立てたのがマムルーク朝です。

　シャジャル＝アッドゥルはイスラーム世界では数少ない女性の統治者でした。ルイ9世率いる第6回十字軍を破るなど、優れた統率力を発揮しました。そして第5代目スルタン、バイバルスのときに盛期を迎えました。

　もう一方の東のインドには**奴隷王朝**という名の国家が誕生します。これも「トルコ人の奴隷兵」たちがインド北部に自立して打ち立てた王朝です。

　したがって、「マムルーク朝」も「奴隷王朝」も「トルコ人奴隷兵が中心になって建国した王朝」という同じ意味を持っているのです。

「イベリア半島最後の砦」の陥落

もう1つ、イベリア半島にちょこんと座るようにイスラーム国家があります。これが**ナスル朝**です。ウマイヤ朝、後ウマイヤ朝、ムラービト朝、ムワッヒド朝に続く、イベリア半島におけるイスラーム王朝の最後となる王朝です。イベリア半島のイスラーム王朝は、キリスト教の国々からのイベリア半島奪回運動の**国土回復運動**に常にさらされていました。**ナスル朝は、そんなイベリア半島のイスラーム国家の「最後の砦」となり**、キリスト教徒の猛攻に長い間、耐え忍んでいたのです。

しかし、イサベルとフェルナンドの婚姻によって新しく成立したスペイン王国に都の**グラナダ**を攻略され、イベリア半島のイスラーム国家はついに消滅してしまいます。現在、スペインはキリスト教の国ですが、スペイン南部の文化がイスラームの影響を強く受けているのは、イベリア半島のイスラーム国家の長い歴史があったからなのです。

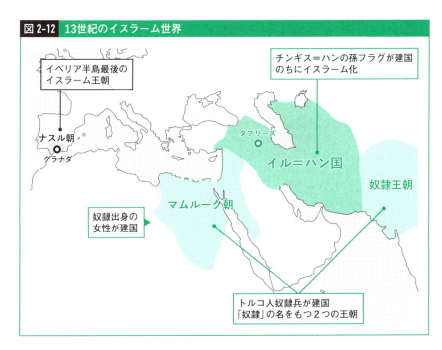

図2-12 13世紀のイスラーム世界

| 第2章 中東の歴史 | 14〜16世紀のイスラーム世界① |

軍事の天才「鬼武者」ティムールの登場

百戦錬磨の最強国家

14世紀のイスラーム世界の主役は、何といっても**ティムール朝**です。建国者の**ティムール**は、盗賊団の首領から一代で大帝国を築いた軍事の天才でした。若くして右足を負傷し、腕にも深い傷を負う「鬼武者」のような姿で戦場に臨んだそうです。のちに大帝国となるオスマン帝国でさえティムールにはまったく歯が立たず、**アンカラの戦い**で完膚なきまで叩きのめされ、滅亡寸前に追いこまれました。中国の明に攻め込む途中に病死しますが、もし戦ったとしたら永楽帝との「大勝負」になっていたでしょう。

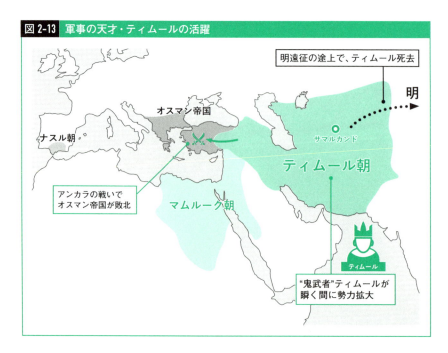

図 2-13 軍事の天才・ティムールの活躍

| 第2章　中東の歴史 | 14〜16世紀のイスラーム世界② |

トルコ人王朝の"決定版"オスマン帝国の成立と拡大

トルコ民族国家の"集大成"オスマン帝国の誕生

　トルコ人による国家といえば、11世紀のセルジューク朝、13世紀の「2つの奴隷王朝」が代表ですが、15〜16世紀には巨大帝国、**オスマン帝国**が成長します。

　オスマン帝国の中心となった地域が、現在のトルコ共和国が存在する小アジア半島だったので、この地が「トルコ」といわれるようになります。

　現在では、「トルコ」といえば、中央アジアの「トルキスタン」ではなく、小アジア半島というイメージが強くなっています。

難攻不落の都を陥落させた"奇策"とは？

　オスマン1世により建国されたオスマン帝国の初期は、ティムールに敗北し、一度は滅亡寸前にまで追い込まれます。

　ところが、15世紀中盤の「中興の祖」、**メフメト2世**の時代になって急速に強大化します。メフメト2世は、千年以上にわたってビザンツ帝国の都だったコンスタンティノープルに攻め込みます。

　コンスタンティノープルは、自分たちの「急所」であった深い入江の入り口を太い鎖で封鎖するという堅い守りで知られていましたが、メフメト2世はその鎖を正面から突破せず、72隻もの軍艦を山越えさせて陸側から入り江の中に船を侵入させます。

　そして、入り江の中から攻撃するという奇襲作戦で、難攻不落のコンスタンティノープルがついに陥落したのです。ビザンツ帝国を滅亡に追い込むと、コンスタンティノープルを**イスタンブール**と改称して都にします。

主役から一転、ゆっくり衰退

次いで**セリム1世**はエジプトのマムルーク朝を滅ぼし、**メッカ、メディナを手中におさめ、名目上の「イスラームの主役」の座を獲得します。**その次の**スレイマン1世**のときに、オスマン帝国は最盛期を迎えます。

フランスと同盟を組み、神聖ローマ帝国に挑戦してウィーンを包囲しますが、第1次ウィーン包囲が失敗に終わり、ここからピークを過ぎてオスマン帝国は衰退し始めます。続くセリム2世は、レパントの海戦でフェリペ2世時代のスペイン海軍に決定的な敗北を喫したうえに、それから100年後の第2次ウィーン包囲でも失敗し、衰退の一途をたどります。

イランに目を移すと、ティムール朝の滅亡後、**サファヴィー朝**が成立しています。**シーア派**を国教にしており、この後、**現在に至るまでイランはシーア派の国家が続きます。**サファヴィー朝が築いた都・**イスファハーン**は、当時、世界中の人が憧れた美しい都でもありました。

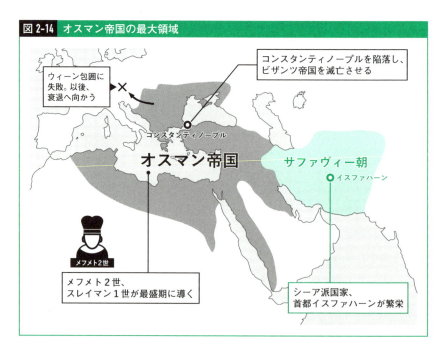

図 2-14 オスマン帝国の最大領域

第3章

インドの歴史

第3章 インドの歴史　あらすじ

歴史の舞台

多様な民族、宗教、言語などを バラバラなままに包み込むインド

　インドの最大の特徴は、「多様性をバラバラなままに包みこむ」という価値観です。

　インドの気候は、ヒマラヤ山脈の高山から、ほとんど雨の降らない砂漠、世界有数の多雨地域、熱帯の密林まで、じつに多様で、また、民族、宗教、言語、生活習慣もバラバラです。

　そのため、身分階層をつくったヴァルナ制や、雑多な神々や儀礼を取り込んだヒンドゥー教、様々な宗教を統治に用いたインドの王朝など、常に「多様性」がインドの歴史を紐解くカギになるのです。

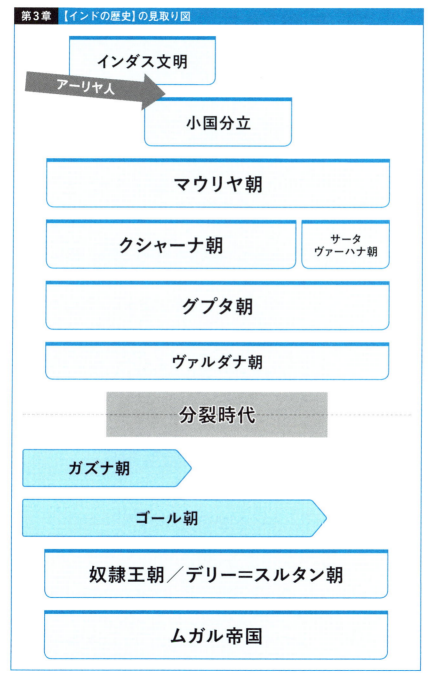

第3章 インドの歴史　　　　　　　　　　　　　　　　インダス文明

高度な都市計画をもつ「インドの源流」

超・高度な都市づくり

「四大文明」の1つに数えられるインダス文明は、メソポタミア文明やエジプト文明よりやや新しい文明です。約4600年前に、インダス川の灌漑による人口の集中によって起こりました。

インダス川の中流、パンジャーブ地方にハラッパー遺跡、下流のシンド地方にはモエンジョ＝ダーロ遺跡が存在します。この「シンド」地方というのが「インド」という言葉の語源（シンド→シインド→インドというように変化）になりました。

インダス文明には、メソポタミアやエジプトをしのぐ規模の都市の跡が残されています。立派な城塞や住宅、街路の跡、整備された下水道網など、非常に優れた都市づくりを行っていました。一定の大きさのレンガを積み上げ、整然とした街並みの跡が現在にも残っています。

いまだ解読できていないインダス文字

インダス文明の数ある出土品の中でも、特筆すべきはインダス文字が刻まれた印章です。インダス文字は未解読なので、解読に成功すれば、古代エジプトの文字を解読したシャンポリオンや、楔形文字を解読したローリンソンのように歴史に名を残せるかもしれません。

まとまった「文章」が少ないために手がかりがほとんどなく、現在では、人工知能を使った解読も行われています。

また、印章には牛の姿が描かれたものも多く、インダス文明は牛を神聖視するヒンドゥー教の文化の源流と考えられています。

第3章 インドの歴史　　　アーリヤ人の流入とヴェーダ時代

インドに根強く残るカーストがここから始まる

 ## アーリヤ人とドラヴィダ人

　インダス文明が衰退して（衰退の理由は諸説あって不明）、代わりに北西方面から流入してきたのが**アーリヤ人**です。

　インド＝ヨーロッパ系の民族で、中央アジア方面から西北インドに流入し、ガンジス川流域にかけて定住を始めました。

　アーリヤ人がインド北部に広がり、インドの文化を形成します。

　一方、インダス文明をつくっていた**ドラヴィダ系**民族は、南インドに分布するようになります。

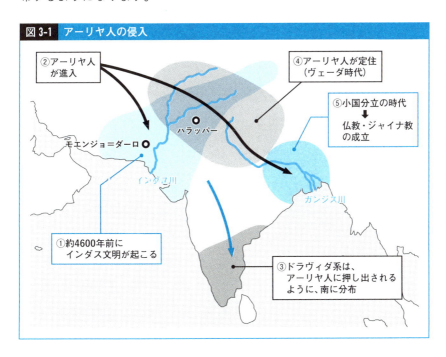

図 3-1　アーリヤ人の侵入

当時を知る手がかりは「歌の歌詞」だった

アーリヤ人たちがインドに暮らし始めた時期を**ヴェーダ時代**といいます。**ヴェーダ**とは、この時代の数々の宗教文書をまとめて呼んだ名です。

具体的には、神に捧げる「賛歌」の内容（歌詞）をまとめた「歌詞集」のようなものといえます。アーリヤ人が繁栄や豊作への祈り、災いよけを願って神に捧げるために歌った賛歌の歌詞集が文献として今に残っているのです。中でも、インド最古の聖典『**リグ＝ヴェーダ**』がその代表です。

もし、現代から2500年後の子孫が、21世紀の地層の発掘調査をしてCDレンタルショップが出土し、その歌詞カードの解読に成功したとすれば、我々の暮らしぶりや宗教観（恋愛ソングばかりかも？）などがその歌詞によって明らかになるかもしれません。このヴェーダは、ユネスコの無形文化遺産にも指定されています。

 生産性の向上が、格差を助長した

ヴェーダ時代も後半に入ると、人々が鉄器を使うようになって農業の生産性が向上します。**生産性の向上自体は喜ばしいことですが、それが、余った生産物を「独占できる者」と「できない者」を生み出し、経済的・身分的格差の拡大を助長**してしまいました。

ヴァルナ制といわれるアーリヤ人社会の身分制には、大きく分けて4つの身分がありました。社会の最上位にある司祭階層の**バラモン**、王侯・武人など、政治・軍事的な支配者階層の**クシャトリヤ**、農民・商工業などの庶民階層の**ヴァイシャ**、隷属民の**シュードラ**です。この身分のことを「ヴァルナ」といいます。

ヴァルナの最上位のバラモンはヴェーダを詠い読み、儀式を執り行う**バラモン教**の指導者として特別な存在です。バラモン教はのちのヒンドゥー教のもとになり、この**「バラモンが最も偉いんだ！」というヴァルナ制の名残が、インド特有の身分の概念、カーストへとつながります。**

第3章 インドの歴史　　　　　　　　　　　　小国分立の時代

ブッダの"悟り"が新宗教を生み出す

バラモンへの批判の高まり

　紀元前7世紀から5世紀ぐらいになると、ガンジス川流域に次々と国家が形成されます。たくさんの国々が興ったので、この時代を「小国分立」の時代ということにします。その中でも代表的な**マガダ国**やコーサラ国などの国々を「十六大国」といいます。

　この頃に、1つの社会問題が持ち上がります。それが、**バラモン教を取りしきるバラモンたちに対する批判の高まりです。**
「ヴェーダを詠み、祭式を取り仕切る俺たちは偉いんだ！」と威張り散らすバラモンに対して、人々の心は離れていきました。そして、バラモン教に代わる、新たな信仰の対象を求めたのです。

悟りの宗教・仏教の誕生

　そんなときに登場したのが**ガウタマ＝シッダールタ**、すなわち「ブッダ」です。バラモン教の権威主義を批判して、**個人が正しい行いを実践して悟りを開き、生きる苦しみから「解脱」することを説きました。**

　王族に生まれたブッダは、生・老・病・死などの「人が生きる根源的な苦しみ」に向き合おうと王族の暮らしを捨て、出家します。

　そして、彼は「人が生きることに苦しみや空しさを感じるのは煩悩、すなわち『欲』があるからだ」という考えにたどり着きました。食欲があるから腹が減って苦しいし、性欲があるから満たされずに苦しいというわけです。そこで、彼は欲を捨てるため、厳しい苦行を行います。しかし、食欲を捨てようと断食すれば、ますますお腹がすいて、欲がわいてきます。

119

息を止めたり、死ぬ寸前まで体を痛めつけたりすると、生への執着がますます膨らんでしまいます。死ぬ寸前までという苦行の末、彼は、ついに「**欲を捨てよう、捨てようとすると、さらに欲にとらわれてしまう。『欲を捨てようとする欲』も捨てるには、欲をほどほどに満たし、それ以上に求めないことだ。**ただ正しい行いを実践するのみ」と、悟るのです。こうしたブッダの考えは、クシャトリヤ階級に広まって、支配者階級の精神的なよりどころになり、仏教中心の国家が形成されていくことになります。

バラモンへの批判から生まれたもう1つの宗教

仏教と同じように、バラモン教への批判から生まれた宗教がもう1つあります。それが、ジャイナ教です。

ヴァルダマーナという人物が興した宗教で、「徹底した生命の尊重（不殺生）」や「無所有」などの戒律を徹底して行うことを説きます。この「徹底して行う」ということがジャイナ教特有の「苦行」につながります。

仏教の「ほどほどに欲を満たし、それ以上は求めない」という考え方に対して、**ジャイナ教は「断食するなら死ぬまでやることが理想だ」という、さらに「突っ込んだ」考え方を持っていたのです。**

この教えは「無所有」と言っている割には不思議なことですが、ヴァイシャ階級、特に商人の間に広がりました。現代でも、約400万人の信者がインドにいます。「無所有」が建前なので、「お金を使わないので一周回って大金持ち」という人が多い、不思議な傾向を持つ宗教でもあります。

バラモン教改革のために生まれた「ウパニシャッド哲学」

バラモン教も、黙って批判ばかりされていたわけではありません。権威主義やぜいたくざんまいのバラモンたちを批判するバラモンも中にはいました。こうしたバラモン教の内部革新から生まれた考え方が、ウパニシャッド哲学です。ヴェーダをただ儀式的に詠むだけでなく、バラモンたちに哲学的な思索を求め、きちんとした宗教人になるように呼びかけました。

第3章 インドの歴史 | マウリヤ朝とクシャーナ朝

初めてインドを"1つ"にした巨大王朝

インド"初"の統一王朝の成立

　ここまでバラバラに存在していたインドの国家の中から、いよいよ、インド全土を統一した「インドの統一国家」が誕生します。

　きっかけは、東西にまたがる大帝国「アレクサンドロスの帝国」でした。

　アレクサンドロスが東方遠征によってペルシアを滅ぼし、インドまで迫ると、分裂状態ではとても太刀打ちできないと焦ったインドは、インド内の国同士で同盟を組んだり、弱い国を攻めて支配したりと、少しずつまとまり始めていきます。こうした動きの中で、頭角を現したのが**チャンドラグプタ**という人物です。

　象兵を用いた強大な軍事力でインドを「面」的に支配し、「インド初の統一国家」である**マウリヤ朝**をつくりました。

　3代目の**アショーカ王**は、征服活動をさらに進め、南端を除く全インドを統一することに成功します。

　アショーカ王が国をまとめるうえで活用したのが、仏教の力です。

　仏教の倫理「ダルマ」を、国を統治する理念として使い、「父母を敬え」「生き物を大切にせよ」などの道徳を柱に刻んだり（石柱碑）、崖に刻んだり（磨崖碑）して、国をまとめようとしたのです。

　ですから、石柱碑や磨崖碑が存在する場所をたどると、マウリヤ朝の支配領域がわかるというわけです。

　他にも、アショーカ王はスリランカへの布教を行ったり、釈迦の教えを正しく理解するため、各地に散らばっていた文献を集め、仏典を編纂する「仏典結集」を行ったりと、保護者のような立場で仏教を発展させました。

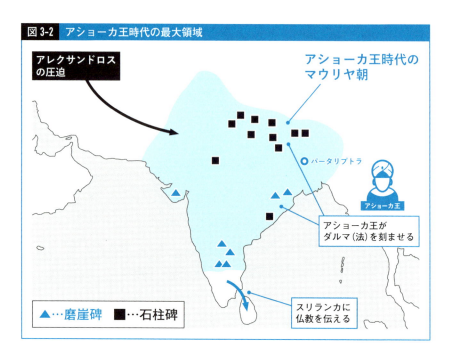

東西の文化の融合地・ガンダーラ地方

　マウリヤ朝の後に成立したのが、**クシャーナ朝**です。マウリヤ朝崩壊後、イラン系の民族がインドに入って建国しました。

　インドの統一国家とはいうものの、国の位置が、北のほうに寄っています。**この「北寄り」という位置取りが、クシャーナ朝の最大の特徴です。**北にはみ出した部分の地域の名称を「**ガンダーラ地方**」といいます。

　ガンダーラ地方の特徴は「東西の融合」です。この地域が北寄りに位置するために、**東西の交易路、いわゆる「シルクロード」が通過することになり、東西の文化、すなわち、中国やペルシア、ギリシアの文化が流入するようになるのです。**

　そうして花開いたのが「ガンダーラ美術」でした。仏像なのに、鼻筋が通っていたり、ギリシア風のひだをもつ衣服を着ていたりと、ギリシア彫刻の影響が強く、様々な様式が混じっていたことがわかります。

クシャーナ朝の王として最も有名なのは、**カニシカ王**です。この王も仏教を保護したことで知られています。

カニシカ王の時代に**ナーガールジュナ**という人物が、大乗仏教を創始しました。それまでの仏教は「個人の悟り」による解脱を目指していましたが、「大乗仏教」は、仏教の力で人々が救われると説き、日本・朝鮮・中国の仏教の源流になります。

 東西の海上ルートの中継地点になった南インド

前述のとおり、クシャーナ朝は「北寄り」に位置していたので、**インドの南には「空きスペース」ができていました。**そこに存在していた南インドの国が、**サータヴァーハナ朝**です。

南インドはインド洋に突き出た形になっており、これが、ちょうど**この時代に存在した東西の超大国、ローマ帝国と中国の後漢王朝の間の海上交易ルートの中継地点の役割を果たして、大いに繁栄しました。**

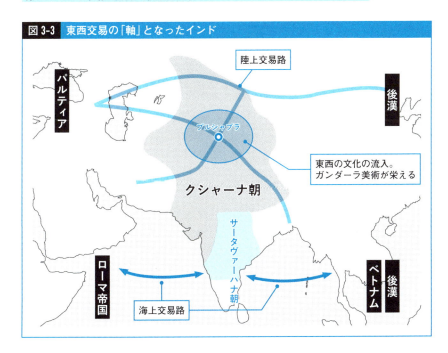

図3-3　東西交易の「軸」となったインド

第3章 インドの歴史　　　　　　　　　グプタ朝とヴァルダナ朝

ヒンドゥー教が確立し、インドの古典文化が花開く

すべてを取り込む「ザ・多神教」が成立

　クシャーナ朝の滅亡から約100年後に、グプタ朝が成立します。建国者の名は**チャンドラグプタ１世**、最盛期の王が**チャンドラグプタ２世**です。この時代に、クシャーナ朝とはまた違うグプタ文化が花開きます。

　まず、宗教面の大きな変化は、バラモン教を源流とする**ヒンドゥー教**の確立です。ヒンドゥー教は、もともとのバラモン教に、様々な民間信仰が混ざった宗教です。

　シヴァ神（破壊・創造の神）、ヴィシュヌ神（世界を維持する神）などが存在する宗教世界に、民間で信仰されていた無数の神を混ぜ込み（仏教のお釈迦様もヴィシュヌ神の化身として）、１つにしてしまいました。

　したがって、解釈上は、お釈迦様もヒンドゥーの神の１つなので、仏教徒も、みなヒンドゥー教徒ということになります。

　ヒンドゥー教は、この時代に成立した『**マハーバーラタ**』『**ラーマーヤナ**』などの文学作品を宗教的に解釈して聖典とします。また、ヴァルナ、すなわちそれぞれの身分においての義務を記した『**マヌ法典**』がヒンドゥー教徒の生活の規範になりました（上の身分には上の身分、下の身分には下の身分の規範があるということが生活に根付き、それがインドの身分格差を埋まらなくしている原因にもなっています）。

　ヒンドゥー教が、お釈迦様を神々の一員として取り込んでいるぐらいなので、グプタ朝では仏教の信仰もそのまま認められます。**ナーランダー僧院**では仏教の教義が研究され、**アジャンター石窟寺院**や**エローラ石窟寺院**などの「**グプタ様式**」の寺院や仏像などの仏教文化が花開きました。

三蔵法師が探し求めた「天竺」はココにあった！

　グプタ朝が異民族の侵入によって崩壊した後、**ハルシャ＝ヴァルダナ王**が、北インドを統一します。**ヴァルダナ朝**とも呼ばれたりしますが、ハルシャ王が死亡するのと同時に国も崩壊したので、一代限りの王朝です。

　ヴァルダナ朝の名を有名にしているのが、中国の**玄奘**という人物です。彼は仏教をヴァルダナ朝に学びに行きました。玄奘は、仏教の道徳『律蔵』、釈迦の教え『経蔵』、経典の解釈『論蔵』という"3系統"の仏典に精通していたことから、「三蔵法師」というあだ名が付けられています。

300年もの間、インドは分裂状態へ

　ヴァルダナ朝の滅亡後、約300年間、インドは分裂状態になります。
　いくつもの王朝が生まれては消え、抗争を繰り広げました。この分裂状態の後、インドに再び秩序をもたらしたのが、イスラーム勢力でした。

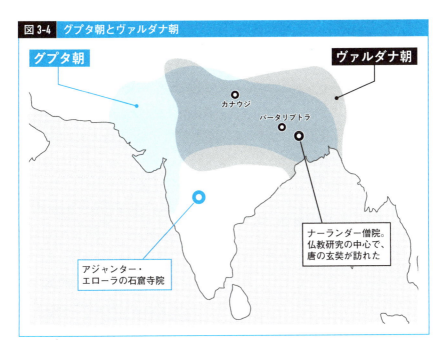

図 3-4　グプタ朝とヴァルダナ朝

第3章 インドの歴史　　　　イスラーム化とムガル帝国

ヒンドゥー教と
イスラーム教の融和と分裂

デリーがインドの中心に

　ここから、インドの主役はイスラーム勢力になります。10世紀から11世紀にかけて**ガズナ朝**、12世紀に**ゴール朝**と、北インドに次々とイスラーム勢力が流入します。

　13世紀には、元トルコ人奴隷の**アイバク**という人物が北インドをほぼ統一し、**奴隷王朝**をひらきます。奴隷王朝から約300年間、デリーに都をおく王朝が続いたため、**デリー＝スルタン朝**の時代と呼ばれています。

インド"最強"のイスラーム国家が成立

　そして、インドのイスラーム王朝として最も強大さを誇った王朝がムガル帝国です。

　初代皇帝の**バーブル**という人物がデリー＝スルタン朝最後の王朝となるロディー朝を打ち破り、**ムガル帝国**を打ち立てました。以後、300年以上にわたってインドを統治します。ちなみに、「ムガル」とは「モンゴル」のことです。バーブルがモンゴル人の血を引いていることから、この国のニックネームが「ムガル」になりました。

インド史上最高の"名君"アクバル

　ムガル帝国はインドのイスラーム王朝として広大な領土を誇り、君主は絶大な権力を持っていました。当然、皇帝たちはイスラーム王朝の君主として、インド全体をイスラーム教に染めたいと考えていたのですが、そこには宗教的な"摩擦"が伴いました。

イスラーム教は、一神教、すなわちアッラー以外の神を認めず、すべての信者が平等だと説きます。

一方、それまでのインドの歴史的経緯から、インドの民衆の信仰にはヒンドゥー教の伝統が染みついていました。ヒンドゥー教は、雑多な神々を取り込む多神教であり、カースト制、すなわち身分の概念と密接に結びついています。つまり、「一神教で平等」と「多神教で身分あり」という"正反対"の宗教がイスラーム教とヒンドゥー教なのです。

ムガル帝国にとって、支配を拡大すればするほど、水と油のような両信者の対立の激化が生まれることは頭の痛い問題でした。

そこで第3代皇帝の**アクバル**は、両教徒の融和を図ります。ヒンドゥー教徒を妻とし、イスラーム世界で慣習となっている「異教徒へのジズヤ（人頭税）」を廃止して、イスラーム教徒とヒンドゥー教徒との税制の平等を実現し、宗教融和に努めたのです。また、彼は都をアグラに遷都し、帝国の中央集権化を進めました。アクバルは、宗教の融和を図り、国に安定をもたらした業績により、インド史上最高の名君といわれるようになります。

「世界で最も美しい墓」の建設

5代目のシャー＝ジャハーンは、「お墓」で有名な王様です。愛する妻のムムターズ＝マハルの死を嘆き悲しんだシャー＝ジャハーンは、白大理石で"世界一美しいお墓"タージ＝マハルをつくりました。

シャー＝ジャハーンは、その川向かいに黒大理石でもう1つ黒いタージ＝マハルを建設する（航空写真を見ると、ちゃんと建設用地が確保されています）つもりでしたが、タージ＝マハルをつくるための費用（22年間にわたって2万人の職人を雇い続けたそうです）で国家予算が底を尽きかけていました。すると、国家の将来を案じた息子のアウラングゼーブが反乱を起こして父を監禁してしまいます。

息子に裏切られたシャー＝ジャハーンは、死後、タージ＝マハルの中、妻の棺の隣に棺が置かれることになりました。

ヒンドゥー教への不寛容が復活

　父に反乱を起こした野心家アウラングゼーブは、精力的な遠征を行った結果、ムガル帝国の最大領域をつくることに成功します。

　アウラングゼーブは熱心で敬虔なイスラーム教徒だったため、それまでの融和的なムガル帝国の宗教政策を否定し、イスラームの考え方とは正反対の思想をもつヒンドゥー教徒に対して厳しい政治を行いました。

　彼は、ヒンドゥー教徒に対するジズヤを復活し、多神教徒に税制上の差別をつけたのです。すると、インドの人口の9割近いヒンドゥー教徒が一斉に反発し、各地で反乱が頻発します。

　アウラングゼーブの治世の頃、イギリスがボンベイやカルカッタを、フランスがシャンデルナゴルやポンディシェリといった町を支配下におき、インドの植民地化を開始します。「絶頂期は転落の始まり」、アウラングゼーブの治世は、まさにその言葉がぴったりの時代になってしまいました。

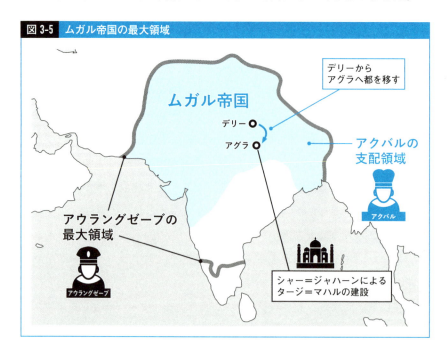

図 3-5　ムガル帝国の最大領域

第4章

中国の歴史

第4章 中国の歴史　あらすじ

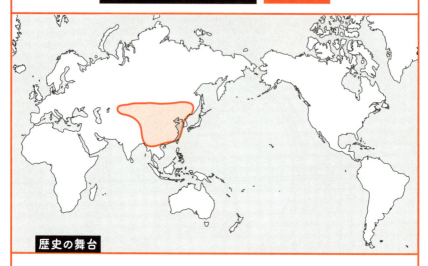

歴史の舞台

皇帝の人間性に大きく左右されてきた中国の歴史

　中国史の最重要キーワードは、「皇帝の人間性」です。

　広大な領域と膨大な人口を誇る中国では、ひとりの権力者に権力が集中しやすく、皇帝の人間性が統治にダイレクトに反映される場合が多いのです。

　そのため、優れた皇帝のもとでは中国の統治は安定し、反対に、愚かな皇帝であれば国が衰えるという歴史を繰り返します。

　急激な厳しい改革を行う皇帝、ユルイ統治を行う皇帝、女性に溺れて政治を放棄する皇帝、他の国が模倣とするほどの名君の皇帝など、じつに様々な皇帝が登場します。

第4章 【中国の歴史】の見取り図

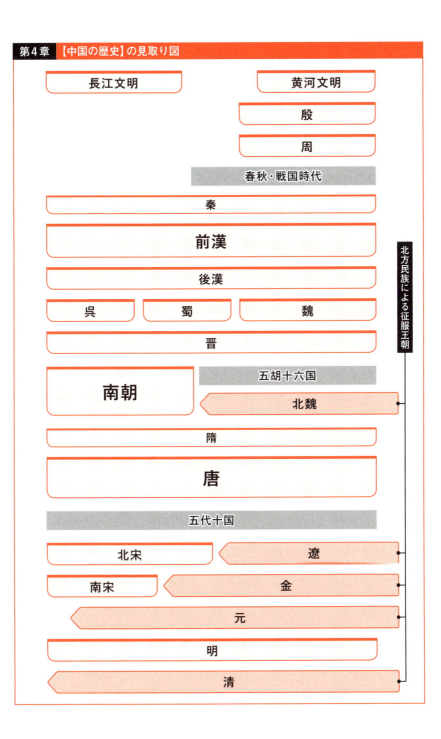

| 第4章 中国の歴史 | 中国の古代文明 |

2つの大河が高度な文明をはぐくんだ

 黄河文明と長江文明

　北の黄河と南の長江。中国を代表するこの2つの大河が、古代文明を育み、長きにわたって様々な王朝が興亡する舞台となります。

　北部の黄河流域は降雨が少ないため、米の生育には適さず、麦やキビなどの畑作が中心です。

　一方、南部の長江流域は温暖で降水量が多く、稲作が中心になります。

　中国を旅行していても、北のほうでは麺類（小麦）が中心ですが、南のほうでは炊いたお米が多いので、食からも中国の北と南の文化の違いを感じられます。

　北の黄河文明については、文化が2段階に分かれて発展しています。

　前半の時期は彩陶という赤っぽい素焼きの土器を使っていた仰韶文化、後半は光沢のある黒っぽい黒陶という高温で焼いた土器を使っていた竜山文化です。

　仰韶文化の頃は竪穴式住居が点在していましたが、竜山文化の後半頃になると、集落が形成され始めます。この集落を邑といいます。

　南の長江文明は、河姆渡文化や良渚文化といわれる文明が発展しました。土器や祭りごとを行った遺跡も出土し、国家の原型が形づくられたことがわかっています。

　かたや「河に女に母」の文化、かたや「良いなぎさ」の文化ですから、さぞかし豊かな実りある土地だったことが推測できます。

第4章 中国の歴史　　　　　　　　　　　　　　　殷と周

「美女に溺れて滅んだ!?」2つの王朝

暴君によって滅びた殷王朝

前述のとおり、黄河文明の後期に「邑」という集落が出現しました。「邑」が中国国内にたくさんできるようになると、邑の中でリーダーシップをとる大規模な邑が登場します。**この「大邑」が、その他の邑をしたがえることで生まれた王朝が、殷王朝です。**

殷の都の跡（**殷墟**）は、ある学者が漢方薬として売られていた古い亀の甲羅や動物の骨の表面に、未知の文字（**甲骨文字**）が刻まれているものがあることに気づき、その入手先を発掘したことで発見されました。

殷の時代、神への祭りは非常に熱心で、亀の甲羅や動物の骨は、焼いて亀裂を入れ、そのヒビの入り方で吉凶を占った結果に基づいて政治を行うという「**神権政治**」の道具として使用されていたのです。

また、現代の技術でもなかなか再現できないような、非常に精巧な青銅器が中国史の初頭にすでに登場していたことにも驚かされます。

殷王朝の最後の王である紂王は、中国の古典では「悪政を行った暴虐な王」の代表格として扱われています。

絶世の美女、妲己に溺れてしまい（**妲己との宴は庭園の池を酒で満たし、肉をそこらじゅうの木に掛けてぜいたくをしたことから「酒池肉林」という言葉が生まれる**）、政治をおろそかにして滅亡したといわれています。

"大きな家族"のように統治した周王朝

殷を討った武王によって成立した王朝が、周王朝です。**周王朝には隆盛を誇った前半の段階と、弱体化した後半の段階があるため、前者を「西周」、**

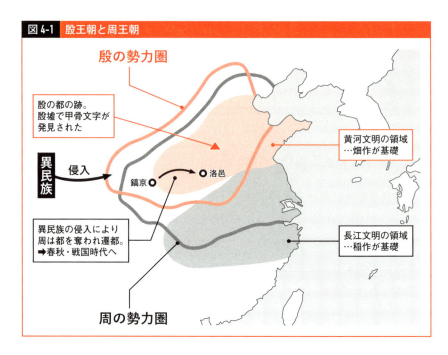

図4-1 殷王朝と周王朝

後者を「東周」といって区別しています。

　西周の王朝は**封建制**という支配体制をとり、土地を家臣に分け与え、地方の統治を任せました。ここまでは前述のヨーロッパの封建制と同じですが、周の場合は**血縁を仲立ちにしたことが特徴です**。

　王は血縁者に地方の統治を任せ諸侯とし、諸侯も同じように与えられた領土を血縁者の家臣に分け与えておさめさせます。いわば、**国を共通の祖先をもつ「大きな家族」としておさめたのです。**こうした血縁集団を「**宗族**」といい、結束を強めるためのしきたり「宗法」が重視されました。

　西周も、美女に溺れた王によって弱体化し、異民族の侵入によって都を奪われたという故事があります。こうした殷や周の故事から、「傾国の美女」という言葉が生まれました。

　「美女に溺れた統治者が、国政をおろそかにして、国を滅ぼす原因となる」というパターンは、このあとの中国史でも繰り返されることになります。

500年間続いた中国史上最大の戦乱時代

 "王のため"という建前で争った春秋時代

周の後半時代は「東周」といわれます。周の鎬京という都が異民族に攻め落とされて、東の洛邑に遷都したからです。ここから、500年にもわたる中国の長い戦乱時代、「春秋・戦国時代」が幕を開けます。

春秋時代は、まだ諸侯たちが「本家」の周王朝を尊重していたため、「周王朝を異民族の侵略から守る」という名目で**「周王朝を守る一番の有力者（覇者）を戦いによって決める」という回りくどい戦乱状態**が発生しました。周王朝を尊重し、異民族から守ることを「尊王攘夷」といい、日本でも外国勢力を打ち払って朝廷を守るという意味で使われました。

「覇者」の中でも有力だった斉の桓公、晋の文公などをまとめて「春秋五覇」といいます。

 中国のトップの座を争う戦いに変化

春秋時代から戦国時代への転換点で3つの変化が起きます。

1つ目は「下克上の雰囲気」です。春秋時代に最有力国だった晋が家臣たちに乗っ取られ、韓・魏・趙という3つの国に分裂し、**下の者が上を倒す弱肉強食の雰囲気がつくられました。**

2つ目は「鉄製農具の使用」の開始により、農業の生産力が大きく向上したことです。それまで使われていた青銅器の農具は欠けたり折れたりしやすく、そもそも農業向きではありませんでした。

生産力が向上すれば、生産物をめぐる争いもまた熾烈になります。農業に使用されなくなった青銅器が代わりに何に使われるようになったかとい

うと、それが3つ目の変化の「青銅貨幣の誕生」です。青銅は、黄金のような光沢があったため、貨幣に最適だったのです。以降、貨幣は富として蓄積されるようになり、その奪い合いが激化していきます。

バトルロイヤルを勝ち上がった秦

春秋時代では、まだ周王朝が尊重されており、あくまで家臣のナンバーワンを決める争いでした。しかし、戦国時代に入ると、周王朝の権威が失われ、周王朝を抜きにして真のナンバーワンを決める争いに変化します。

「**戦国の七雄**」といわれる有力諸侯の韓・魏・趙・秦・楚・斉・燕の7カ国が有力で、諸国は富国強兵に努め、天下統一を目指しました。

その中で最強国として躍り出たのが、秦です。秦は七雄の中でも最西方に位置し、騎馬の入手が容易だったこと、流通性の高い円形の貨幣を使っていたこと、そして法家の思想を採用して、法による統治を行ったことなどから強大化し、戦国時代のバトルロイヤルの勝者へのぼりつめます。

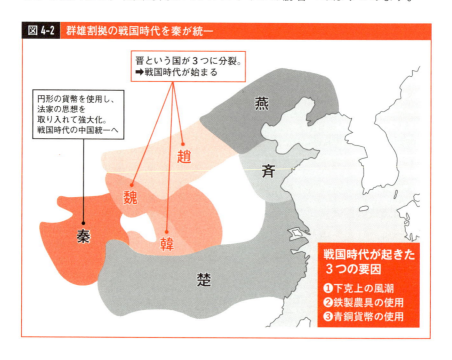

図 4-2　群雄割拠の戦国時代を秦が統一

第4章 中国の歴史　　　　　　　　　　　　　　　　　諸子百家

君主たちの"コーチ"を務めた思想家たち

覇王たちのアドバイザー・諸子百家の登場

春秋・戦国時代には、数多くの思想家（諸子百家）が出現しました。

春秋・戦国の諸国の王は、どのように国をまとめ、強い国にすればよいのかについてアドバイスを求めるべく思想家を国に招きました。

統治者たちは、「戦争に勝つ方法」に加え、「どうすれば、自分の指示を国中にゆきわたらせられるか？」、または、「どうすれば、家臣のチームワークがよくなるか？」といったチームづくりの方法論の情報を求めました。思想家たちは、そうした「チームづくりのコーチング」を統治者たちに行った人々だったのです。

諸子百家①「上下関係」によって国をおさめる儒家

諸子百家の代表といえば、孔子を祖とする儒家です。彼らは「**上下関係を確立することが国を安定させる**」という考えのもと、親子、師弟、君臣などの上下関係による秩序をもたらせば、国は安定するだろうと説きました。

そのため、孔子は、**君主は「徳」をもって良い政治を行い、家臣は「礼」を行動によって示すことを重視しました。**

日本の学校教育も、江戸時代から日本に導入された儒教思想の影響が強いため、「先生が良い授業を行い」、「生徒は先生を敬い、行動によって礼を示す」ことが求められるわけです。

のちに、儒家は、孟子と荀子という2人の思想家を生みます。**孟子**は人の心の本質は善であるという**性善説**を唱え、「**君主が善政を行えば、家臣は**

137

感化され、礼を自然と尽くすに違いない」と説きます。荀子はそれに対し、人の心は本質的に悪であるという性悪説を唱え、「礼を自然と行うというのは甘い考えだ、きちんとまず礼を尽くさせることから始め、その後に君主の徳があるのだ」と、まずは形式を整えるべきだと説きました。

諸子百家② 法を守らせることが何より大事と説いた法家

荀子の考えを推し進めると、「君主が善政をしようが悪政をしようが、社会秩序を保つためには「形式」、つまり、法を守らせることこそ必要」という考えにたどり着きます。商鞅や韓非、李斯は、こうした法の重要性を説いたことから「法家」といわれるようになりました。特に、秦に仕えた商鞅という人物は、秦を法治国家にすることで発展させます。

諸子百家③ 無差別の「愛」こそが、重要だと考えた墨家

「上下関係」の秩序を国にもたらすことが必要と説いた儒家を批判したのが、墨子を中心とする墨家です。無差別・平等の愛（兼愛といいます）を説き、上下関係（人に身分や立場などで差をつける）を統治の手段にする儒家の考え方を批判しました。

諸子百家④ 自然にまかせたほうがよいと説いた道家

老子や荘子は、無為自然こそよいと考え、礼や道徳など、儒家のような人の手でつくられた秩序を批判しました。のちに様々な思想と結びつき、道教という民間宗教のルーツになります。

他にも、外交政策を論じ、国同士の同盟を結ばせたり、対立を煽ったりした縦横家（蘇秦・張儀）、戦いに勝つ方法を論じた兵家（呉子・孫子）、人間社会の諸現象を「陰」と「陽」で論じる陰陽家（鄒衍）、農業技術を論じる農家（許行）、論理学を説く名家（公孫竜）などの諸子百家がいました。

こういった諸子百家に君主たちはアドバイスを求めて、自分の国を強くしようとしたのです。

第4章 中国の歴史　　　秦王朝

初めて中国を"1つ"にした始皇帝

中国"初"の皇帝・始皇帝

　長い春秋・戦国の戦乱の後、秦の始皇帝が中国全土を統一します。**北から南までを統一した「中国初の統一王朝」となりました。**

　始皇帝は、初めから「皇帝」を名乗ったわけではありません。秦王の「政」といわれた人物が「戦国の七雄」の残り6国を滅ぼし、天下を統一した際に皇帝と名乗るようになったのです。

　ここから中国は、「南北が一体化した中国を強大な独裁権を持つひとりの皇帝がおさめる」という状況が生まれます。

中国を「1つ」にしたい！

　始皇帝は都の咸陽に阿房宮という巨大宮殿をつくり、統治を開始します。**始皇帝が行った政治は、「始」皇帝らしく、それまでバラバラだった中国を1つにまとめることに重点をおきました。**

　たとえば、戦国時代では、七雄それぞれが独自の貨幣をつくり、文字も重さや長さの単位も、馬車の車輪の幅までバラバラでした。それを始皇帝は、貨幣は「半両銭」、文字は「篆書」にするなど、1つに統一します。他にも、**中国を血縁ではなく官僚制、すなわち「公務員」の仕組みでおさめようとしました。全国を郡、そして郡の中を県に分割する郡県制を施行し、皇帝の命令1つで国を動かせる中央集権国家を築いたのです。**

　そして、北方民族から国を守るために戦国の諸国が独自につくっていた長城をつないで**万里の長城**にすることで、1つになった中国を守っていこうとしたのです。

139

儒家を容赦なく生き埋めに

始皇帝はご先祖様の孝公と同じく、**法家**の思想をとり入れました。法家の人物の**李斯**を丞相（最高位の大臣）に任命、厳格な法治主義をとります。

一方、儒家を弾圧し、儒家の本を焼き捨て（焚書）、儒家を穴に埋めて殺す（坑儒）という厳しい弾圧を行います（**焚書・坑儒**）。**法家は、「君主がどんな人物でも法は法である」**が基本理念ですが、**儒家は「臣下は君主に礼を尽くすが、君主もまた良い政治を心掛けなければならない」**ということを理念にします。簡潔にいえば、儒家は「君主もいい政治を行え！」と君主に対して主張しているのと同じです。これが皇帝批判につながるとして、始皇帝の逆鱗に触れてしまい、弾圧されたのです。

 ## 急激な改革により、民衆が反発

始皇帝の政治は中国を1つにまとめ、以後の中国の基礎をつくりましたが、こうした急激な改革は、やはり社会の反発を招いてしまいます。

長城建設や道路の建設など、土木工事は多くの人手を使うために民が苦しんだうえ、税の支払いが少しでも遅れれば法により処罰されます。こうした始皇帝の政治によって、民衆の不満が次第に高まっていきました。

そしてついに、民衆の不満を背景にした**陳勝・呉広の乱**という大反乱が起きてしまいます。きっかけは、長城警備に動員された農民の反乱でした。

当時の秦には遅れたら死罪と

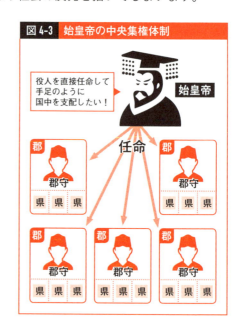

図4-3　始皇帝の中央集権体制

いう法があったのですが、農民たちは大雨のせいで到着の期日に遅れることになってしまいました。すると、農民の中の陳勝と呉広という人物が、「どうせ死罪になるのだから、反乱を起こそう！」と挙兵したのです。当初は900人程度の集団が、ひと月後には数万人規模にまで膨れ上がりました。ただし、この反乱には計画性がなかったので、その後、陳勝と呉広が仲間割れを起こしてしまい、鎮圧されます。

　ところが、この反乱が呼び水となって、秦に不満をもつ人々が次々に挙兵し始めます。この中から項羽や劉邦といったのちに歴史的に名を馳せる大物が次々と立ち上がり、最終的に秦は滅亡に追い込まれます。

　その後、項羽と劉邦が激しく争った結果、人望で勝る劉邦が武勇を誇る項羽に勝利し、漢王朝を建てました。こうして秦王朝はわずか15年で滅び、前漢・後漢合わせて400年に及ぶ漢王朝の時代が幕を開けます。

性急な始皇帝の改革は秦王朝を短命にしましたが、秦のつくった政治体制や社会体制を活用することで、漢王朝は「長生き王朝」になれたのです。

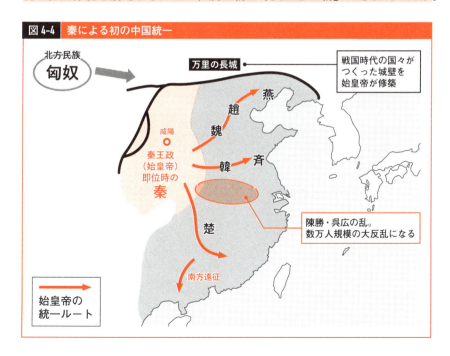

図4-4　秦による初の中国統一

第4章 中国の歴史　　　　　　　　　　　前漢王朝

「漢字」「漢文」「漢民族」に名を残す中国の代表的王朝

地方は"お任せ"の統治が、かえって反乱へ

　項羽との戦いに勝利した**劉邦**は、長安を都にして漢王朝を樹立します。

　農民として生まれた劉邦は、一度は盗賊に身を落としたものの、その人柄で皇帝の位まで到達しました。当時の国の名前は「漢」1文字ですが、のちに漢王朝がいったん消滅し、再び漢王朝に戻るため、前半の漢王朝を「**前漢**」といいます。劉邦は「漢という偉大な王朝を建てた人物」という意味の「漢の**高祖**(こうそ)」といわれることもあります。

　急激な中央集権化で反乱を招いた秦を教訓とし、官僚制を都周辺だけに

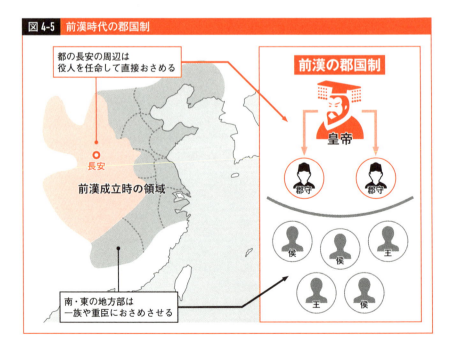

図 4-5　前漢時代の郡国制

都の長安の周辺は役人を任命して直接おさめる

長安

前漢成立時の領域

南・東の地方部は一族や重臣におさめさせる

前漢の郡国制

皇帝 → 郡守　郡守

侯　侯　王

王　侯

とどめ、地方は功績のあった重臣に"お任せ"するという**郡国制**にします。

しかし、高祖の死後、地方の統治を"お任せ"された重臣たちが地方の「親分」になって反乱（**呉楚七国の乱**）を起こしたため、前漢は地方諸侯の権限を剥奪し、実質的な中央集権国家になっていきます。

前漢の黄金期、武帝の時代

前漢の黄金期は、7代目の**武帝**のときに訪れました。

有能で野心家の武帝は、「武」の名のとおり、ベトナムや朝鮮の征服に成功して支配領域を拡大し、北方の遊牧民族の**匈奴**と激戦を繰り広げます。

匈奴は漢王朝にとって最大の敵で、建国の英雄劉邦も匈奴に敗北していますし、万里の長城の内側にもたびたび侵入を繰り返していました。

武帝は匈奴に勝利するため、「奥の手」を使います。匈奴を挟みうちにするため、遠く中央アジアの**大月氏**と同盟を組もうとしたのです。使者には、**張騫**という人物を選びました。

張騫は意気揚々と長安を出発したまではよかったのですが、すぐに匈奴に捕らえられ、11年もの長きにわたって匈奴に抑留されます。

張騫の人柄にひかれた匈奴の王は、張騫を重用し、なんと、死罪を免除したばかりか妻まで与えます（張騫には、子どももできています）。

しかし、張騫はけっして自分に与えられた使命を忘れませんでした。隙を見て、匈奴の地から脱出し（妻子が可哀想ですが）、大月氏のもとへとたどり着きます。

大月氏にも、匈奴に痛い目にあわされた過去があったので、同盟は成立するかと思われましたが、大月氏はすでに交易国家として豊かになって匈奴に対する復讐心が消えてしまっていたため、同盟は成立しませんでした。

張騫は失意のうちに漢に戻りますが、またまた不運なことに、再び匈奴に捕まってしまいます（もう一度、脱出のチャンスをうかがった張騫は、その後、無事に漢の地に戻りました）。

結局、大月氏との**同盟には至らなかったものの、張騫がもたらした西方**

の情報が、のちに漢が西に勢力を拡大するきっかけをつくったのです。

　武帝は、国内の政治にも力を入れました。塩・鉄・酒を国家の独占販売品として収益をあげたり、新しい貨幣を発行したり、そして、「儒学の上下関係で国の秩序をつくっていこう」と考えます。そして、儒学を官学化し、国をおさめる理念として官僚たちに儒学の教えを広げます。

宦官が、政治を腐敗させていく

　武帝の死後、宦官と皇后の親戚が政治に口を出すようになったため、前漢は衰えていきます。「宦官（かんがん）」とは「生殖能力を奪われた男」（皇后や女官たちと「男女の交わり」が起きないようにするため）のことで、皇帝の私生活の世話をする人々です。

　宦官は「どうせ子孫が残せないのならば、生きているうちに目いっぱい権力をふるって、ぜいたくをしたい」と考え、皇帝の身近にいるのをいいことに、政治に口を出し始めるようになりました。

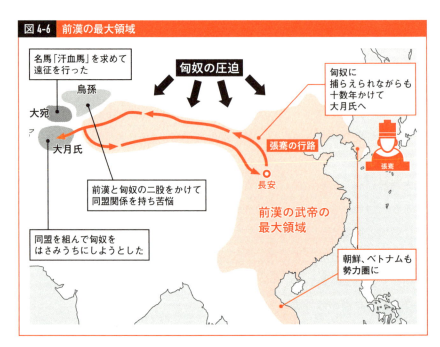

図4-6　前漢の最大領域

| 第4章 中国の歴史 | 後漢王朝 |

西のローマ帝国と並ぶ東の大帝国に成長

「新」しいけど「古」い？ 前漢と後漢の間の王朝

衰えた前漢から帝位を奪ったのは、**王莽**という人物です。

王莽は「新」という王朝を建てますが、国の名前とは裏腹に、過去の「周」王朝を理想とします。

政治も経済も1000年前に戻そうという強引な復古政治を行ったため、すぐに反乱が起きてしまい、15年しかもちませんでした。王莽がやろうとしたことを現代の日本に例えるなら、政治家が社会を1000年前の平安時代に戻そうとするようなものなので、そう考えれば、王莽の政治がうまくいくわけがないことは明白です。

「東」の大帝国後漢、しかし、晩年は衰退

新が滅ぼされた反乱は、**赤眉の乱**といいます。

この反乱と時を同じくして立ち上がったのが漢王朝の子孫、**劉秀**です。控えめな性格で、家臣から2度、皇帝に就くことをお願いされるものの、すべて断り、3度目でようやく皇帝になることを承認したそうです。

彼の建てた王朝を**後漢**と呼び、戦乱で荒廃した長安を捨てて**洛陽**を都に定めました。内政を重んじ、戦いを徹底的に嫌った光武帝の巧みな国家運営のもと、栄光の時を迎えることとなったのです（光武帝は「戦い」という言葉さえ皇帝の面前で口にすることを禁じたほどでした）。

後漢の頃、東西に「後漢王朝」「ローマ帝国」という2大帝国が存在し、その2国間の交流によって、その間にある国も栄えていったという特徴のある時代でした。

145

後漢の西域都護（西方の諸国を統括する役職）の**班超**が部下の甘英を
ローマ帝国に派遣して、国交を結ぼうとしたり、逆にローマ皇帝のマルクス
＝アウレリウス＝アントニヌスが使者を送ってきたりしています。そして
日本も、後漢に使者を送って「漢委奴国王」のいわゆる「金印」を授かっ
ています。

　しかし、**後漢も、前漢と同じように宦官と外戚に支配されてしまいます。**

　後漢の皇帝は幼かったため、宦官や外戚たちが皇帝を裏で操って政治を
たやすく左右できたのです（皇帝になった年齢は、光武帝と次の明帝こそ
30歳での皇帝即位でしたが、その後19歳、10歳、０歳、13歳、10歳、２
歳、７歳、14歳、12歳、８歳と、幼少の皇帝が続きました）。

　最終的には、裏の世界の「宦官」が表の世界の「官僚」を弾圧する「**党
錮の禁**」という事件が起きます。

　そして各地で反乱が頻発し、宗教結社の太平道を中心とした**黄巾の乱**か
ら数々の群雄がおこり、戦乱の「三国志」の時代に入っていきます。

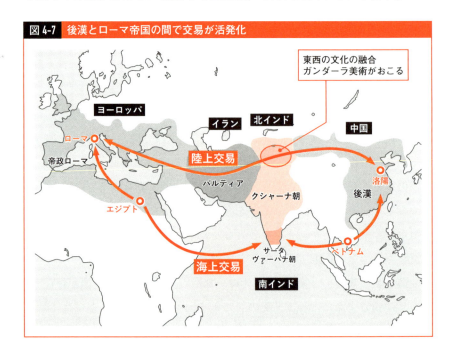

図 4-7　後漢とローマ帝国の間で交易が活発化

第4章 中国の歴史　　　　　　　　　三国時代

劉備・曹操・孫権が天下を争った三国時代

三国時代

　ここから、歴史ファンの間で日本史の戦国時代や幕末と並ぶほどに人気のある三国志という時代に突入します。

　小説や漫画、ゲームなどの三国志は、後世の脚色が入った『三国志演義』という、明時代の小説がベースになっており、史実とは異なる部分もあるのですが、それでも多くの人が中国史に興味を持つきっかけになっています。後漢末の黄巾の乱に始まった戦乱は、一旗あげようという群雄を各地に生み出します。

　郡雄の中で頭角を現したのが、華北を支配した**曹操**、四川を支配した**劉備**、江南を支配した**孫権**の3人です。

　力関係でいえば、曹操7・劉備1・孫権2ぐらいの割合で、曹操が圧倒的な国力を備えていました。

　劉備がこの不利な状況を、軍師・諸葛亮孔明や関羽・張飛などの豪傑たちに支えられながら、巨大戦力の魏に戦いを挑んでいくところに小説「三国志演義」の最大の魅力があります。

　中でも、劉備と孫権の同盟軍が「赤壁の戦い」で曹操軍を打ち破る場面は物語のクライマックスで、映画『レッドクリフ』でもその様子を見ることができます。

「三国」の中から勝者は生まれず

　曹操の子、**曹丕**が後漢から帝位を譲られ（強引にですが）、「**魏**」王朝を建国すると、対抗して**劉備**も皇帝を自称して「**蜀**」を建国。**孫権**も皇帝に

即位して呉を建国し、3つの王朝が並立する「三国時代」となりました。しかし、この戦いの最終勝者はこの3つの国のどれでもなく、魏の家臣であった司馬炎が魏を乗っ取り、晋王朝を建て、中国を再び統一します。

民衆には"苦しみ"のほうが大きかった三国時代

　三国時代は、英雄豪傑が天下を争うという、現代の私たちにとってはとても興味をひかれる面白い時代です。

　しかし、戦争に駆り出される民衆にとっては、たまったものではありません。中国全土が戦場になり、後漢末に5500万人以上だった中国の人口は、戦乱や疫病などによって三国時代には800万人にまで減ったという記録が残っています。

　もちろん、4700万人全員が死亡したわけではなく、乱世のために把握できなかった人数も死者には含まれているでしょう。それでも、この時代がいかに民衆にとって苦しい時代だったかがわかります。

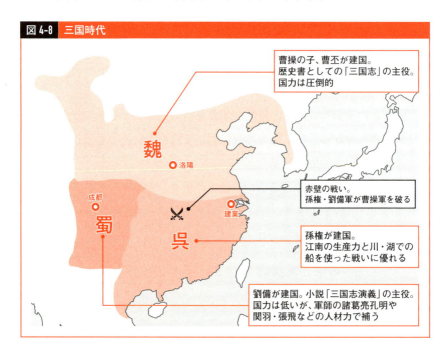

第4章 中国の歴史　　　　　　　　　　　　　南北朝時代

異民族の侵入が続き、王朝が南北に分裂

すぐに滅びてしまった晋王朝

　三国時代を終わらせて建国した晋王朝ですが、約50年という短命に終わります。原因は、司馬炎が天下をとった後に堕落して国づくりを怠ったため、死後すぐに**八王の乱**という皇族たちの主導権争いが繰り広げられたからです。その結果、肝心の「万里の長城」の守備がおろそかになってしまい、異民族の侵入によって滅亡してしまうのです。

　ここからしばらく、中国は南北に分裂した「南北朝時代」に入ります。

中国"初"の、異民族の王朝が成立

　南北朝の「北」は、「五胡」といわれた「匈奴」「鮮卑」「羯」「羌」「氐」という5つの異民族が次々と国を建てる**五胡十六国時代**が訪れます。「万里の長城」の意味はもはや失われ、長江流域まで異民族が互いに争いつつ国を建国しては消えていくという非常に混乱した状態になります。

　そんな混乱の華北に安定をもたらしたのが、これまた異民族の鮮卑族でした。拓跋氏という一族が**北魏**という国を建国し、華北を統一します。**これは異民族が中国に乗り込み、本格的な王朝を築いた初めてのケースです。**

　名を残した2人の皇帝のうち、**太武帝**は民間宗教の道教を保護し、**仏教を弾圧したことで知られています。**

　また、**孝文帝**は、漢民族にとって"田舎者"であった鮮卑族の風習を改め、**鮮卑族を"漢民族のように"自ら寄せる**政治をしました。

　孝文帝は都を北の平城から黄河流域の洛陽に遷都し、服装も言葉も漢民族のものを強制します。また、仏教の保護も行いました。漢民族の文化に

149

憧れ、自ら民族のアイデンティティを捨てた孝文帝ですが、鮮卑族の貴族からよく思われず、死後しばらくして北魏は分裂してしまいます。

 ## 晋の生き残りが、南に王朝を建てる

異民族の侵入により滅びた晋王朝ですが、王族の生き残りの**司馬睿**が南に逃れて再び晋王朝を建てます。この晋を**東晋**、前の晋を「西晋」といいます。その後、「**宋**」「**斉**」「**梁**」「**陳**」という王朝が次々に成立します。

中国は、一般的に「北は生産力が低い畑作」「南は生産力が高い稲作」といわれます。そのため、**南朝の国々は「いいとこ取り」をしているともいえます。**南朝では、このような長江流域の豊かな生産力を背景に、**貴族文化が栄えるようになります。**

東晋の**王羲之**は楷書・行書・草書の3書体を完成させたことにより、「書聖」として知られ、日本の書道の授業でも必ず学ぶ人物です。梁の昭明太子による詩文集『文選』は、清少納言も愛読したことで知られています。

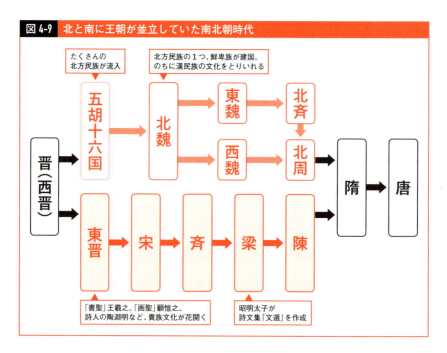

図 4-9　北と南に王朝が並立していた南北朝時代

第4章 中国の歴史　　　　　　　　　　　　　隋王朝

"嫌われ者"だが優秀だった隋の皇帝たち

久しぶりの統一国家

　南北朝時代の混乱を収拾してできたのが、隋王朝です。日本史では、聖徳太子が「遣隋使」を派遣する王朝として登場します。

　律令の整備や「大運河」の建設など、中国の歴史に最も重要な役割を果たす王朝です。有名な王朝にも関わらず、皇帝は文帝と煬帝の2人だけという、わずか37年間の短命王朝です。

　特に、2代目の皇帝による「強引な土木工事と、高句麗遠征の失敗」が王朝の命を短くした原因ですが、そのおかげで、次の唐は、安定した地盤の上で長期にわたる王朝を築くことになります。

猛烈な"仕事人間"だった初代皇帝

　隋の初代皇帝の**文帝**は、中国の統一に成功します。

　長安に都を定めて西晋の滅亡以来300年にもわたる中国の分裂状態を終わらせました。文帝の政治は、のちの長命王朝、唐の基礎をつくった重要政策ぞろいです。40歳で皇帝に即位した経験豊富な"脂ののった"人物で、明け方から会議を開く猛烈な仕事人間でした。

　仕事熱心すぎて部下に慕われなかったようですが、戦乱で荒れた中国の立て直しにめざましい功績を残します。

　文帝が最初に行った改革は、均田制、租調庸制、府兵制を一体化した運営です。

　均田制とは「土地を民衆に与え、死後返納させる制度」、租調庸制は「均田農民に穀物・布・労働の3種の税をおさめさせる制度」、府兵制は「均田

151

農民から徴兵する制度」です。「**土地を与え、与えられた者は税と兵の義務を果たす**」**という明快な制度**で、文帝の時代に今まで北朝の国々が実施していた制度を一体化して運用されるようになりました。

また、文帝は学問を奨励し、役人の採用を科挙という試験によって行いました。それまでは、漢の時代から続くコネを重視した「推薦制」による採用でしたが、コネや権力を排して、実力本位の試験に変えたのです。

中国史上、最大の暴君となった2代目皇帝

隋の第2代皇帝が、中国史上最強の「暴君」として名高い煬帝です。煬帝は、のちの唐王朝がつけたニックネームです。

「煬」という字は、太「陽」や「陽」子さんのように「陽」が"Good"、すなわち「明るい」「暖かい」という意味なのに対し、「煬」は"Bad"、すなわち「炙り尽くす」「照りつける」という悪いほうの意味を持ちます。いかにも暴君の強烈さを感じるネーミングです。

この煬帝の「強烈な政治」の代表が大運河の建設です。「**黄河と長江を運河で結べば便利だろう**」とそれまでの皇帝も思っていたでしょうが、実際にやるとなると莫大な予算と人手がかかるため、どの皇帝も着手できませんでした。それを煬帝は実際にやってしまったところがスゴイのです。

その代わり、莫大な予算を消費し、女性や子どもまでをも動員して過酷な労働をさせたので、民衆の不満が高まってしまいます。

また、北東の国家、高句麗を討つために遠征を行い、兵員や物資の輸送のために今度は黄河流域から北京近くまで運河を掘りました。これまた黄河・長江間に匹敵する長さの運河を開削したので、その費用と労力も莫大だったでしょう。そうしたコストをかけて挑んだ高句麗遠征でしたが、大敗を喫します。そして各地で反乱が頻発し始め、隋は滅亡するのです。

隋が建築した大運河は、民衆の不満を高めて政権を短命に終わらせましたが、**のちの王朝はこの運河を物流の大動脈として大いに活用することになります。**のちの皇帝たちは煬帝に感謝すべきでしょう。

図 4-10 隋の皇帝たちが唐の基盤をつくった

文帝
- 均田制、租調庸制、府兵制の一体運用
- 科挙の開始

煬帝
大運河の建設
により、華北と華南が一体化

この2人の「おぜん立て」により

唐の政権が"長期"安定

凡例:
- 文帝がつくった運河
- 煬帝がつくった運河

涿郡(北京)

永済渠（えいさいきょ）

黄河

広通渠（こうつうきょ）

大興城(長安)

洛陽

開封(汴州)

通済渠（つうさいきょ）

山陽瀆（さんようとく）

淮河

江都(揚州)

江南河（こうなんが）

余杭(杭州)

長江

第1章 ヨーロッパの歴史
第2章 中東の歴史
第3章 インドの歴史
第4章 中国の歴史
第5章 一体化する世界の時代
第6章 革命の時代
第7章 帝国主義と世界大戦の時代
第8章 近代の中東・インド
第9章 近代の中国
第10章 現代の世界

153

第4章 中国の歴史　　　唐王朝

隋の後継国家として空前の繁栄を迎えた唐

「隋の遺産」をフル活用した唐

　次の唐は、日本では「遣唐使」の派遣などで知られます。隋と血筋がつながった王朝であり、**政治体制や大運河などの隋の遺産を引き継いだ、隋の"正真正銘"の「後継国家」といえます。**しかも、たんなる後継国家にとどまらず、約300年間の安定政権を築いたうえに広大な領域をもち、東アジアの大部分の国をしたがえるほどの強大な国家へと成長しました。

　初代皇帝は、隋末の反乱のなかで天下を握った、隋の煬帝のいとこにあたる李淵（りえん）という人物で、「唐の高祖」ともいわれます。

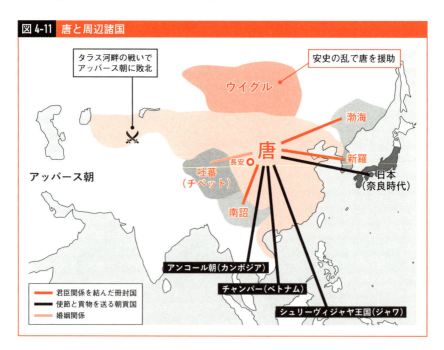

図 4-11　唐と周辺諸国

続く2代目皇帝の**李世民**は、「太宗」といわれました。安定した政治によって、唐前半期の繁栄をもたらしました（**貞観の治**）。さらに、3代目の高宗が高句麗を征服したことで、唐の領域は最大になります。

日本も見習っていた唐の政治体制

　「隋の遺産」の上に、さらに**高度に完成された統治機構をつくりあげた唐は、周辺諸国の模範となりました。**日本も、遣唐使という形で唐の政治機構を度々学びに行っています。

　周辺諸国の模範になるほど優れていた唐の統治機構が、どのようなものだったのかというと、まず、唐の中央政府には中央の最高機関である「**三省**」と行政機関の「**六部**」を置きました（三省六部）。

　「三省」とは、皇帝の命令書（詔勅）の作成をする**中書省**、その詔勅を審議し、実行するかどうかを決める**門下省**、実行することが決まったら、その詔勅を実行に移す**尚書省**という3つの役所から成り立っていました。

　この中で、**門下省は、たとえ皇帝の命令書であってもここを通過しないことには実行されないというほどの絶大な権力を持ち**、門閥貴族、すなわち上級貴族の一族が独占的に門下省入りしました。

　三省のうち、詔勅の施行を担当する尚書省の下に「六部」が置かれます。役人の任命を行う「吏部」、戸籍や税制の管理を行う「戸部」、教育や外交を行う「礼部」、軍事を行う「兵部」、司法をつかさどる「刑部」、土木工事を行う「工部」と、**日本の現代の省庁にあたるような役割を果たしました。**

　そして、土地や兵の制度は、隋のときに完成した、均田制・租調庸制・府兵制の3点セットを組み合わせた運用を行い、刑法の律と行政法の令によって国を統治しました（**律令制**）。

母に権力を奪われ、妻に殺された哀れな皇帝

　このように高度な統治機構と広大な領土を持つ唐王朝ですが、中盤に差しかかると、少しずつ当初の勢いが衰えていきます。

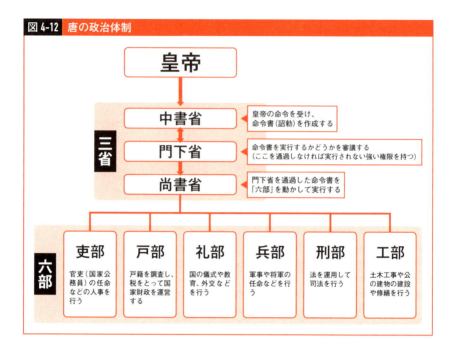

　原因は、3代皇帝高宗の皇后の武氏です。

　武氏は、夫の権力を乗っ取ろうとする動きを見せ始め、ついに高宗の死後、子の中宗を皇帝の座から引きずりおろして自ら皇帝と称しました。

　そして、国号を唐から周に変え、「則天武后」と名乗るようになります。**中国史上、最初で最後の女帝が誕生した瞬間です。**

　則天武后による15年の統治後、中宗が再び帝位に返り咲いて唐王朝が復活するものの、今度は、皇后の韋后に毒殺されてしまいます。

　中宗は、母に帝位を奪われたうえに、妻に毒殺されてしまうというなんとも不遇の皇帝でした。

　しかも、中宗よりも則天武后のほうが皇帝としての能力は高く、「中宗が帝位を続けていたら、唐はもっと早くに滅びたかもしれない」と、後世の評価も散々で、中宗が少し気の毒になるくらいです。

　則天武后と韋后による混乱は、合わせて「武韋の禍」と呼ばれています。

土地と兵の制度が崩壊

　唐中盤の社会の変化のもう1つは、最初はうまくいっていた**「均田制、租調庸制、府兵制」の「3点セット」が次第に崩壊していったことです。**
「均田制」は、国の所有である土地を民衆に等しく与え、死後返納させるという「公地公民」が原則でした。

　ところが、次第に門閥貴族や大寺院がその土地を"横取り"して自分の所有物にしていきます。民衆も、国に税を払うより貴族や寺院に小作料を支払うほうが、負担が軽いとわかると、貴族や寺院に身を寄せて、国からもらった土地を放棄するようになります。**こうして貴族や寺院の私有地、すなわち「荘園」が成長していくことで、均田制が崩壊します。**

　均田農民に等しく税を課す「租調庸制」の基盤が、均田を行う際に作成していた「戸籍」だったため、**均田制が崩壊すると、誰にどれぐらい土地を与えたかが記録できなくなるため戸籍が崩壊し、続いて「租調庸制」も崩壊します。**税が確保できない唐王朝は、戸籍に関わらず実際に所有している土地や財産を基準として税をとる制度（**両税法**）に切り替え、一体だった均田制と租調庸制の関係を切り離してしまいます。
「府兵制」も、均田農民の戸籍を利用して徴兵する制度だったので、均田制が崩壊してしまうと徴兵もできません。そのため、募集による兵制（募兵制）に切り替えますが、これがさらなる唐の弱体化を招いてしまいます。
「国のために頑張って命を捧げます！」という士気の高い兵が集まればよいのですが、実際には「仕事もないし、土地もない。しょうがないから兵隊にでもなるか」という**モチベーションが低く、統率もとれない「質の低い兵」ばかりが集まってしまう状況に陥ってしまいました。**

　こんな連中を率いて戦うのは、並みの統率力では足りません。戦場でたたき上げられた親分肌の人物が必要になります。そこで唐王朝は、辺境防衛に明け暮れた武人や異民族の将軍を「**節度使**」という役職に任命し、募集した兵を率いさせて地方の防衛にあたらせました。府兵制が崩壊したの

で、唐にとっては苦肉の対応でした。しかし、「親分肌」の人物のもとには、半グレ者のような「あぶれ者」が集まるのが世の常です。**いつしか、節度使が本当に「地方の親分」になって、唐王朝に対して反乱を起こしたり**、お互いに縄張り争いをしたりするようになってしまいます。

こうして、唐王朝の屋台骨だった均田制・租調庸制・府兵制が失われた唐は、転げ落ちるように衰退し始めるのです。

絶世の美女の「息子の妻」に溺れた6代目皇帝

前述の「武韋の禍」の後、首謀者の韋后は追放され、**玄宗**皇帝が即位します。玄宗は人を見抜く目があったため、家柄ではなく実力で大臣を選んだことが功を奏して、唐に繁栄期をもたらしました（**開元の治**）。

ところが、善政を讃えられた玄宗は、ひとりの女性の出現によってつまずくことになります。その女性こそが、「世界三大美人」のひとりに数えられる**楊貴妃**です。息子の妻だった楊貴妃を見初めた玄宗は、息子から楊貴妃を取り上げて自分の妻にすると、すぐに楊貴妃に溺れて政治をまったく顧みなくなったのです。

楊貴妃の一族が実権を握り、高位を独占するようになって、政治が大きく乱れ始めます。さらに、同時期に、**タラス河畔の戦い**が起こって、唐がイスラーム勢力のアッバース朝に敗れたため、中央アジア方面での唐の影響力が衰えます。すると、辺境の防衛は「地方の親分」の節度使頼みになっていき、節度使による大反乱が起きたのです（**安史の乱**）。

玄宗が信頼し、3つの地域の節度使を任せていた**安禄山**が楊貴妃一族の排除を掲げて反乱に立ち上がりました。8年間にわたる反乱は、首都・長安さえも失うほどの大乱になり、玄宗も長安を後にして逃避行します。

安史の乱の原因を楊貴妃のせいだと訴える兵士たちの不満に背中を押されるように、玄宗は楊貴妃に自ら死を命じます。

こうして、玄宗は「前半は善政、後半は悪政」という極端な評価を下される皇帝になってしまいました。

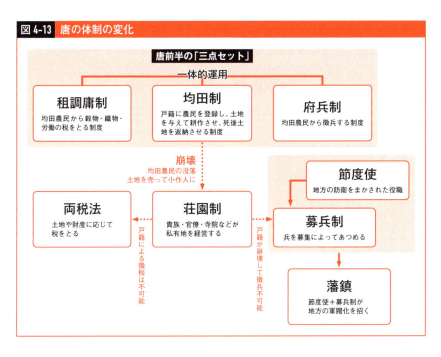

唐が滅亡し、"武力がモノをいう"時代へ

　安史の乱は、節度使たちが唐を揺るがすほどの勢力に成長したことを象徴する事件になりました。

　安史の乱以降、節度使は「藩鎮」といわれる地方政権となり、唐の言うことをまったく聞かなくなります。

　それでも、玄宗ののち、16人もの皇帝が続いたので、唐の基盤は本当にしっかりしていたのでしょう。最後は、黄巣という人物が反乱を起こし、節度使の朱全忠に国を乗っ取られて、唐は滅亡します。その後、<u>五代十国時代</u>という戦乱時代が訪れました。

　中国の北方で短命な5王朝が次々と現れては消え、南では長江流域を中心に10の軍事政権が生まれます。それもこれも、唐の置き土産であった「節度使」が唐の末期に完全に独立し、互いに争う状況にあったからです。

　こうした「武力がものをいう時代」は「武断政治」といわれます。

第4章 中国の歴史　　　　　　　　　　　　　　　　　　　　宋王朝

「平和をお金で買った」現実主義の宋王朝

人望抜群だった初代皇帝

　五代十国の混乱を鎮めて宋を建国し、再び秩序をもたらしたのが**趙匡胤**（ちょうきょういん）という人物です。彼は、もともと皇帝になる気はなかったようですが、ある夜、弟に突然起こされ、半ば強引に皇帝の衣を着せられると、弟に「兄上が皇帝になることを承知しなかったら兄上を殺して俺も死ぬ」と皇帝就任を迫られます。そして、弟に連れられるままに兵士の前に出されると、控えていた多くの役人や兵士たちが、趙匡胤に向かって万歳を唱え始めます。ひっこみがつかなくなった趙匡胤は、そのまま皇帝になることを承認してしまうのです。こうしたエピソードからは、趙匡胤の無欲で人望のある人柄がうかがえますが、彼が行った政治も、彼の（それまでの皇帝とはちょっと違った）人柄がよく滲み出ています。

　まず、節度使のように「武」で国をおさめるのではなく、「文」すなわち学問の力で国をおさめようという「文治政治」を始め、今までの科挙に殿試（皇帝による面接試験）を加え、より優れた役人を採用しようとしました。

　また、唐末期から五代十国にかけての混乱の原因は、節度使が「地方の親分」になってしまったことだと考え、節度使を廃止します。そして、皇帝の直属軍を強化し、精鋭部隊を配置したのです。

"超・現実主義"に徹した政治

　節度使を廃止して皇帝のもとへ軍隊を集めたので、当然、国全体の軍事力は弱体化してしまいます。特に辺境の防衛を担当させていた節度使がいなくなったので、異民族からの侵入を防げなくなってしまいました。

特に北宋の時代は、北方民族、契丹族の王朝の遼が万里の長城の内側にも進出し、強大な力で宋王朝を圧迫していました。

そこで、宋は意外な解決策で北方民族にあたります。それが、**「金品を支払って平和を買う」**ということです。

第３代皇帝の真宗の時期に、遼と**「澶淵の盟」**を結び、毎年絹20万匹（40万人の服がつくれるぐらいの量）と銀約３トンを贈る代わりに、宋に攻めて来ないことを約束してもらったのです。

同様の取り決めを別の北方民族の西夏にも結び、結局、異民族との「平和を買う」ための額は、毎年、絹43万匹、銀７トンに及びました。

宋は「戦争に弱くてもいい。平和はカネで買えばいいのだ」という、それまでの中国の王朝とは、まったく違った"現実主義"の王朝でした。

創始者の趙匡胤の人柄を反映してか、統治も、とてもユルく、民衆にとっては自由で暮らしやすい国家になりました。都の**開封**では、深夜まで店が開いており、空前の賑わいも見せていたようです。

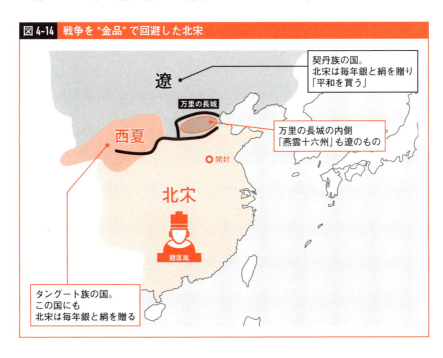

図 4-14 戦争を"金品"で回避した北宋

財政難から滅亡の危機に

しかし、こうした「平和をカネで買う」政策は、財政を着実に圧迫していきました。しばらくすると、宋は財政難に陥ってしまいます。

王安石という人物が、財政難の改善と富国強兵化を図る改革（新法）を実施しましたが、変化を嫌った地主や大商人たちに反対され、新法派と旧法派の間で争いが起きてしまいます。

このような状況下で即位した皇帝、徽宗は、芸術家として一流だったものの、皇帝としては失格で、政治をかえりみないどころか、理想の庭園や書画をつくるためには金を惜しみませんでした。芸術のために重税をかけたりもしたので、民衆の反乱が多発してしまいます（民衆の反乱の１つが、小説『水滸伝』の舞台でもある「宋江の乱」です）。

あっけない北宋の滅亡と新たな敵の出現

北宋の滅亡は、あっけないものでした。遼のさらに北方から女真族の国家「金」が誕生し、瞬く間に遼を呑みこんで北宋に迫り、皇帝一家を捕らえました。この事件を靖康の変といいます。

ここで宋王朝は完全に滅びたと思われましたが、生き残りがいました。徽宗の子、高宗が金の攻撃からからくも脱出し、８年間も金の軍勢に追い回されたのち、臨安を都にした「南宋」王朝を建国します。

岳飛と秦檜、どちらの判断が正しかった？

中国北部を金に奪われた南宋の中では、「金と断固戦い、中国北部を取り戻そう！」という主戦派と、「いや、金と戦っても勝つ見込みはない、戦争は回避しよう！」という和平派に分かれました。

主戦派の代表だった岳飛は、兵を率いて何度も金相手に勝利をおさめ、民衆に絶大な人気を得るものの、全面戦争に突入することを恐れた秦檜が岳飛に謀反の罪をかぶせて殺してしまいます。

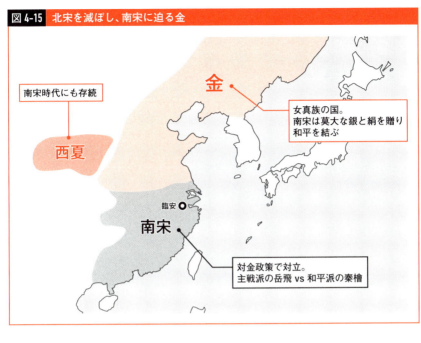

図 4-15　北宋を滅ぼし、南宋に迫る金

　そして、北宋の王朝と同じように、金に莫大な銀と絹を毎年贈って攻められないようにするという「平和をカネで買う」政策をとったのです。

　そのため、中国史の中で、岳飛は「最後まで国のために戦った英雄」としての姿が定着した一方、秦檜は「国を売った悪者」としてのイメージがついてしまいました。現在、杭州（南宋の都臨安だった地）には鎖につながれたままの秦檜夫婦の石像があり、850年以上経った今もなお、秦檜の像は民衆に棒で叩かれたり、罵声を浴びせられたりしているのです。

　しかし、南宋は、北宋と比較すると、豊かで、落ち着いた国づくりを実現しました。理由は、「北部は生産力が乏しく、南部は生産力が高くて豊か」という中国の地理的条件にあります。それまでの中国は、生産力が乏しい北の人々の分も南の生産力で補っていたのですが、南北が分断されたため、南宋は生産力が豊かな南部の地を"独り占め"できたのです。

　「民族的英雄」の岳飛には悪いのですが、金と戦って滅びるよりも、私自身は秦檜の「平和をカネで買う」ほうが正しい判断だったと思います。

第4章 中国の歴史　　　モンゴル帝国と元王朝

アジアをまたにかけ広がったチンギス＝ハン旋風

「蒼き狼」チンギス＝ハンの登場

　南宋と金の和平によって、中国はしばらく安定しましたが、金のそのまた北方で新しい動きが起こります。それが、**チンギス＝ハン**の登場です。

　幼名を**テムジン**というチンギス＝ハンは、モンゴル高原の諸民族を統一し、部族会議（**クリルタイ**）においてハンの位を認められ、「チンギス＝ハン」となります。遊牧民の兵士を1000人ずつに再編成し、通常は家族を伴って遊牧を行い、戦うときは軍事組織になるという**遊牧と軍事が一体化した千戸制という制度**を活用し、強大な軍事力を誇りました。

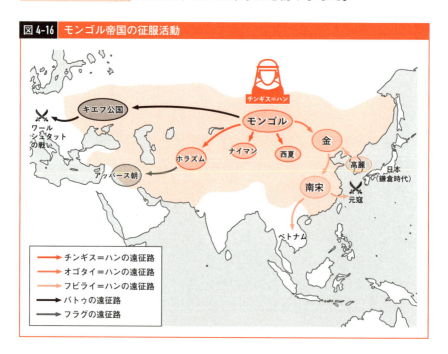

図4-16　モンゴル帝国の征服活動

モンゴル民族の祖先、「蒼き狼」の化身とされたチンギス＝ハンは、中央アジアの**ナイマン**部族、イランの**ホラズム**、中国北西の**西夏**を滅ぼし、瞬く間に大帝国を築きます。戦わず降伏した国には寛大な処置を、少しでも抵抗すれば容赦ない虐殺を、というように、チンギス＝ハンは、寛大さと冷酷さを併せ持った人間だったようです。

チンギス＝ハンの優秀な子孫たち

モンゴル帝国をさらに発展させたのが、チンギス＝ハンの優秀な子や孫たちでした。三男の**オゴタイ＝ハン**はチンギス＝ハンの後継者としてハンの位を称し、金を征服し、モンゴルの地に首都**カラコルム**を建設します。

そして優秀な3人の孫がさらにモンゴル帝国を拡大し、史上空前の巨大帝国を建設するのです。まず、長男の子、**バトゥ**はチンギス＝ハンの攻撃力と残虐性を色濃く受け継いでいるといわれ、ロシア方面でキエフ公国を征服してヨーロッパに迫り、ドイツ・ポーランド連合軍を**ワールシュタットの戦い**で破ります。おびただしい殺りくに驚いたドイツ人が「まるで死体の山（ワールシュタット）だ！」と叫んだことからこの戦いの名がついたそうです。

四男のトゥルイの子は、**フラグ**と**フビライ**兄弟です。フラグは西アジア方面に進出し、**アッバース朝**を滅ぼします。フビライはのちにハンの位を受け継ぎ**フビライ＝ハン**となり、中国に元を建国します。そして、南宋を滅ぼして高麗を服属させ、日本にも侵攻しました。

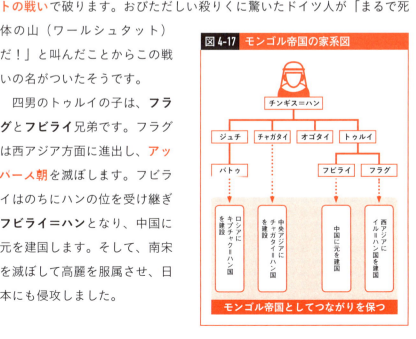

図 4-17 モンゴル帝国の家系図

モンゴル帝国としてつながりを保つ

モンゴル帝国が4つに分離

　ユーラシア大陸を覆い尽くすような勢いで領土を広げていったモンゴル帝国は、やがてひとりの「ハン」だけで統治するのが困難になります。そのため、オゴタイ＝ハンのあたりから少しずつ分離が始まり、次第に中国の「元」、中央アジアの「**チャガタイ＝ハン国**」、西アジアの「**イル＝ハン国**」、ロシアの「**キプチャク＝ハン国**」の4つに分かれていきます。

　「分裂」ではなく、あくまで「分離」なので、元の皇帝をリーダーとするゆるいつながりは保っていました。

「元寇」は日本だけではなかった

　モンゴル帝国の分離後、中国の地域を統治したのが元です。**フビライ＝ハン**が北京に遷都し、国の名称を元と定めたことから始まった国家です。

　元は、日本に軍を派遣しています。それが日本史の中にも登場する元寇です。フビライ＝ハンは、高麗を服属させた後（**文永の役**）と、南宋を滅ぼした後（**弘安の役**）の2度にわたり日本を攻めました。しかし、両方とも暴風雨によって遠征軍の船が沈んでしまい、撤退します。

「元寇」は、日本だけでなく、ベトナムにもありました。日本の元寇とほぼ同じ時期に、ベトナムの陳朝も元の軍隊を撃退しています。ベトナムにも、暴風雨で元の艦隊が沈む絵が残されているので、つくづくフビライ＝ハンは天気運がない人物だったのでしょう。この頃から、モンゴル帝国の拡大は限界に近づいていきます。

東西交流が盛んなモンゴル帝国

　元と3つのハン国に分離したモンゴル帝国ですが、もともと兄弟やいとこ同士からなる国なので、お互いに敵対することはありません。

元をリーダーにした連合国家のようであり、一度モンゴル帝国の中に入ると、西アジアやロシアから中国まで、安全に往来することができました。

旅行者の**マルコ＝ポーロ**は、西アジアから中国に到達し、フビライ＝ハンに17年仕えたのち、故郷のヴェネツィアに戻って『世界の記述』(いわゆる『東方見聞録』)を著しています。

　また、知名度はマルコ＝ポーロに及びませんが、移動距離ではマルコ＝ポーロをしのいだイスラームの大旅行家、**イブン＝バットゥータ**は『三大陸周遊記』を著しました。元からは、宋の時代に発達した「羅針盤・印刷術・火薬」の三大発明がイル＝ハン国を通じて西アジアに伝わり、そしてヨーロッパへと伝播していきました。

「モンゴル人第一主義！」の政治を展開

　元はモンゴル人の国なので、それまでの漢民族中心の国家とは違い、科挙や儒教などの仕組みは採用しませんでした。

　元の特徴は「モンゴル人第一主義」です。**モンゴル人を統治の中心として主要な官職を独占**させます。モンゴル人の下に「色目人」といわれる西アジア系の民族、次に「漢人」といわれたもともとの金の国民、最後に「南人」といわれた南宋の国民という順番に"格付け"しました。そのため、これまで官僚を独占していた学問エリート層は没落します。

「お金がないなら、刷ればいい！」が、元を滅亡へ導く

　元は、意外なところからほころびが生まれます。皇帝たちが、チベット仏教という仏教の一派を"狂信"し始めたことがきっかけでした。

　チベット仏教は、装飾的な寺院が特に多い宗教で、皇帝たちはお金をつぎこんで豪華な寺院を建てては、宗教的儀式にふけりました。豪華な寺院が元の財政を悪化させていったため、**「交鈔」と呼ばれる紙幣を乱発しました。このことがインフレを招いてしまい、元の経済は大混乱をきたします。**

　この混乱に乗じて、それまでおとなしく支配されていた漢民族が、紅巾の乱という大反乱を起こします。乱を率いた朱元璋という人物が北京を占領して明王朝を建てたことで、元王朝は幕を閉じます。

167

第4章　中国の歴史　　　　　　　　　　　　　　　　　明王朝

秘密警察と宦官が暗躍した「暗黒時代」

 「能力は最高だけど、人柄は最低？」な初代皇帝

　元を倒して新たな王朝を建国したのが、**紅巾の乱**の中から登場した**朱元璋**です。朱元璋は飢えをしのぐのもやっとなほどの貧しい農民の出身でしたが、紅巾の乱が起きるとすぐに身を投じ、統率力を発揮して南京一帯を攻略します。そして、自ら皇帝を名乗り、新しい王朝を「**明**」としました。

　その後、元の都である北京を落とします。元は、北方へと逃げました。以降、元は「北元」と呼ばれるようになります。

　こうして、中国に久しぶりに漢民族の国家が成立しました。朱元璋は、年号を「洪武」と定め、自分が皇帝である間は年号を変更しないという「一世一元」の制度を定めます。「洪武」と年号を定めた朱元璋は、「**洪武帝**」と呼ばれるようになります。以降の皇帝も、同様に自ら定めた年号が名前になりました。

　洪武帝は、何しろ貧しい農民から自分の能力で皇帝にのし上がった人物ですから、並大抵の才能の持ち主ではありません。新しくつくった国を自らの手足として動かすため、**中書省を廃止し、六部を皇帝直属**にします。

　日本で例えるなら、総務大臣・財務大臣・文部科学大臣・防衛大臣・法務大臣・国土交通大臣などの**様々な大臣をひとりで兼務し、各省庁への命令を自分で直接出すというイメージです。**こんな政治を行おうとしただけでも、洪武帝の非凡な才能がわかります。

　また、貧しい農民の出身なので、**農民の統治が中国の皇帝の中でも抜群のうまさ**でした。まず、農民を110戸ずつのグループに分けて治安維持と税の徴収の単位にし、膨大な全国の農民を**賦役黄冊**という戸籍と**魚鱗図冊**

という土地台帳にまとめることで把握します。そして、儒教道徳をわかりやすい6つのスローガンにして全農民に唱和させ、農民を"おとなしく"させました。

このように、中国の皇帝としては抜群の才能がある洪武帝ですが、農民出身であることに生涯コンプレックスをもっており、非常に疑い深く、暗い性格の持ち主でした。功績があった家臣は、自らの地位を脅かすライバルと捉え、秘密警察を使って拷問にかけたり死刑にしたりと、たびたび数万人規模の粛清を行いました。

これでは、自分もいつ死刑になるかわからないと恐れを抱いた官僚たちは、家を出るときに妻子に別れを告げ、家に帰りつけば無事を喜び合ったといいます。六部を直属にし、強い独裁体制をつくったのも、こうした洪武帝の疑い深い性格が影響していたのかもしれません。

数万人単位の処刑があったり、スパイや秘密警察で家臣が常に監視されていたり、強い独裁権を持つ皇帝をあやつる宦官が暗躍したりと、名前は「明」なのに、「暗」い時代が続く王朝でした。

3代目の時代に黄金期が到来

明の2代目皇帝の建文帝を倒して（**靖難の役**）、3代目の皇帝に就いたのが**永楽帝**で、明の黄金期をつくりました。この繁栄は、初代の洪武帝が築いた盤石な基盤によるところが大きいといえます。

秦の始皇帝や隋の煬帝のように、強力な改革をした統治者のあとに長期安定政権がもたらされるという構図は、洪武帝と、以降の明王朝にも見て取れます。ただし、永楽帝自身も、文武に非常に優れた皇帝でした。

永楽帝は、皇帝の秘書官（**内閣大学士**）を設置しました。皇帝の相談役として、中書省に代わり、皇帝の政治を支える秘書官です。洪武帝は六部を直属にしましたが、皇帝ひとりがすべての書類に目を通して決裁するのはやはり大変です。

そのため、皇帝の代わりに重要な案件以外は内閣が処理するようになり、

内閣が次第に大きな権限を持つようになります。**日本や中国の行政機関が「内閣」と呼ばれるのはここにルーツがあるのです。**

永楽帝は、依然脅威だったモンゴル軍に対応するため、都を南京から北京に移し、5回の遠征を行ってモンゴルを破りました。また、李氏がおさめる朝鮮を属国にし、ベトナムも併合しました。また、宦官でイスラーム教徒だった鄭和に、62隻、2万8000人という大規模の艦隊を率いさせてジャワやインドシナからインド洋、ペルシア湾、アフリカ東岸まで遠征させました。この**鄭和の大航海**で10数カ国を属国にすることに成功し、諸国の王や部族の長や家族を家臣として明に連れて帰ることができました。

明は民間人の海上貿易を禁止しましたが、属国からの貢ぎ物としての貿易品は受け入れ、返礼としての品を属国に渡す形の貿易を行いました（朝貢貿易）。

日本の足利義満との「日明貿易」も、日本が下の立場で行う朝貢貿易形式であり、足利義満自身も明の皇帝に対して「家臣」と名乗っていました。

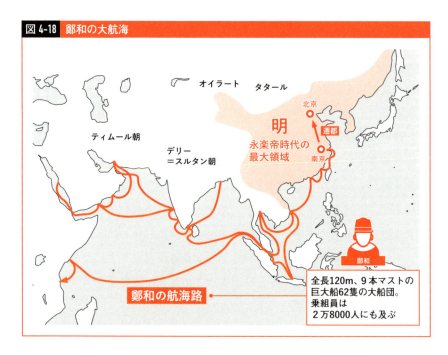

図 4-18　鄭和の大航海

「北虜南倭」に苦しむ

永楽帝以後、明は**北虜南倭**に苦しめられます。「北虜」とは、北のモンゴル系の異民族、「南倭」とは、中国の南方沿岸を荒らしまわった海賊、「倭寇」のことです。

特に「北虜」に悩まされ、モンゴル系民族の**オイラート**が北方を脅かすと、6代皇帝の**正統帝**は50万の大軍を率いて迎え打ちますが、逆に土木という地でオイラートの包囲攻撃にあって皇帝自身が捕虜になってしまいます（**土木の変**）。皇帝が野戦で捕虜になるのは非常に珍しく、のちに釈放されるものの、非常に不名誉な記録を歴史に残してしまいました。

ただ、この事件は、明が再び万里の長城の価値を見直すきっかけにもなりました。

以降、**明の皇帝が、万里の長城を改修・増築していき、現在、私たちが見ることができる立派なレンガ積みの姿の長城になったのです。**

北方民族の侵入は、その後も度々繰り返され、モンゴル系の民族の**タタール**に北京を包囲されることもありました。

「引きこもり」の14代皇帝

明の14代目皇帝の**万暦帝**は、47年間もの長きにわたって皇帝に君臨し続けました。のちの清王朝にもっと長く在位した皇帝がいるものの、ここまでの中国の歴史で比較すると、前漢の武帝（54年）に次ぐ在位の長さで、中国史でも5本の指に入ります。

さらに驚くべきは、万暦帝が、そのうち30年も朝廷に顔を出さず"サボって"いたことです。しかも、サボるどころか、26歳から56歳で死ぬまでの30年間に、家臣と会った回数がわずか5回だけだったというのですから、もはや"引きこもり"の皇帝といってもよいでしょう。

万暦帝も、即位直後はやる気があったようで、補佐役に任命した**張居正**というきわめて優秀な家臣とともに改革を断行し、税を銀でおさめさせる

一条鞭法を施行します。税のごまかしを暴いてきちんとおさめさせることで財政を安定させるという成果もちゃんとあげていました。

　しかし、この張居正は、「皇帝にも」自分の優秀さを発揮しようとしてしまったのです。

　皇太子時代から万暦帝の教師をしていた張居正ですから、即位後の万暦帝にも皇帝としての"きちんとした姿"を求めて、「こうしなさい」「こうしてはいけません」などと事あるごとに口を挟んでしまうのです。

　万暦帝が皇帝に即位したのは10歳、そして張居正が権力をふるったのは約10年間だったので、10歳から20歳まで、張居正に「口うるさく」指導されては青年皇帝の気持ちが萎えてしまうのもうなずける話です。

　引きこもった後、万暦帝はぜいたくと女性に溺れ、二度と政治をかえりみることはありませんでした。

　この万暦帝が「サボって」いた時代に、明は度重なる戦乱に巻き込まれます。中でも、豊臣秀吉が朝鮮に出兵したときには朝鮮から救援を求められ、日本と長期にわたる戦いを強いられることになります。

　軍事費がかさみ財政難になると資金の確保のため銀山を開き、民衆への増税で賄いますが、その大部分は宦官の懐に入るという悪循環が生まれ、明の衰退は決定的になりました。

明の皇帝の自殺と、明の滅亡

　こうした状況の中、各地で反乱が頻発します。その最大の反乱が、**李自成の乱**です。

　李自成は北京を占領し、明の皇帝たちを自殺に追い込み、明を滅亡させると自ら皇帝を名乗ります。

　しかし、その頃には北方からすでに**女真族**が新国家の**清**を建国して万里の長城を越え、北京に迫っていました。清の軍に追われて追い詰められた李自成は自殺してしまいます。

　こうして、明が滅び、新しく清王朝の時代に突入します。

第4章 中国の歴史　　　　　　　　　　　　　　　　清王朝

中国史上に残る「名君」が続いた清王朝

 優秀な皇帝たちに支えられて繁栄

　明に代わって中国を統治した**清王朝**は、漢民族の国ではありません。ツングース系の**女真族**の国家で、女真族が漢民族を支配して建てました。

　北方民族の国家はそう長く続かないものですが、清は約300年間も中国を統治するという長期安定政権となりました。

　「よそ者」が長期安定政権を築けた理由は、いくつか考えられますが、やはり、**「中国史まれに見るほどの名君が、建国以来6人も続いた」**ことが**最も大きな要因**ではないかと思います。**皇帝の優劣が国の盛衰を左右する中国史**においては、清王朝は、非常に幸運だったといえるでしょう。

 「色分け」された軍隊をつくった初代皇帝

　清の初代皇帝とされるのは**ヌルハチ**です。ただ、ヌルハチの時代は「清」と名乗っていません。ツングース系の女真族の各部族を統一後、「金」と名乗りました。そのため、清の前段階にあたるこの国は**後金**といいます。

　ヌルハチが行ったことで特筆すべきは、軍隊の「色分け」です。軍隊を大きく8つに分け、赤、白、青、黄など、部隊ごとに色の違う旗を持たせました。この制度は**八旗制**といいます。

　たとえば、小学校の運動会で、「赤組、集まれ！」と先生が声をかけると、赤組だけをスムーズに素早く集めることができます。このように、**軍隊を色分けし、色ごとに命令を出すと、動員をかけるときに便利な上、戦場での混乱を避けることができたのです。**現代の私たちからすれば単純に思えますが、当時は、非常に画期的で効果的な施策でした。

173

2代目皇帝が「清」に改名

2代目の**ホンタイジ**は国号を「金」から「清」にします。「金」は漢民族にとって南宋の時代に中国北部を奪われた屈辱的な国名だったため、中国内部に進出する際、漢民族が支配を受け入れやすいような名前に変えたのです。また、「女真族」の「女真」も「満州」に改めました。ここから、中国東北部を「満州」と呼ぶようになります。

そして朝鮮にも出兵して勝利し、明に引き続いて朝鮮に属国になることを約束させました。

ホンタイジの時代に、過去の金の国家よりも領域が大幅に拡大しました。

 ## 3代目皇帝が中国国内に進入

3代目の**順治帝**の時代に、いよいよ万里の長城を越えて、一気に中国内になだれ込み、明を倒したばかりの李自成を討ちます。

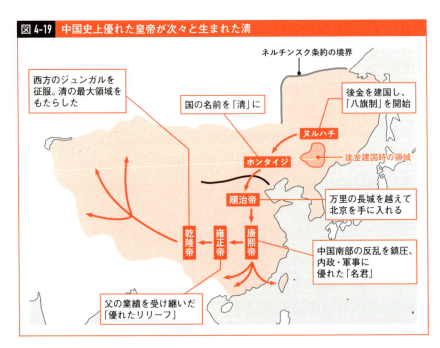

図 4-19　中国史上優れた皇帝が次々と生まれた清

李自成に勝利したことにより、清は**「異民族でありながら李自成を倒し、明朝の仇を討った明の正式な後継国家」**としてのポジションを獲得します。

清は、「アメとムチ」を鮮やかに使い分ける統治をしました。女真族の風習である辮髪（後ろ髪を編みこみ、その周りをそり上げる髪型）を漢民族の男子全体に強制するなど"厳しい"統治を行ったかと思えば、一方で、中国内の明の役人をそのまま採用し、満州族の役人と分け隔てなく同じ地位に就かせたり、明の末期の重税を改めたり、という"優しい"統治も並行して行いました。

中国史上最高の「名君」と称えられた4代目

次の4代目皇帝の**康煕帝**は、中国の皇帝史上最長の61年の在位を誇り、**中国の歴代最高の名君といわれています**。ロシアのピョートル1世から尊敬され、フランスの「太陽王」ルイ14世からも、まるでファンレターのような手紙を受け取るほど、まさに「名君中の名君」だったのです。

軍を率いては台湾を征服し、中国南部の反乱も瞬く間に鎮圧します。その陣中でも、1日300通もの書類に目を通して決裁を行いながら、読書を欠かさなかったそうです。モンゴル方面に進出したことで、ロシアと国境を接するようになったため、ロシアのピョートル1世との間に**ネルチンスク条約**を結び、互いの勢力範囲を定めました。

内政においては、減税を"何度も"実施するとともに、土地を基準に税をかける**地丁銀制**を実施しました。また、**「税を安くする代わりに、確実に徴収してとりっぱぐれがないようにする」**という改革を行いました。その減税の結果、結果的に税収を増やすという好循環を生み出します。

学問の世界においても、現在の漢字辞典のもとになる『康煕字典』を作成して、自身も血を吐くほど勉強し、儒学、天文学、地理学などあらゆる教養を身につけたようです。

一方で、狩猟民族の子孫であることも忘れないよう生涯質素に努めたり、野山で狩りをしては生涯に虎135頭、熊やヒョウを30頭、狼を96頭も倒し

たりしたそうです。これらのエピソードは、少し"盛られている"可能性もありますが、残されている康熙帝の私的な手紙や文書を見ても、責任感が強くて慈悲深い有能な皇帝像がうかがえます。

「中継ぎ役」として活躍した5代目

5代目皇帝の**雍正帝**もまた、(ちょっと冷酷なところもありましたが) 有能で良心的でした。13年とやや短い治世でしたが、名君であった父の政治を受け継ぎ、皇帝の補佐機関 (**軍機処**) を置くなどの「ちょっとしたアレンジ」を加えて次の乾隆帝につなぐ、「優れたワンポイントリリーフ」として十分な能力を発揮します。

6代目の時代に、最大領域に到達

「康熙・雍正・乾隆」と3人セットで語られる清の黄金期をつくった6代皇帝の**乾隆帝**は、積極的な領土拡張政策をとりました。生涯を戦争に捧げて北方民族の**ジュンガル**を討つなど、10回の大遠征を成功させ、「十全老人」と名乗ります。その結果、清の領域は倍となり、乾隆帝の時期、清は最大領域に到達しました。

もう1つの大事業は、『**四庫全書**』の編纂事業です。中国のありとあらゆる書物の全巻を1つの「全集」におさめるという、全3万6384冊にのぼるビッグプロジェクトでした。かつて、私が台湾の故宮博物院に行ったときにその一部が展示されていましたが、目も眩むほどの冊数の本が棚に並んでおり、凄みを感じさせるような編纂活動だと感心したものです。

ただ、この乾隆帝の時代は、清の絶頂期であると同時に、衰退の始まりでもありました。無理な遠征がたたり、財政を圧迫していったのです。

乾隆帝の時代の末期には、イギリスが通商を要求するための使者を清に派遣してインド産のアヘンを中国内に持ち込み始めます。

乾隆帝の死から45年後にアヘン戦争が始まり、海外勢力によって次第に中国の半植民地化が進んでいくことになります。

第5章

一体化する
世界の時代

第5章 一体化する世界の時代　あらすじ

歴史の舞台

ヨーロッパ、中東、インド、中国が一体化する時代の幕開け

　ここから、ヨーロッパ、中東、インド、中国の4つの地域が1つにつながり、お互いに影響を与え合う「世界史」が始まります。

　ヨーロッパ諸国が、我先にと争うように大西洋に飛び出し、植民地獲得争いや貿易を盛んに行うようになります。

　大航海時代、ルネサンス、宗教改革などを経て、ヨーロッパ世界は、「王が国の絶対者として君臨する」という主権国家体制を成立させます。そして、フェリペ2世、エリザベス1世、ルイ14世など、世界史に名を残す王が次々と誕生するのです。

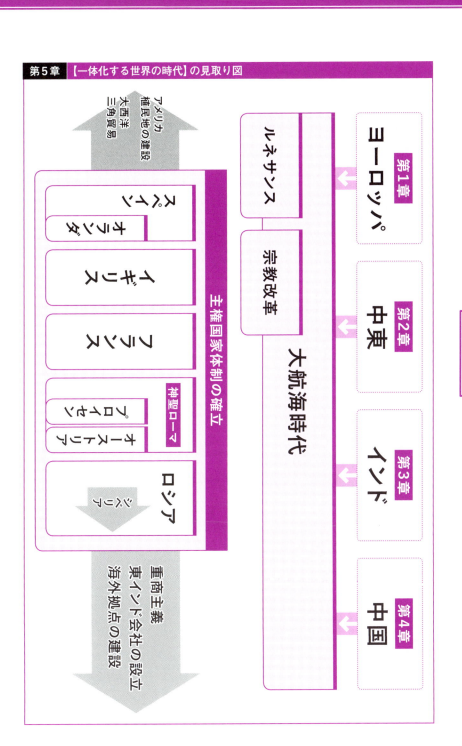

第5章 一体化する世界の時代　　　　　　　　　大航海時代

アジアの香辛料を求め、欧州諸国が大西洋へ

「陸がダメなら、海から行けばいい！」

　第1章で見た中世ヨーロッパの混乱が落ち着くと、ヨーロッパでは食文化が多彩になり、アジアの香辛料の需要が拡大します。
　しかし、第2章で見てきたとおり、中東では、ヨーロッパ諸国の"宿敵"オスマン帝国が成長していたため、**陸路でのヨーロッパからアジアへの交易ルートが途絶えてしまっていました。そこで、「陸がダメなら、海から行こう！」と、ヨーロッパ諸国が大西洋に乗り出して新しい交易路を確保しようとした**ことから、世界が一体化する大航海時代が始まるのです。

「東回り航路」を開いたポルトガル

　まず、先陣を切ったのが**ポルトガル**です。アフリカを南から回り込む航路でインドを目指します。船酔いで船には乗れないのに「航海王子」のニックネームを持つ**エンリケ**が、アフリカ西岸に探検隊を派遣します。
　そして、**バルトロメウ＝ディアス**がアフリカ南端の喜望峰に到達し、インドまでの中間点の航路を拓くと、**ヴァスコ＝ダ＝ガマ**がインドのカリカットに到達し、船員の3分の2を失いながらも、お目当ての香辛料をヨーロッパに持ち帰ることに成功しました。

アメリカ大陸は偶然"発見"された

　バルトロメウ＝ディアスが喜望峰に到達した頃、「**アフリカを回るのではなく、西に大西洋を突っ切ればインドに到達できる**」と、スペイン女王イサベルに画期的なプレゼンをした人物がいました。それがイタリアのジェ

ノヴァ出身の探検家・**コロンブス**です。プレゼンが受け入れられたコロンブスは、大西洋横断に挑み、2か月以上も陸地が見えない不安な航海ののち、現在の西インド諸島のバハマにあるサンサルバドル島に到達します。**コロンブス自身は、生涯、新大陸を「インド」だと思い込んでいました。**

コロンブスに続く航海者たち

「コロンブスが陸地を見つけた！」という一報は世界に衝撃を与え、空前の西回りブームが起きます。**カボット**が現在のカナダに到達すると、インドに向かう途中に遭難したポルトガルの**カブラル**が、偶然にも**ブラジル**に漂着し、ポルトガル領であることを宣言します。

また、イタリアの**アメリゴ＝ヴェスプッチ**は南米の海岸線をたどり、アジアではありえないほど南まで陸地が続いていることに気づき、そこを**「新大陸」と証明したことから、新大陸は彼の名をとり"アメリカ"と名付けられました。**

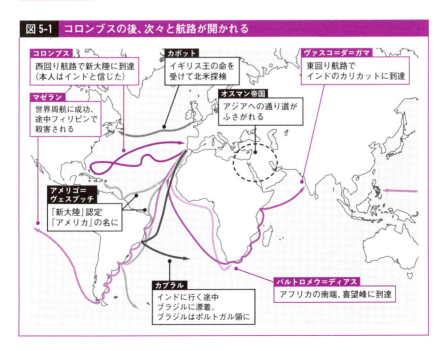

図 5-1　コロンブスの後、次々と航路が開かれる

第5章 一体化する世界の時代　　　大航海時代の影響

欧州と新大陸がつながり、「欧米世界」が形成

 世界一周の達成

　いよいよ世界一周の時がやってきます。スペイン王カルロス1世の命を受けて出港した**マゼラン**は、南米南端の「マゼラン海峡」を横断し、3か月もの間、陸地が見えない中で太平洋を横切って（食べ物が尽き、虫が湧いたビスケットや腐敗した水まで口にしたようです）陸地に到達し、その地をスペイン皇太子フェリペの名をとって「**フィリピン**」とします。

　しかし、フィリピンでマゼラン一行は住民たちに襲われ、殺害されてしまいます。マゼランの生き残りの部下が船隊を率いてスペインに帰還したので、本当の世界周航の達成者は「マゼランの部下」のはずですが、マゼランは若い頃に東回り航路で東南アジアまで到達しているので、「合わせ技一本」で世界周航の栄誉を手にしました。

 新大陸の品が、世界中に広がる

　こうした航海者たちによって世界が一体化していき、「世界史」の幕があがりました。大航海時代のヨーロッパを通じて、「地中海を中心とした世界」から、**大西洋と新大陸がつながった「欧米世界」になります。**

　また、**新大陸から莫大な量の銀がもたらされ、ヨーロッパの銀相場が大きく下落する「インフレ」が起こりました。**他にも、ジャガイモ・トマト・トウガラシ・タバコ・カカオ・トウモロコシなどの**新大陸原産の物産がヨーロッパ各地に広がり、やがては世界中の必需品となります**（トマトはイタリア料理に欠かせない食材になり、トウガラシは韓国料理などに多用されています。タバコは全世界の嗜好品になりました）。

182

ヨーロッパによる征服の始まり

　スペインとポルトガルの航海は、単に航路を開くだけが目的でなく、領土的野心も伴っていました。ポルトガルは、インドの**ゴア**・マレー半島の**マラッカ**を占領し、中国の明から**マカオ**の居住権を得ます。

　スペインは、フィリピンに**マニラ**を建設後、銀がザクザクとれることがわかった新大陸に**コルテス**や**ピサロ**を派遣します。そして、コルテスはメキシコの**アステカ王国**を、ピサロはアンデスの**インカ帝国**を征服し、先住民を奴隷化して鉱山で働かせて、過酷な搾取を行うようになります。

　また、同時期に、驚くことに、ポルトガルとスペインは「地球を半分に分ける」という約束まで取り交わしています。地球儀上に線を引き、新大陸はスペインの領土、アジアはポルトガルの領土と、なんとも"ざっくり"した内容の条約を結んだのです（**トルデシリャス条約**）。こうして、**大航海時代に、ヨーロッパ諸国による世界征服の第一歩が踏み出されたのです。**

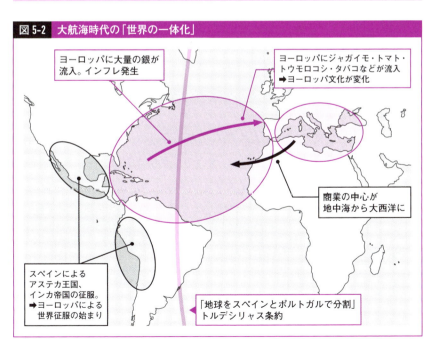

図 5-2　大航海時代の「世界の一体化」

- ヨーロッパに大量の銀が流入。インフレ発生
- ヨーロッパにジャガイモ・トマト・トウモロコシ・タバコなどが流入 ➡ ヨーロッパ文化が変化
- 商業の中心が地中海から大西洋に
- スペインによるアステカ王国、インカ帝国の征服。➡ ヨーロッパによる世界征服の始まり
- 「地球をスペインとポルトガルで分割」トルデシリャス条約

183

第5章 一体化する世界の時代　　　　　　　　　　　　　ルネサンス

美術作品が「神の目線」から「人の目線」へ

 芸術の多様化

　大航海時代と同時期に起きた変化が、「ルネサンス」と「宗教改革」の2つです。ヨーロッパ世界では、十字軍以降、カトリック教会の絶対的な権威が揺らいでいました。そして、文化面と宗教面の両面で、その揺らぎが決定的な変化となって表れるようになります。

　まず、文化面の変化が「**ルネサンス**（文芸復興）」です。大航海時代までの中世ヨーロッパでは、文化の中心はキリスト教でした。理由は、戦乱や疫病が続く混乱期の中世では、「神に祈って守ってもらう」ことが何よりも重視されていたからです。**そのため、学問も絵画も建築も、すべてが「神」中心の、「画一化」されたものになってしまっていたのです。**

　ところが、中世の混乱が落ちつき、都市が発展するようになると、お金持ちが増えて、彼らの趣味を反映した個性的な芸術が数多く制作されるようになります。「神」は相変わらずモチーフの中心だったものの、**「神」だけではない「人」を中心とした多様な視点が芸術に加わるようになっていきました。「ルネサンス」**は、**ヨーロッパが、キリスト教文化に染まる前のギリシア・ローマの文化が復活した**という意味なのです。

 イタリア＝ルネサンス

　こうしたルネサンスの動きがいち早く起こった場所が、イタリアの都市でした。十字軍の物資の通過点となった北イタリアが繁栄し、その中でも、特に**フィレンツェ**の都市貴族、**メディチ家**が芸術家を保護します。

　イタリア＝ルネサンスの扉を最初に開いたのは、**ダンテ**という詩人です。

ダンテの主要な作品である『神曲』は、ラテン語ではなく、当時イタリアで話されていた「方言」、トスカナ語で書かれているのが特徴です。**モチーフは神であるものの、日常会話で使う言葉を話すことで、登場人物の人間性がグッと増しました。**また、**ボッカチオ**は物語『**デカメロン**』で「人」の愛欲や失恋（かなりエロチックな感じで）を描き、「人の心」を文学で表現しました。**愛欲は、「人間の目線」そのものです。**

　ルネサンス絵画の特徴は、「遠近法」にあります。それまでの中世の絵画では、遠近がまるっきり無視されていました。キリスト教の「神の栄光」を表現する際は、キリストやマリアに関連したものは大きく、その他のものは極端に小さく描くか、省略していたのです。しかし、**ルネサンス以降は「人の目線」に立って、近くのものは大きく、遠くのものは小さく、というように写実的に描くようになります。**

　まず、**ジョット**が立体物を絵画に取り入れ、**ボッティチェリ**はキリスト教以外の多神教の神々を描きます。そして、ルネサンスの最盛期をつくった『**最後の晩餐**』や『**モナ＝リザ**』の**レオナルド＝ダ＝ヴィンチ**、『**最後の審判**』の**ミケランジェロ**、『**アテネの学堂**』の**ラファエロ**という「三代巨匠」が登場します。いずれも、写実性にあふれる名画の数々ですが、**「写実的」とは「人から見てどう見えるか」という「人目線」の視点になったということなのです。**建築では、ローマ＝カトリックの総本山である**サン＝ピエトロ大聖堂**が知られます。

ルネサンスが各国に広がり、文化が多様化

　イタリアで始まった「神中心から人の目線へ」というルネサンスは、ヨーロッパ各地にも広がりました。フランドル地方の**エラスムス**による**教会批判**や「**農民の生活**」を描いた**ブリューゲル**の絵画、「人物の性格を描写」するイギリスの**シェイクスピア**の戯曲、ドイツの**ホルバイン**による「**人物肖像画**」など、それまでの「神中心」の世の中ではけっして存在しえなかった多様な文化が花開くことになるのです。

第1章　ヨーロッパの歴史
第2章　中東の歴史
第3章　インドの歴史
第4章　中国の歴史
第5章　一体化する世界の時代
第6章　革命の時代
第7章　帝国主義と世界大戦の時代
第8章　近代の中東インド
第9章　近代の中国
第10章　現代の世界

185

| 第5章　一体化する世界の時代 | 宗教改革 |

カトリックへの批判から新しい宗派が次々誕生

 宗教改革によって生まれた新しい宗派

　ルネサンスと並んで起こったもう1つの大きな変化が、**宗教改革**です。カトリック教会は中世において絶大な信仰を集めていましたが、その反面、富や権力が集中して聖職売買や聖職者の堕落などの腐敗も進行していました。こうした腐敗を批判し、新しいキリスト教を生み出そうという動きが宗教改革です。宗教改革によって生まれた**新しいキリスト教の宗派は、旧来のキリスト教に抗議（プロテスト）して生まれたので、「プロテスタント」と呼ばれます。**

 95条もの文章で教会を批判

　まず、宗教改革の波はドイツから始まります。メディチ家出身のローマ**教皇レオ10世**は、ローマにサン＝ピエトロ大聖堂を建立する資金を集めるため、「これを買えば罪を犯した人物でも魂が救済される（天国にいける）」という**贖宥状**（免罪符）を販売しました。
　贖宥状の販売に特に力を入れたのが、ドイツ（神聖ローマ帝国）です。ドイツは政治的に不統一だったため、ローマ教皇のいうことを素直に聞く諸侯も多く、**カトリック教会の贖宥状の「重点販売地域」**になったのです。
　やりたい放題のカトリック教会にノーを突きつけたのが、ドイツのヴィッテンベルクという地にいた**ルター**という人物です。『九十五カ条の論題』という文章を教会の扉に貼り出し、贖宥状への疑問とカトリック教会の腐敗と堕落に対して批判を展開します。この文章の中には「贖宥状を売る者は永遠の罪を受けるだろう」とかなり厳しい言葉も並んでいました。

批判されたカトリック教会のローマ教皇レオ10世と、教会批判を行う「危険人物」を国内に抱えた神聖ローマ皇帝**カール5世**は、ルターに対してキリスト教会からの破門宣告と神聖ローマ帝国からの追放を相次いで決定し、ルターを暗殺しようと追っ手を差し向けます。

　追っ手の迫るルターに、**ザクセン選帝侯フリードリヒ**という人物が、助け舟を出します。突然、ルターを「人さらいにあったことにして」自らの居城にかくまったのです。

　フリードリヒ自体、神聖ローマ帝国の諸侯の一員だったので、ルターをかくまうことは彼にとっても大変危険な行為でした。そして、ルターは、フリードリヒの元で身を隠しながら新約聖書のドイツ語訳に取り組みます。**それまでラテン語で書かれていたために、一般の人は読むことができなかった聖書を誰でも読めるようにドイツ語にしたのです。**

　こうした活動によって、神聖ローマ帝国の諸侯の中にも、カトリックや帝国のやり方に批判的なルター派の諸侯が増えていきます。帝国から分離したり、帝国に反乱したりする者が出始めると、ついに神聖ローマ皇帝カール5世は、帝国の分裂を避けるため、ルター派に妥協し、アウクスブルクの和議において諸侯の信仰の自由を認めざるをえなくなりました。

「お金儲けをしてもよい」と唱えたカルヴァン派

　ドイツの次に宗教改革が起きたのが、スイスです。スイスの宗教改革は、**カルヴァン**によってなされました。カルヴァンも、ルターと同じようにカトリックを批判しました。また、**魂が救われるかどうかはあらかじめ神によって決定されている**という「予定説」を唱えます。

「予定説」はどれだけこの世で良いこと、もしくは悪いことをしたとしても、天国に行けるかどうかはあらかじめ決まっており、運命を変えることはできないという内容でした。「では、自分は天国へ行ける人間なのか？」と疑問に思った民衆に対して、カルヴァンは、**「仕事を真面目にやっていれば、その結果、『まじめに働いたご褒美ポイント』としてのお金がたまって**

いくことが『救済される証』なんだよ」と主張します。つまり、**真面目に働くかぎりは、「お金を貯めてもいい」**と説いたのです。

　お金を貯めることは「私利私欲」の行為とされていたため、世間からあまり良い印象が持たれていなかった商工業者は、「お金を貯めてもよい」と説いたカルヴァンの考え方を支持し、商工業が盛んなイギリスやフランスの西部地域を中心に、カルヴァン派が急速に広がりました。

王の私情で起こったイギリスの宗教改革

　イギリスの宗教改革は、ドイツやスイスと少し事情が違いました。イギリスの宗教改革の発端は、イギリス国王の完全な"私情"だったのです。

　イギリス国王の**ヘンリ8世**は、男の子を待望していましたが、妻のキャサリンは、男の子を生めませんでした。そのため、ヘンリ8世は、次第にキャサリンから遠ざかり、愛人のアン＝ブーリンという女性を妻にしたいと思うようになります。カトリック教会に離婚を訴えますが、教皇は離婚を認めません。そこで、自分が離婚したいがために、カトリック教会から離脱し、**イギリス国教会**という新しい宗派を成立させ、自らその頂点に立つことを決めたのです。こうして定められた法律が、「首長法」です。

　「国王至上法」という別名もあるこの法によって、**イギリス国王を首長とする新しいキリスト教が誕生し、ヘンリ8世は、晴れて離婚しました。**

　ところが、ヘンリ8世と結婚したアン＝ブーリンも男子を生めなかったため、ヘンリ8世はまたもや離婚し、しかもアン＝ブーリンを処刑してしまいます。結果、ヘンリ8世は妻を6人も変え、そのうち2人を処刑したのです。このような経緯で成立したイギリス国教会ですが、そもそもヘンリ8世が離婚するためにつくった宗派だったので、礼拝や儀式の作法などの多くがあやふやな状態でした。そのため、ヘンリ8世の死後、その子どもたちのエドワード6世や**エリザベス1世**によって後追いで教義が定められました。特に、エリザベス1世が定めた「統一法」によって礼拝や儀式がきちんと定められ、イギリス国教会が確立したのです。

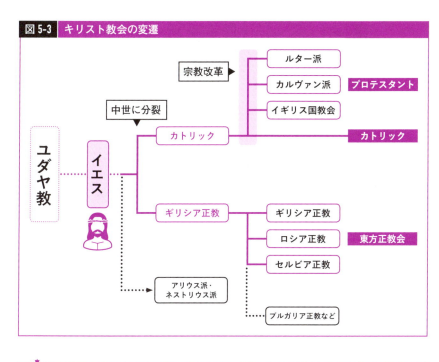

カトリック教会の反撃

　ルターやカルヴァンによって腐敗や堕落を批判され、攻撃を受けたカトリック教会ですが、**カトリック側も黙って攻撃されるばかりでなく、反撃を試みます。**これを対抗宗教改革といいます。

　宗教改革の「弾圧」のために開かれた宗教会議（トリエント公会議）の結果、カトリック教会は宗教裁判を強化して「魔女狩り」を盛んに行い、教義に反する者を次々と処刑しました。

　こうした弾圧にプロテスタントの諸宗派は猛反発し、ヨーロッパ各地で宗教戦争が多発するようになります。

　ただ、弾圧の一方で、「カトリックはいいこともしているんだよ」というPR活動も行いました。それが、アジアなど、世界にキリスト教を広めたイエズス会の活動です。ザビエルの来日も、その一環だったのです。

第5章 一体化する世界の時代　　　主権国家体制の成立

戦争の大規模化により、「国のあり方」が変わる

 「戦争向けの国ができた！」

　大航海時代や宗教改革と同じ頃、ヨーロッパ諸国では「国のあり方」が変わっていきました。

　中世後半になると、フランス、イギリス、スペイン、神聖ローマ帝国など「大国」が登場し始め、百年戦争などの激しい戦争が行われるようになります。すると、**王がリーダーシップを発揮して、国全体をあげて勝利のために戦う必要が出てきますが、**それまでの中世の「封建国家」は「複数の主君に仕えることもできる土地のやりとりによる契約関係の集合体」という仕組みでした。そのため、**国境が曖昧で、王たちは「戦争を起こしても、どのぐらいの諸侯や騎士が戦場にかけつけてくれるのかわからない」という問題を抱えていたのです。**

　そこで、「国をあげて戦争ができる国」にするために、主権国家という封建国家に代わる新しい国家のスタイルが生まれたのです。主権国家を統治するのは、国家を"統一的"に支配する「主権者」です。**統一的とは、主権者の決定に国民全員が従うという意味です。主権の及ぶ範囲、すなわち国境が明確化され、他の国の主権と重複しなくなります。**

　「主権国家」においては「主権者」が国の戦力を総動員でき、また、国中から税をとり、法の施行も国の隅々まで行きわたらせることができます。

　こうして、ひとたび戦争が起きれば、「国が一丸となって敵と戦うことができる」仕組みが確立されていったのです。

　主権国家の仕組みが特に発展したのは、15世紀後半から16世紀にかけてのイタリア戦争の期間です。フランス王のヴァロワ家と神聖ローマ皇帝の

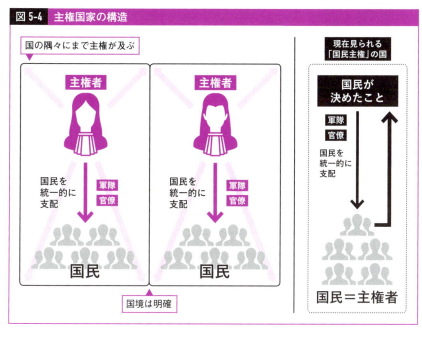

ハプスブルク家が60年間も争う戦争で、長引く戦乱が、「主権国家＝戦争向けの国」を形づくりました。

　現在の日本も、もちろん「国民主権」という「主権国家」です。日本の主権の及ぶ範囲と外国の主権の及ぶ範囲は重複しませんし、国民が国のあり方を「選挙で議員を選ぶ」という多数決で決め、国民全員が国会の決定に従います。一度、国会で決まったことには、誰も逆らうことはできません。「国民が決めたことが国民を統一的に支配すること」が「国民主権」なのです。

　しかし、本章では、まだ「国民主権」の国は登場しません。主権者は「国王」という個人の場合がほとんどで、「国王」の主権によって国民は戦争に駆り出され、税は国王の威光のためにしぼり取られます。

　このように、**「国王主権」であり、かつ、国王が絶対的な権力を持つ場合を絶対主義**といいます。ここからしばらくは、そんな国の王たちのオールスターの活躍を見ていきます。

第5章 一体化する世界の時代　　近世のスペインとオランダ

「小国」オランダに足元をすくわれたスペイン

ドイツとスペインで王に君臨したカルロス１世

　大航海時代を通じて一躍世界の主役になったのが**スペイン**です。神聖ローマ皇帝、すなわちドイツ皇帝の座に長くいた**ハプスブルク家**は、巧みな婚姻政策でスペインの王座を手に入れました。こうして成立したスペインハプスブルク家の**カルロス１世**は、スペイン王に即位後、ハプスブルク家の伝統どおりに神聖ローマ皇帝にも選出され、**カール５世**と呼ばれました。ここに、「**スペイン王と神聖ローマ皇帝（ドイツ王）を兼任する**」ダブル国王が誕生したのです。彼こそがスペイン王としてマゼランに世界周航を命じ、ドイツ皇帝としてルターを弾圧したその人物です。

「太陽の沈まぬ帝国」を実現したフェリペ２世

　カルロス１世の死後、ハプスブルク家は神聖ローマ帝国系とスペイン系に分かれました。このうち、スペイン王を継承したのが**フェリペ２世**です。「フィリピン」にその名を残すこの王は、隣のポルトガルの王女を妻にしていたことからポルトガル王も兼任することとなりました。ここに、**もとのスペインの植民地に、ポルトガルの植民地を合わせた超大国が出現し、「常に地球上のスペイン領のどこかには太陽がのぼっている」**という「**太陽の沈まぬ帝国**」を実現し、フェリペ２世の威光は世界に満ちました。

オランダの「乞食」たちが、スペインを衰退させる

　しかし、絶頂にあった「世界帝国」スペインはオランダという「小石」のような国につまずき、衰退を始めるのです。スペイン領だったオランダ

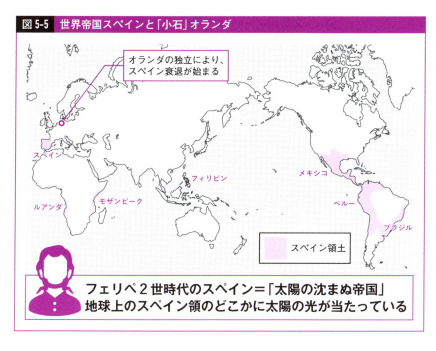

にカルヴァン派プロテスタントが広がると、熱心なカトリック信者であったフェリペ2世はオランダにプロテスタントの信仰を禁じ、カトリックを強制します。宗教の強制と重税に苦しんだオランダの民衆は**オラニエ公ウィレム**を首領にいただき、**オランダ独立戦争**を開始します。

世界第一の大国に挑戦を始めたオランダの道のりは困難でした。世界の富を集め、美しい鎧に身を固めたスペイン兵にとっては、貧しいオランダの装備は頭に木の桶をかぶり、魚をとるモリを武器にするようなありさまで、「ゴイセン」（乞食）というあだ名までつけられました。

しかし、オランダは20年以上もの抵抗を続け、スペインに勝利をして**ネーデルラント連邦共和国**として独立を達成しました。長い戦争に疲弊したスペインは衰退を始めます。

一方、独立を果たしたオランダは東インド会社を設立、スペインに代わって世界貿易をリードする「栄光の17世紀」を迎えたのです。

第5章 一体化する世界の時代　　　　　　　　　　　　近世のイギリス

混乱を乗り越え、イギリスに議会政治が確立

 国民から愛されたエリザベス1世

　イギリス国教会を成立させたヘンリ8世の娘、**エリザベス1世**はイギリスの絶対王政の頂点にあった人物でした。彼女を一躍有名にしたのが、絶頂にあったスペイン国王、フェリペ2世の誇る「無敵艦隊」の撃破です。**アルマダ海戦**によってスペインを衰退に追い込んだエリザベスは**東インド会社**を設立し、スペインに代わる世界帝国への道を歩みます。

　羊毛産業を保護し、世界に毛織物を売りさばく重商主義政策を展開したイギリスの発展はめざましく、国民からも「愛すべき女王ベス」と敬愛された国王でしたが、エリザベス1世の私生活は幸せではありませんでした。

　エリザベス1世の母は、父ヘンリ8世によって刑死したアン=ブーリンでしたし、姉のメアリ1世によってエリザベス1世はロンドン塔に長く監禁されていました。こうした家庭環境はエリザベス1世を結婚から遠ざけることとなりました。様々な国の王や国内貴族からの求婚をすべて断り、生涯夫を持つことがなかったエリザベス1世は「処女王（ヴァージン・クイーン）」というニックネームが付けられています。

 ステュアート朝の成立とイギリスの混乱

　エリザベス1世の死後、新たな混乱が巻き起こります。**夫がいないエリザベスにはもちろん子どももいなかったので、彼女の代でテューダー朝が途絶えてしまったのです。**新しくイギリス国王に招かれたのは、同じイギリスでも、北部のスコットランドの王の**ジェームズ1世**でした。イングランド王も兼ねる形で王に即位し、新しい王家、**ステュアート朝**が成立しま

す。ジェームズ1世は「王権神授説」すなわち、「王の権力は神から与えられたものであり、絶対だ」と唱え、独裁を行います。子の**チャールズ1世**も独裁を行い、父子ともにカトリックやカルヴァン派（イギリスでは「ピューリタン」）を禁止し、イギリス国教会の信仰を強制します。

　チャールズ1世は議会を無視し、ほしいままに税をかけようとしたので、議会は「権利の請願」を提出し、「税をかけるときは議会の同意を得てからにしてください」と要望しますが、チャールズ1世は口うるさい議会に解散を命じます。議会は、その後10年間開催されなかったのですが、スコットランドで大規模な反乱が起きると、国民に戦費調達の協力を得るためにチャールズ1世は議会を招集し、議会の同意を取り付けようとします。

　もちろん、議会は「解散させられたのに、金が必要なときだけ召集するなんてムシがよすぎる！」と反発します。議会はすぐに決裂しますが（短期議会）、戦費のために新たな財源がほしいチャールズ1世は再び議会を招集します（長期議会）。**国王と議会の対立が続くと、貴族の間で、王に味方する王党派、議会に味方する議会派の2つに分かれます。**

イギリスにも「王がいない時代」があった

　議会派の中から登場したのが、**クロムウェル**という人物です。ジェームズ1世やチャールズ1世に禁止され、不満をもっていたカルヴァン派（ピューリタン）のリーダーになると、鉄騎隊を編成し、王党派たちを打ち破ってチャールズ1世を降伏させます。そして、チャールズ1世を公開処刑してしまいます。クロムウェルらによるこの革命は、ピューリタンが中心だったので、ピューリタン革命といいます。

　ピューリタン革命の結果、イギリスには王がいない「共和政」の時代がやってきました。もちろん、リーダーはクロムウェルです。クロムウェルのおさめるイギリスでは、アイルランドを征服してイギリス領とし、商売がたきのオランダを航海法（イギリスとその植民地からオランダ船を締め出して商売をさせないようにした）によって挑発、**イギリス＝オランダ戦**

争をしかけてオランダを撃破しました。この勝利によって、イギリスはオランダに代わって世界の貿易市場をリードすることになりました。ここから、クロムウェルが本性をあらわします。自ら護国卿という役を創設して就任し、議会を解散した後、独裁を始めたのです。さらに護国卿を終身の役職にすることで、一生、権力の座にとどまろうとしました。

独裁者よりも王のほうがまだマシ？

　独裁の王を倒したクロムウェルが独裁者になってしまったことは、国民にとって大変衝撃的な出来事でした。「結局、自分が王になりたいだけだったのか！」「これなら王のほうがまだましだ！」と反発が高まります。

　クロムウェルの死後、後を継いだ息子に対しても国民の反発がおさまらなかったため、息子はフランスに亡命せざるを得ませんでした。

　逆に亡命先のフランスからイギリスに迎えられたのがステュアート朝の王、**チャールズ2世**です。再びステュアート朝の王が戻ったことを「王政復古」といいます。しかし、この王も議会と対立し、議会を解散させて独裁の構えを見せると、その弟**ジェームズ2世**も議会を解散してしまいます。

外国から王を迎えよう！

　王が議会を無視して独裁を行い、共和政になっても独裁者が登場するという悪循環が続き、イギリスの議会も考えました。**独裁を防ぐために「海外から王を招き、議会を尊重するという条件で王位についてもらおう」**という考えにいたった議会は、ジェームズ2世の甥のオランダ総督ウィリアム3世に手紙を書き、その妻メアリ2世と共に王位就任を要請したのです。

　ウィリアム3世が、さっそくオランダ軍を率いてイギリスに上陸すると、ほとんどの貴族はジェームズ2世を見限ります。孤立したジェームズ2世はフランスに亡命し、ウィリアム3世にイギリスを明け渡します。議会は、即位した**ウィリアム3世**と**メアリ2世**に、王よりも議会が優位であることを宣言した「権利の宣言」を提出。両王が署名するとともに、「権利の章

典」として国民に発表し、**王に対する議会の優越**が確立したのです。この革命はほぼ戦闘らしい戦闘もなく、死者がほぼ出なかったことから、**名誉革命**と呼ばれています。

英語が話せないイギリス王

ウィリアム3世の死去後、ジェームズ2世の子、**アン**が即位します。アンの最大の業績はイングランドとスコットランドを合同し（両国の議会が1つとなり）、**グレート＝ブリテン王国**を成立させたことです。

アンの子が幼くして亡くなったため、アンの死後、ステュアート家の血をひく王はすべていなくなり、ステュアート朝が断絶します。

このときも、議会は外国から王を迎えるべく、ドイツのハノーヴァー家からイギリス王室の血を引く**ジョージ1世**を新たな王としました。この王は英語が話せなかったので、当然、**国政は議会任せ。王に対するイギリス議会の優越がさらに固まっていく**ことになります。

図5-6　イギリスの革命期

第5章 一体化する世界の時代　　近世のフランス

フランスの栄光、ルイ14世とヴェルサイユ宮殿

 フランスにもやってきた宗教改革の波

　フランスでは、百年戦争のときから続いていた**ヴァロワ朝**が引き続き王位に就いていました。宗教改革の波は、フランスにもやってきて、**カトリックを信仰する貴族とカルヴァン派を信仰する貴族に分かれてユグノー戦争という内戦が勃発します**（ユグノーはフランスでのカルヴァン派の名称）。内戦は泥沼化し、**サンバルテルミの虐殺**など多数の虐殺事件が起きます。

 内戦が終わり、ブルボン朝が始まる

　ここで登場したのが「良王アンリ」と称えられる名君、**アンリ4世**です。
　暗殺によってヴァロワ家が途絶えたため、分家のブルボン家の中から迎えられた人物ですが、ユグノー派のリーダーのアンリ4世が、代々カトリックのフランス王家を継ぐことに、**カトリック派の貴族が猛反発します。**
　ところが、アンリ4世は、抜群のバランス感覚でこの事態を収拾します。**自身がユグノーを捨ててカトリックに改宗したうえで、さらに、ユグノーに対して信仰の自由を認めたのです**（**ナントの王令**）。
　自分はカトリック側に立ち、かつ、ユグノーには信仰の自由を与え、どちらの顔も立てることで、ユグノー戦争を終結に導き、戦乱で荒れたフランスの復興に努めたのです。

 貴族への「口封じ」

　ブルボン朝の2代目の王は**ルイ13世**です。ルイ13世時代の宰相**リシュリュー**は、王の権力をさらに強力にするため、貴族の力を削減しようと試み

ました。**「三部会」という議会を停止してうるさい貴族の口を封じ、王だけが国の中で突出した権威者になるように画策**したのです。

フランスの栄光の象徴・太陽王

次の**ルイ14世**は、4歳で即位しました。自ら政治を行うには幼すぎたため、宰相の**マザラン**が、ルイ14世に代わって政治を行いました。

マザランも、リシュリューと同様に貴族の権限を削り、王の権力を強化しようとしますが、貴族たちも**フロンドの乱**を起こして権限の維持を図ります。一時はルイ14世やマザランが亡命するほどの大反乱になりましたが、貴族同士の内部分裂が起きて鎮圧されます。

この反乱は、マザランの死後に親政を開始した若いルイ14世にとって、大いにプラスに働きました。なにしろ、**貴族が自ら反乱を起こして鎮圧されたのですから、口うるさい貴族を処分した状態で統治を開始できたのです。**

「太陽王」ルイ14世は、「**朕は国家なり**（私こそがフランスそのものだ！）」と発言し、その言葉どおり、絶対王政の最盛期を実現しました。

まず、ルイ14世は、絶対王政を支える財源を確保するため、財務総監**コルベール**を登用し、国内産業の保護と貿易の振興を図る重商主義政策をとりました。そして、この儲けを惜しみなく壮麗な**ヴェルサイユ宮殿**の建設と対外戦争に投入します。

ルイ14世ほど、積極的な対外戦争を行った人物はいません。ただ、ルイ14世には「戦争好きの戦争ベタ」なところがあり、緒戦は勝っていても「引き際」がわからず、戦争を継続するうちに戦況が悪化し、最終的に不利な条件での和平を行うことが多々ありました。

その代表のような戦争が、ルイ14世最晩年の**スペイン継承戦争**です。**スペインのハプスブルク家が断絶したのをチャンスと見て、孫のフィリップをスペイン王にねじ込もうとしたところ、周囲の国々が「そうはさせるものか！」とフランスを総攻撃し、12年間もの大戦争になりました。**

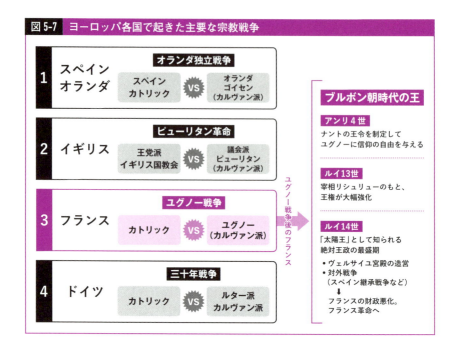

　国力を総動員してなんとかフィリップを**フェリペ5世**としてスペイン王家にねじ込むことに成功しますが、その代償として、**ユトレヒト条約**という講和条約においてアメリカの植民地を失い、実際の利益はマイナスになる"高くついた"戦争になってしまいます。

　また、ルイ14世は晩年に**ナントの王令を廃止**し、**ユグノー（カルヴァン派プロテスタント）の信仰を禁止**しました。

　やはりフランス王たる者、カトリックの「正統派」の国王であろうとしたのか、プロテスタントに改宗か国外追放かを迫るという政策を実行しますが、**ユグノーたちの大多数が商工業者だったため、商工業者の国外流出を招き、経済の停滞を招いてしまいました**。

　ヴェルサイユ宮殿の建設、相次ぐ（得の少ない）対外戦争、商工業者の海外流出と、**ルイ14世の晩年は財政難を招き、のちのフランス革命へとつながっていきます**。

第5章 一体化する世界の時代　　近世のドイツ

ドイツ全土の荒廃を招いた三十年戦争

 ドイツの人口が3分の1に

オランダ独立戦争やイギリスのピューリタン革命、フランスのユグノー戦争と同じように、ドイツ（神聖ローマ帝国）にもプロテスタントとカトリックの対立という宗教改革の波がやってきます。

皇帝カール5世は、ルターに妥協して「アウクスブルクの和議」において、**諸侯たちに、その地域がカトリックを信仰するか、もしくはルター派を信仰するかを自ら決められるようにしました。**つまり、300もある諸侯が、カトリックかルター派か選択できることになったわけです。

そうすると、一体どのようなことが起こるか。ある諸侯はカトリック、別の諸侯はルター派と、ドイツは"モザイクのように"ごちゃまぜになってしまいます。

和解のためのアウクスブルクの和議が、かえって国内の不統一を生んでしまったのです。隣り合った諸侯同士がいがみ合うようになり、17世紀最大の戦乱である**三十年戦争**が勃発してしまいます。

カトリックとルター派の諸侯がごちゃまぜになって混戦となり、なかなか決着がつきません。

カトリック側はスペインの力を借り、ルター派諸侯は同じプロテスタント国のデンマークやスウェーデン、そしてカトリック国のフランスの力を借りることになり、ヨーロッパ全体を巻き込む大戦争へと発展します。ドイツの人口が3分の1になったともいわれるひどい戦乱でした。

三十年戦争後、**ウエストファリア条約**で停戦が決まりますが、こんな大ゲンカのあとに、どんな努力をしたところで帝国が再び1つにまとまるわ

201

けがありません。皇帝は諸侯を独立国として認め、信仰を自由化しました。

以降、「神聖ローマ帝国」の名や皇帝は存在するものの、実際は解体したのも同然となります。そのため、ウエストファリア条約は**「帝国の死亡証明書」**といわれるようになったのです。

「新興国」と「古豪」が激突！

三十年戦争以降、ドイツの諸侯の中で頭角を現したのは、**プロイセン**と**オーストリア**の2つの国家でした。

プロイセンは、三十年戦争後に成立した若い国家です。「軍人王」といわれた**フリードリヒ＝ヴィルヘルム1世**のもと、軍備を増強して倹約に努め、いかにもドイツ人、というような質実剛健な国づくりを行います。その子が「大王」と称えられることになる**フリードリヒ2世**です。聡明で軍事的才能に恵まれ、芸術も学問も一流の人物でした。

一方、ハプスブルク家の**オーストリア**は、代々、神聖ローマ皇帝を輩出するヨーロッパ第一の名家でしたが、三十年戦争で神聖ローマ帝国が実質的に解体したのち、神聖ローマ帝国最大の諸侯として自国の経営に集中するようになりました。

「新興国」のプロイセンと「古豪」のオーストリア。このライバルが、ここから2回にわたって激突することになります。

第1ラウンドの**オーストリア継承戦争**は、オーストリア王に**マリア＝テレジア**という女性が即位したことに対して、**プロイセンのフリードリヒ2世が女性の相続を認めず、オーストリアに宣戦布告したことから勃発します**。プロイセンにはフランスが、オーストリアにはイギリスがそれぞれ味方して大戦争に発展した結果、プロイセンが勝利します。

フリードリヒ2世は、オーストリアのマリア＝テレジアの相続を認めるものの、炭田が密集する一大工業地帯だった**シュレジエン地方**をオーストリアから獲得しました。

豊かなシュレジエン地方を失ったマリア＝テレジアは、奪回を図るべく、

ヨーロッパ中を驚かせる同盟を組んでプロイセンと対抗しました。

それが、**300年以上も対立を続けていた「宿敵」フランスとの同盟**でした。同時期に、プロイセンも北方のロシアの脅威に対抗するため、イギリスと同盟関係を結び、外交関係がちょうど"取り替えっこ"された形になりました。これらの外交方針の転換を**外交革命**といいます。

リベンジマッチの戦線が世界に広がる

シュレジエン地方の奪回を図ったオーストリアと同盟国フランス、その阻止を図るプロイセンとイギリス、リベンジマッチのときがいよいよやってきました。第2ラウンドの**七年戦争**です。**戦線はヨーロッパのみならず、イギリスとフランスの間で起きたアメリカやインドの奪い合いにも発展し、世界中に拡大します。**

一時はオーストリアの勝利に傾きかけますが、プロイセンの勝利に終わり、シュレジエン地方の奪回はかないませんでした。

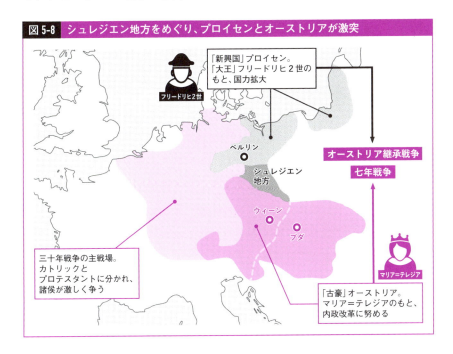

図 5-8　シュレジエン地方をめぐり、プロイセンとオーストリアが激突

第5章 一体化する世界の時代　　近世のロシア

ロシアの絶対君主となったドイツ人女王

 「独立回復」が大国への道の始まり

　この時代、いよいよ「北方の熊」ロシアが動き出します。

　キエフ公国ののち、ロシアはモンゴル帝国の一部になっていましたが、モスクワ大公国が成立するとロシアは再び独立を成し遂げ、シベリアへの領土を拡大して大国への道を歩み始めます。

 宗教戦争が起きなかったロシア

　17世紀初頭から20世紀にかけてロシアを統治した**ロマノフ朝**は、ロシア正教会の影響が強く、**他の国が経験したような、宗教戦争によって国が二分される事態になることがありませんでした。**

　そのため、皇帝（ロシア語で**ツァーリ**）が政治的にも宗教的にも強力にロシアを支配する専制政治（ツァーリズム）を行うことができました。

　そうした皇帝たちの中で最も有名な皇帝が「大帝」といわれた**ピョートル1世**です。「他国に勝つためには西洋化と近代化が必要」と唱え、大使節団を派遣してオランダやイギリスなど、当時の先進国をめぐらせて技術を吸収させました。さらに、本人も偽名を使って使節団の中に紛れこみ、オランダ東インド会社の造船所で4か月間船大工として働き、技術を習得しようとしました。こうした飽くなき近代化推進の結果、強大になったロシア軍は**北方戦争**によってスウェーデン軍を破り、ヨーロッパの新興勢力としてのロシアの名を人々に印象づけたのです。ピョートル1世はスウェーデンから奪ったバルト海沿岸の領土に新たな都市、**ペテルブルク**を建設し、本拠地をグッとヨーロッパに近づけました。

国民が歓迎したドイツ人のロシア皇帝

ピョートル1世と並んでロシア皇帝を代表する女帝となった**エカチェリーナ2世**は、ドイツの貴族の娘として生まれた純粋なドイツ人でした。

ロシア皇帝に嫁いだ王妃でしたが、気弱で能力不足の夫に満足せず、クーデターを起こし、自ら帝位についた女傑です。

知性と勇気を備えた女帝の誕生に、国民も教会も大変な歓迎をして、その即位を喜んだというので、よほどの人物であったことがうかがえます。

エカチェリーナ2世は皇帝として優れたリーダーシップを発揮し、軍事面ではウクライナと**クリミア半島**を手に入れ、ロシアが熱望する暖かい南方へ進出しました。

外交では、プロイセンとオーストリアを誘ってポーランドに領土を強要し、ポーランドを3国で分割してぶんどってしまいました（**ポーランド分割**）。そのため、ポーランドはしばらく地図から消滅することになります。

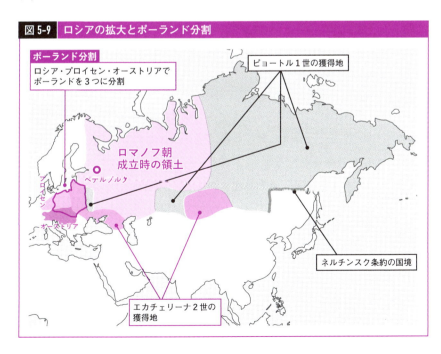

図5-9 ロシアの拡大とポーランド分割

| 第5章 一体化する世界の時代 | ヨーロッパの世界進出 |

世界の一体化で、ヨーロッパの支配が加速

 ポルトガル・スペインの世界進出

　ここまで見てきたとおり、大航海時代以降、ヨーロッパ諸国が盛んに海外に進出したことで、世界は1つになっていきました。ただし、**この「一体化」は、ヨーロッパ支配の拡大という「一方通行」の性格が非常に強かった**のです。

　世界にいち早く進出したポルトガルは、インドのゴアや中国のマカオに拠点をつくり、アジア諸国を大型船で結び、対アジア貿易を独占しました。

　アメリカ（新大陸）へいち早く進出したスペインは、アステカ王国やインカ帝国を滅ぼし、先住民を酷使して採掘したメキシコやペルーの銀をごっそり本国スペインに持ち帰りました。

 オランダの世界進出

　スペインから独立したばかりのオランダは、国の総力をあげて世界の港をつなぐ中継貿易を行いました。**小国オランダにとって、中継貿易こそが「国家」としての命運を握るまさに命綱だった**のです。

　オランダが狙ったのは「香料諸島」として知られるインドネシアのモルッカ諸島でした。この島々でとれる香辛料を独占するため、インドネシアの「玄関口」バタヴィア（ジャカルタ）に拠点を建設すると、遅れて進出してきたイギリスをアンボイナ事件（オランダ人がイギリス商館を襲った事件）で締め出してインドネシアの香料貿易を独占します。

　世界貿易の覇権をオランダが握っている状況は、のちにイギリス＝オランダ戦争で、オランダが敗北するまで続きました。

イギリス・フランスの世界進出と争い

インドネシア進出でオランダに負けたイギリスは、**インドネシアを諦める代わりにインドに力を入れました**。インドの綿花は「生活必需品」としての需要があったためです。イギリスは、インドにマドラスやカルカッタなどに拠点をつくりました。

対するフランスは、マドラスの近くにポンディシェリ、カルカッタの近くにシャンデルナゴルと、イギリスの拠点だった土地の近くに自分たちも拠点を置き、イギリスの儲けを横取りしようと企みます。

アメリカの地も、イギリスとフランスの奪い合いの場になり、イギリスの**ヴァージニア植民地**（「処女王」ヴァージン・クイーン、エリザベス1世にちなんだ名称）やフランスの**ルイジアナ植民地**（ルイ14世にちなんだ名称）などが築かれました。

この両国がヨーロッパで起きた戦争の裏で「もう1つの戦争」、すなわち植民地の奪い合いを行うようになります。

たとえば、スペイン継承戦争の裏で戦われた「アン女王戦争（アメリカの奪い合い）」、オーストリア継承戦争の裏で戦われた「ジョージ王戦争（アメリカの奪い合い）」、**七年戦争**の裏で戦われた「**フレンチ=インディアン戦争**（アメリカの奪い合い）」や「**プラッシーの戦い**（インドの奪い合い）」などがその代表です。

これらの戦いに勝利したイギリスは、世界貿易の最終的な勝者となり、のちの「大英帝国」の足掛かりを世界各地に築いていきます。

「黒い積荷」で儲けたヨーロッパ諸国

ヨーロッパ諸国は新大陸の植民地経営をするため、アフリカで奴隷を集め（同じアフリカ人に「奴隷狩り」をさせるのです）、その奴隷をアメリカ植民地に運び、売りさばきました。

「黒い積荷」といわれた奴隷は焼印を押されて船にすし詰めにされ、ほと

んど身動きのとれない状況でひと月から半年もの航海でアメリカに連れていかれるのです。船内で病におかされ亡くなる奴隷も多く、死ねば海に投げ捨てられました。

アメリカに無事到着したところで、悲惨な酷使が待っていました。メキシコの銀山やカリブ海のサトウキビ畑（砂糖は「白い積荷」といわれ、ヨーロッパにおいて高値で売れました）や北アメリカの綿花畑、タバコ畑で働かされます。アメリカで生産された物は、今度はヨーロッパに運ばれ、ヨーロッパで売りさばかれます。

そしてヨーロッパからアフリカには武器や綿織物を運びます。武器はアフリカの部族に売り渡され、対立する部族を襲撃させて「奴隷狩り」をさせ、奴隷の供給源としても利用するのです。

これまで見てきた、光り輝く国王たちの歴史は、こうした奴隷貿易などの三角貿易の富によって支えられていたという影の側面も忘れてはならないことでしょう。

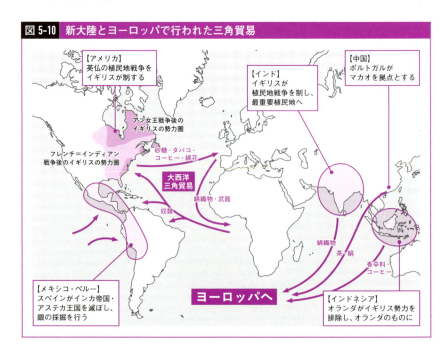

図 5-10　新大陸とヨーロッパで行われた三角貿易

第6章

革命の時代

第6章 革命の時代　あらすじ

歴史の舞台

「王の国家」から「人の国家」へ。
国民が国を動かす時代の到来

　本章では、産業革命、アメリカ独立革命、フランス革命、七月革命、二月革命、三月革命など、多くの「革命」が登場します。

　キリスト教の影響を強く受けた「神の国家」から、王が絶対的な権力を持つ「王の国家」へと移行し、そして革命の時代を経て国民が主権を持ち、国民の決定で国を動かすという「人の国家」が成立します。

　革命を通して、「人の国家」が数多く誕生することで、社会と戦争のあり方も大きく様変わりします。

　ヨーロッパの国々の世界進出が加速し、この時代の利害の対立がのちの世界大戦の"伏線"になるのです。

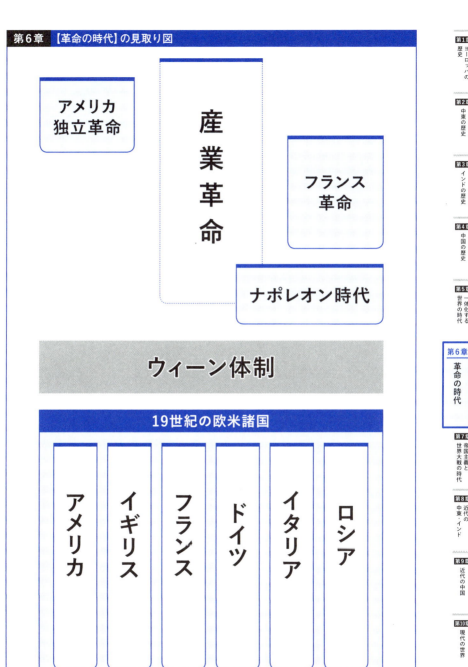

第6章 革命の時代　　　　　　　　　　　　　　　　　　　産業革命

「失業した農民」が「都市の労働者」へ

 イギリスの発展を支えた2つのもの

　前章では、イギリスが、オランダやフランスと争いながら世界貿易の覇権を握っていく過程をお話ししました。いわば、<u>「販路」を世界中に広げる過程</u>についてでした。この章では、イギリスが「産業革命」をいちはやく達成し、<u>国自体が「製造業」となって製品を生産し、その販路を利用して大きな利益を生み出すこととなります。</u>「世界の工場」といわれたイギリスに続き、ヨーロッパ列強諸国も次々と産業革命を起こし、販路拡大のための海外進出政策をとるようになります。

　<u>産業革命とは、「手工業」から「機械工業」へ変化する一連の技術革新のことをいいます。</u>イギリスがいち早く産業革命を達成し、「世界の工場」としての地位を確立できたのは、イギリス国内に「元手」と「人手」が十分に備わっていたからです。イギリスはインドやアメリカでの植民地獲得競争に勝利し、<u>大西洋の三角貿易やアジア貿易などによって商売をする元手がある程度たまっていました。</u>また、農業の合理化が進んでいたため、<u>失業した農民であふれていたのです。</u>都市で労働者を募集すれば、いくらでも集まる環境でした。

 綿織物業からエネルギー・交通の革命へ

　産業革命は、まず綿織物業から始まります。**ジョン＝ケイ**という人物が、綿織物を織る機械に「飛び杼」という簡単な仕組み（機構）を組み込みました。織物の横糸を巻きつけている「杼」に手を触れずに左右に移動する仕組みでしたが、この"ちょっとした工夫"が織物の生産効率を一挙に数

212

倍に跳ね上げ、たちまちイギリスは糸不足に陥ったといわれています。

そうすると今度は糸をつむぐための紡績機が必要になりますが、**ハーグリーヴズ**の**ジェニー紡績機**、**アークライト**の**水力紡績機**、**クロンプトン**の**ミュール紡績機**と、瞬く間に紡績機の改良が行われました。

こうした紡績機は、当初、水力で動いていましたが、**ワット**が**蒸気機関**を改良して、いろいろな用途で使えるようになると、紡績機や**カートライト**が発明した**力織機**（自動で織物を織る機械）に接続され、織物がさらに増産されます。蒸気機関は交通機関にも使われ、**スティーヴンソン**が実用の**蒸気機関車**を、アメリカの**フルトン**は**蒸気船**を実用化しました。

⚔ 革命が社会に生んだ大きな変化

産業革命は、様々な影響を世界にもたらしました。

まず、**機械の発展は、それまでの手工業者の「仕事を奪う」ことになります**。失業した手工業者は、その怒りを機械への恨みに換え、機械の打ちこわし運動（**ラダイト運動**）という暴動に発展しました。

次の変化は、**資本家**と**労働者**の分化です。機械を買い、工場を経営できる人は労働者を搾取することによってますます豊かになり、労働者は工場での長時間労働により（1日18、19時間の労働はよくあることでした）やっと生計がたてられる、というような生活になります。こうした労働者の不満が以後の労働運動や**社会主義運動**につながっていきます。

イギリスは産業革命をいち早く達成し、「**世界の工場**」の地位を確立しましたが、周囲の国もイギリスに追随しました。

まずは、イギリスから海を越えてベルギー、フランスへ、そしてアメリカ、ドイツに、少し遅れてロシアに、日本へと広がっていきました。

これらの国が当時の「先進国」として物をつくっては売り、世界の貿易をリードしていきます。一方、これらの国以外、特に**アジアやアフリカの国などは、先進国に原材料を提供し、先進国で生産されたものを買い取るという従属国の立場**を強いられていくようになります。

| 第6章 革命の時代 | アメリカ独立革命 |

"理不尽"な英国に反旗を翻した13の植民地

「王の国家」から「人の国家」へ

　産業や経済の構造革命だった産業革命と時を同じくして、今度は、政治構造にも「革命」が起きます。それが、アメリカ独立革命やフランス革命などの**市民革命**です。ここまで登場した国の多くは、**ひとりの王が主権をもち、王が思うままに国を動かすという「王の国家」でした。**

　しかし、アメリカ独立革命やフランス革命などの「市民革命」を経て成立した国家では、**国民の代表によって国の方針が話し合われ、国民の合意によって定められた「法」によって国が運営される「人の国家」**になったのです。特にアメリカは、人民に主権があることが憲法に明記された初の本格的な「人の国家」となり、その後の民主主義国家の成立に大きな影響を与えました。

バラバラな植民地

　北アメリカ大陸では、イギリスがヴァージニア植民地を建設して以降、イギリス人が13の植民地を建設しました（**13植民地**）。

　イギリス本国で自由に信仰できなかったカルヴァン派やカトリックのキリスト教徒が信仰の自由を求めて建設した植民地や、領主となって自ら経営するために開いた植民地、イギリス王から土地を与えられた植民地など、各々違ういきさつで成立しています。そのため、**13の植民地は、お互いにバラバラに独立した状態で存在していました。**

　なぜ、そんなバラバラな状態だったアメリカの植民地が一致団結して1つの国をつくり、イギリスと戦争をしてまで独立しようという動きになっ

たのでしょうか。そのきっかけになったのは、**フレンチ＝インディアン戦争**です（七年戦争の裏で、イギリスとフランスが植民地を取り合った戦い）。

結果はイギリスの勝利で、イギリスはフランスの広大な植民地を奪うことができました。各植民地にとっても、自分たちの土地をフランスの攻撃から守ることができ、かつ、イギリスの勢力範囲が広がることは喜ばしいことのように思えたのですが、新たな問題が出てきます。それが、「この戦争の戦費をどこから調達するか？」です。

イギリス本国は、この戦争のためにたくさんの兵士や物資をアメリカに送り込んでいたため、莫大な戦費がかかっていました。

そこでイギリスは、**植民地に重税をかけることで戦費を賄おうとしたのです。** 戦費をいわば「現地調達」するために、砂糖やワイン、コーヒーなどの嗜好品、出版物など、様々な物に重い税をかけました。

植民地側は、イギリスの方針で起きた戦争の尻ぬぐいをするように、自分たちに重税をかけられてはたまらないと猛反発します。そして、バラバラだった植民地が、ここで1つにまとまったのです。

植民地は、本国の議会に代表もいない状態で、"勝手に"本国議会にいろいろと決められている状況だったので、「**代表なくして課税なし**」というスローガンを決め、「議会に植民地代表も送っていないこの状況では、この税に我々は同意できない！」と主張しました。

⚔ お茶の色に染まったボストン港

このような状況下で、さらにイギリス本国は、お茶をイギリスの東インド会社の独占販売にするという**茶法**を制定しました。「日常で私たちが口にするお茶でも、イギリスは儲けようとするのか！」と、急進派はボストン港の東インド会社の船を襲い、お茶の箱を海に投棄します（**ボストン茶会事件**）。イギリス本国は、これを反逆的行為とみなしますが、植民地側も**大陸会議**を開いて、より一層の結束を図ります。

こうして、独立戦争が始まりますが、敵はなんといってもイギリスの正

第1章 ヨーロッパの歴史

第2章 中東の歴史

第3章 インドの歴史

第4章 中国の歴史

第5章 一体化する世界の時代

第6章 革命の時代

第7章 帝国主義と世界大戦の時代

第8章 近代の中東・インド

第9章 近代の中国

第10章 現代の世界

215

規軍。一方の植民地軍は、寄せ集めの民兵です。まともに戦って勝てる相手ではありません。そこで、植民地側は様々なカードを切ります。**トマス＝ペイン**は著書『コモン＝センス』で人々に平易な言葉で「独立こそが常識」と投げかけ、世論を高めます。続いて**ジェファソン**らにより独立宣言が作成されました。緒戦のうちに建国の理念を訴え、「正義は我にあり」と主張したのです。

イギリスのライバル諸国も助け舟を出します。フランスは兵を派遣してアメリカを支援し、ロシアのエカチェリーナ2世は武装中立同盟を結成して中立の立場を表明しながらアメリカへ物資の輸出を続け、アメリカをアシストします。その結果、アメリカは建国の英雄**ワシントン**が指揮をとったヨークタウンの戦いで決定的勝利をおさめます。

イギリスはパリ条約においてアメリカの独立を承認し、その4年後に人民主権であることが前文で明記された合衆国憲法が制定され、王のいない「共和政」の「民主主義国家」アメリカ合衆国が成立するのです。

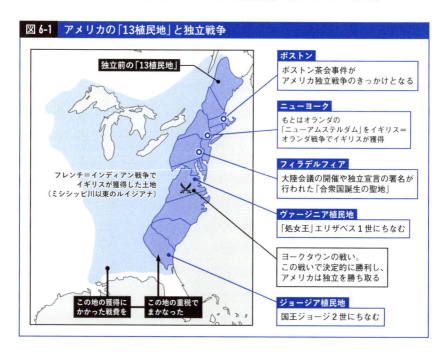

図 6-1　アメリカの「13植民地」と独立戦争

第6章 革命の時代　　　　　　　　　　　　　　　フランス革命

国王をギロチンで処刑！
ヨーロッパ中に動揺が走る！

⚔ たった2代の間で、天国から地獄へ

「フランス革命」とは、フランスの**ルイ16世**の王政が民衆によって打倒され、王のいない共和政に移行する一連の事件を指す言葉です。ひと言で「王政が民衆によって打倒され」というものの、考えてみると、ルイ16世の少し前の王は「太陽王」のルイ14世です。**かたや絶対君主として権力の絶頂にあったルイ14世と、かたやフランスの民衆の前に引きずりだされ、ギロチンによる公開処刑にあったルイ16世。たった2代の間で、フランスの王朝は、まさに天地がひっくり返る激変に襲われたということなのです。**

ルイ16世が王位に就いたフランスは、大変な財政難にありました。ルイ14世時代のヴェルサイユ宮殿建設などのぜいたくと多くの対外戦争に加え、ルイ16世自身もアメリカ独立戦争へのアメリカ出兵などを行い、財政は底を尽きかけていました。

こうした財政難を解決するため、民衆へ増税をしようと考えるのですが、平民に対する重税は限界に達し、もうこれ以上絞れないというところまで追い込まれます。

新たな財源は、それまで「特

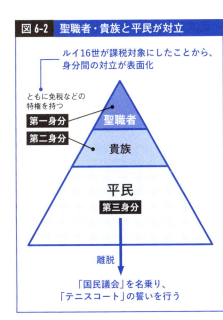

図6-2　聖職者・貴族と平民が対立

ルイ16世が課税対象にしたことから、身分間の対立が表面化

ともに免税などの特権を持つ
第一身分　聖職者
第二身分　貴族

平民
第三身分

離脱

「国民議会」を名乗り、「テニスコート」の誓いを行う

権階級」として税を免除してきた聖職者や貴族階級に税をかけるしかありません。

当然、聖職者と貴族は反発します。国王に文句が言いたい両身分は、ルイ13世以来停止されていた三部会の開催を要求。ルイ16世は受け入れて三部会の開催を決めます。そうすると今度は、三部会で今まで重税をかけられてきた平民（第三身分）と、税が免除されていた聖職者（第一身分）と貴族（第二身分）との対立という構図になります。

⚔ 第三身分の離脱

三部会での議論は、もちろん並行線です。第一身分や第二身分である聖職者や貴族は税を払いたくないし、第一身分や第二身分に税を払わせたいという第三身分の平民の間で膠着状態になり、話し合いは財政問題よりも「どのように議決するか？」という決め方をめぐって揉めに揉めました。

ここで第三身分が動きます。**三部会を離脱して、新たに自分たちを「国民議会」と名乗ろうとした**のです。ルイ16世は、自分の前で第三身分が勝手な動きをすることを許さず、議場から締め出してしまいます。

第三身分は「会議はどこでだってできる」と、球戯場（テニスコート）に集まり、そこを議場として国民議会の成立を宣言。自分たちの手による憲法制定まで解散しないというテニスコートの誓いを行うのです。第一、第二身分の中にも、この議会に同調する者が出ました。

⚔ 第三身分の動きは武力を伴った「革命」となった

ルイ16世は第三身分の勝手な動きに対し、武力で弾圧しました（ルイ16世自身は「お人よし」な面があり、国民議会を承認しますが、王妃マリ＝アントワネットや貴族の強硬派は強力に弾圧を進めたのです）。これに対し、民衆は実力行使に出ます。

幾多の政治犯を収容し、圧政の象徴だったバスティーユ牢獄を襲撃したのです。牢獄を占領するという行為は「自分たちを牢獄にぶち込むことは

できないぞ！」と、反権力の宣言をしているということです。

　また、要塞化されていたバスティーユ牢獄には武器弾薬が蓄えられており、まずは武器を確保したいという民衆の作戦でもあります。そして国民議会は「正義は我にあり」と**フランス人権宣言**を発表し、「自由と平等、そして**国民主権**」の国づくりを目指したのです。

⚔ 頂点に達した「主婦」の怒り

　バスティーユ牢獄が襲撃され、パリに革命の火の手が上がり、いたるところで軍と民衆が戦闘状態に突入します。パリではこの混乱と前年の不作により、民衆に食料が十分ゆきわたらなくなってきました。怒った数千人の「オバちゃん」たちが徒党を組んでヴェルサイユ宮殿に押し寄せ、「パンをよこしなさいよ！」「混乱の責任をとりなさいよ！」「ヴェルサイユなんかに引っ込んでないでパリに来なさいよ！」と言い出し（**ヴェルサイユ行進**）、ルイ16世とその一家はパリに連行されてしまいます。この**事件ののち、ルイ16世一家は、パリ市民の監視下におかれます。**

⚔ 逃亡によって国王の信頼が失墜

　さらに、ルイ16世一家の立場を悪くする事件が起きます。それが、彼らの逃亡未遂事件です（**ヴァレンヌ逃亡事件**）。国王一家が変装し、偽名を使って王妃マリ＝アントワネットの実家のオーストリア領を目指して逃亡。途中、ヴァレンヌという町で逮捕されました。

　この事件を境に、民衆の国王への気持ちが変化していきました。革命当初、民衆は王を本気で倒したいと思っていたわけでなく、王が聖職者や貴族の特権をおさえて、自分たちの権利を認めてくれさえすればそれでよかったのです。ところが、王が国を捨てて逃げたことで、もはや王に統治をする能力も意欲もないことが明るみになってしまったのです。

　民衆の王に対する気持ちは「信頼から失望」へ変化し、国民議会は憲法を制定して王の権利に大幅な制限を与えました。

219

⚔ 革命が対外戦争に発展

　フランス初の憲法が成立し、国民議会は**立法議会**と名前を変えました。立法議会が招集されると、2つの意見がぶつかります。

　1つは、**「王の存在を認めつつ、法を王の上に置き統治しよう」という「立憲君主派」**です（現在のイギリスやスペイン、北欧諸国がこれにあたります。天皇制をもつ日本も立憲君主制の一形態とされています）」。

　2つ目は、**「王の存在自体をなくして、憲法によって国を統治しよう」という共和政を主張する「ジロンド派」**です。

　次第に立法議会の中で王政の廃止を訴えるジロンド派が有力になると、革命に介入してフランス王政の存続を画策するオーストリアに宣戦布告します。ここからフランス革命は対外戦争という要素を含むようになります。

　国内問題だったフランス革命が対外戦争に発展した理由は、周辺諸国がどのようにフランス革命を見ていたのかを紐解くと明らかになります。

　周囲の国のほとんどが王政だったので、周囲の国王たちはフランス革命の動きを見て、「同じことが自国でも起きると、自分たちの身が危うくなってしまう」と危機感を抱いたのです。

　フランスと同じように自分の国でも不満を持った民衆が王宮を取り囲み、口々に権利を要求したら王の権威は急速に低下してしまいます。

　特に、フランス王妃**マリ＝アントワネット**の実家であるオーストリアはアントワネットの危機を救うために、フランス革命の進行を止めようと積極的に画策していました。

　オーストリアとプロイセンの正規軍が、革命の進行を止めるためにフランスに侵入するようになると、戦い慣れていない平民たちが中心のフランスの革命軍は、たちまち各地で苦戦します。

　フランス国内では、マリ＝アントワネットやルイ16世が密使を送り、フランス軍の作戦をオーストリアやプロイセンに漏らしているから苦戦しているのだという噂が立ち、フランス国民は「王はもはやフランス国民の味

方ではなく、オーストリアやプロイセンのために行動する敵」と考えるようになりました。

こうして、**ヴァレンヌ逃亡事件によって「信頼から失望」へ変化した王への気持ちが、対外戦争によって「失望から怒り」**に変わるのです。

⚔「王のいない」フランスの誕生

苦戦を続けるフランス革命軍の危機に、フランス全土から**義勇軍**が駆けつけます。このとき、義勇軍が歌ったのが現在のフランスの国歌『**ラ・マルセイエーズ**』です。歌詞には「残酷な敵が我らの息子や妻の喉をかき切って殺そうとしている。そいつらを倒して血を我らの畑に飲ませよう！」などと、過激な表現が使われています。

勢いを取り戻した革命軍は、宮殿を襲って王権を停止し、王を監獄に送り、共和政の樹立を宣言します（**8月10日事件**）。そして、プロイセンの正規軍に**ヴァルミーの戦い**で勝利します。

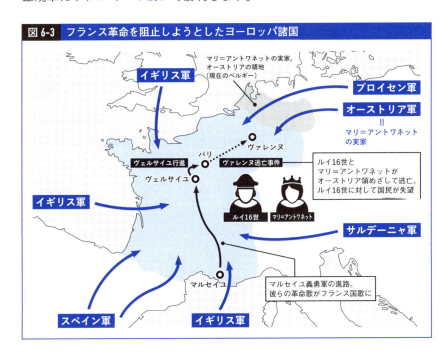

図 6-3 フランス革命を阻止しようとしたヨーロッパ諸国

王がギロチンで公開処刑

　王権の停止とともに男子普通選挙が行われ、新たな議会である国民公会ができました。国民公会は王政の廃止と共和政の樹立を宣言し、ここに、フランス史上初の「王のいない状態」、第一共和政が成立します。

　そして、ルイ16世と王妃マリ＝アントワネットは民衆の前に引き出され、ギロチンによって公開処刑されるのです。

　フランスで王が民衆の前に引き出され、公開処刑にあったことは周囲の国々の王にとって衝撃的な出来事でした。

「自分の国でも民衆の蜂起が起きて、王である自分が公開処刑される目にあったら……」と、身も凍りつくような思いだったでしょう。

　そこで、**各国ではフランスの共和政を早めに潰し、自らの王政を守ろうとします。**イギリスでは、首相ピットの提唱によって第一回対仏大同盟が結ばれ、フランスは全ヨーロッパを敵に回すことになりました。

　こうした危機を乗り切るため、フランス国内では強力なリーダーシップを持つ人物に権力を集中させようという動きが起こります。そして、強いリーダーシップをもつ**ロベスピエール**を中心とした、最も急進的なジャコバン派がジロンド派を追放し、政権を握ったのです。

　農民や下層市民を支持基盤とするジャコバン派は、強大な権限を持つ政府のもと、農奴を解放し、パリの貧しい市民のために最高価格令を定めて食料の価格高騰をおさえました。さらに、それらの政策とひきかえに徴兵制を実施するなどの改革を次々と実施します。

　徴兵制の効果は上がり、対仏大同盟の危機は少しずつ去りますが、ロベスピエールはその後も独裁を強め、反対派だけでなく、革命の同志も次々と処刑していき、「恐怖政治」の名をほしいままにしていきます。

　最高価格令によって自由な経済活動ができなくなったパリ市民や農民たちの間で、次第にこの独裁への不満が高まっていき、ロベスピエールは逮捕され、処刑されてしまいます（テルミドールのクーデタ）。

「5人で決める政権」は「何も決まらない政権」だった

独裁はもうコリゴリ。そんな国民の気持ちを反映するかのように、次に成立した総裁政府は5人の総裁の合議により運営される政府でした。独裁の心配はないものの、**権力の分散に重点が置かれたため、リーダーシップに欠け、政権は弱体化してしまいました。**

ナポレオンのクーデターが新たな局面に導く

独裁を行ったロベスピエールの次は、リーダーシップに欠ける総裁政府となり、フランス革命は迷走を始めます。この混乱を見て周辺諸国も、**第二回対仏大同盟**を結成し、フランス革命潰しを図ります。

再び全ヨーロッパを敵に回してしまうフランスですが、弱体な総裁政府ではまったく対応できそうにありません。そこで、民衆の期待を集めた人物が、イタリア遠征やエジプト遠征で名声を上げていた**ナポレオン**です。オーストリア軍やイギリス軍を次々に撃破する姿を見て、人々は熱狂し、フランスの危機をナポレオンに託そうとするのです。

総裁政府の5人のうちのひとり、シェイエスが、ナポレオンに軍事クーデタを勧めます。シェイエスは、当初、ナポレオンをクーデタに利用するだけしておいて、ナポレオンをおさえて自ら権力をふるう意思があったものの、ナポレオンのほうが一枚上手でした。クーデタと同時に先手を打って自ら第一統領を名乗り、**統領政府**を樹立。フランスの実権を握ることに成功します。ナポレオンは、第二回対仏大同盟を打ち破ると、民法典としての**ナポレオン法典**を発布します。そして、民衆の権利を守って国民の人気を獲得すると、国民投票によって**皇帝**に就任するのです。

究極の権力者とは「みんなで選んだ独裁者?」

いよいよフランス革命は「王を倒す」段階から「王がいない」段階を経て、「みんなで独裁者を選んでその支配をうける」という段階に突入します。

国民の「総意」で選んだ権力者である以上、国民のすべてがその支配に従うのも「総意」であるため、ある意味（たとえ善良な人物であろうとも）、**王よりもずっと強力な独裁者になりえるのです。**

ナポレオンはそうした国民の同意のもと、次々と対外戦争をしかけます。

海戦ではイギリスとの**トラファルガーの海戦**で敗北して、イギリス上陸はならなかったものの、陸戦では**アウステルリッツの三帝会戦**に勝利してオーストリア・ロシア連合軍を破ります。プロイセンも破ると、手に入れたドイツの領土に、従属国であるライン同盟をつくらせました。このことにより、名前が存在しているだけになっていた**神聖ローマ帝国が完全に消滅しました。**こうしてナポレオンの支配は西はスペイン、東はポーランドやハンガリーまで及んだのです。しかし、ナポレオンが本当に倒したかったのはフランスのライバル、イギリスです。今まで何度もフランス革命に介入し、ナポレオンも海戦で敗北していた「最強の敵」でした。

そこで、ナポレオンは、イギリスを苦しめようと、**大陸のヨーロッパ諸**

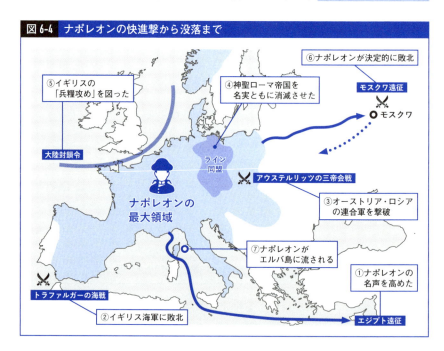

図6-4 ナポレオンの快進撃から没落まで

国にイギリスとの貿易を禁止し、イギリスを「兵糧攻め」にしようとしたのです（**大陸封鎖令**）。工業製品が売れず、食料も手に入らないようになれば、イギリスが経済的に困窮するだろうとナポレオンは考えました。

ナポレオンを恐れ、表面上では命令に従っていたヨーロッパ諸国でしたが、裏でロシアがイギリスに穀物を輸出するという「大陸封鎖令破り」をしていました。この裏切りが発覚すると、ナポレオンは制裁のために**モスクワ遠征**を行います。ところが、ロシアは非常に巧みでした。

ロシア皇帝**アレクサンドル1世**は、わざと敗北をかさねて退却しながら、ナポレオンを広大なロシアの大地におびき寄せ、冬を待って一気に大反撃を加えるという、ロシアの「広さと寒さ」を十二分に活用した戦略をとったのです。罠にまんまとかかったナポレオン軍は、戦死と凍傷により61万人の兵が5000人に減るまでの大敗北を喫します。

ナポレオン敗北というチャンスにつけ込むべく、ヨーロッパ諸国は対仏大同盟を結成します。**ライプチヒの戦い**で諸国の連合軍に決定的な敗北を喫したナポレオンは退位に追い込まれ、**エルバ島**に流されます。

ただし、ここで終わらないのがナポレオンです。諸国が戦後処理でモメている間にエルバ島を抜け出し、フランスに戻って帝位に返り咲きます（百日天下）。しかし、ナポレオンは**ワーテルローの戦い**で敗北。大西洋の絶海の孤島、セントヘレナ島に流されます。「ナポレオンが復活しないように」とこの地が選ばれたことからも、当時、いかにナポレオンが恐れられていたかがわかります。

図6-5 孤島に流されたナポレオン

ナポレオンは絶海の孤島へ流され、のちに死去

第6章 革命の時代　　　　　　　　　　　　　　　　　　　　　ウィーン体制

王政に逆戻りした
ウィーン体制に民衆は反発

再び「王の世の中」が戻る

　ヨーロッパ中を支配したナポレオンが敗北したことで、ヨーロッパにいったん「リセット」がかかった状態になりました。

　そこで、ナポレオン後のヨーロッパを諸国がどのように領土分配するのかについて話し合うために**ウィーン会議**が開かれました。

　会議の基本路線は**正統主義**です。正統主義とは、フランス革命もナポレオンもすべて"チャラ"にして、**王たちが支配するヨーロッパに戻そう**ということです。

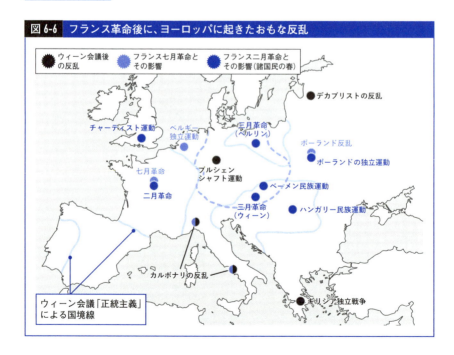

図6-6 フランス革命後に、ヨーロッパに起きたおもな反乱

フランスではブルボン朝が復活し、ルイ18世が王位に就きます。

そして、ナポレオンを破ったイギリスとロシアには多くの「ごほうび」が与えられました。イギリスにはケープ植民地とスリランカ、ロシアにはポーランドとフィンランドが与えられたのです。ナポレオンに服属していたスペイン、プロイセン、オーストリアも復活します。

再びどこかの国で革命が起きた場合、助け合ってすぐに革命を潰せるようにと、各国の間で四国同盟、神聖同盟という同盟関係も結ばれました。

しかし、ウィーン会議中、取り決めの大枠はすぐに決まったものの、領地の分配などの細かい案件をめぐって各国が対立し、話し合いがいっこうに進まなくなります。にもかかわらず、ウィーン名物の夜の舞踏会だけは連日のように開かれたので、「**会議は踊る、されど進まず**」と風刺されてしまいました。

⚔ 王政の復活に失望した民衆

フランス革命を経験した民衆にとっては、今さら「王様の世の中に戻す」といわれても、まっぴらごめんです。

国民が自由に政治に参加できて、かつリーダーも自分たちで選べ、農奴制もない平等な世の中。そういったフランス革命の理念が、ヨーロッパ中の民衆にすでに広がっていたのです。そのため、自由や権利を求める**自由主義運動**がヨーロッパ中に展開します。ウィーン会議の2年後には、早くもドイツで学生運動が起き、10年も経たないうちにイタリアでも「炭焼き党」カルボナリの反乱、ロシアではデカブリストの反乱など、ヨーロッパ各地で自由や権利を求める人々が反乱を起こします。

ウィーン体制が成立して王様たちの世の中に戻りましたが、すぐに自由主義運動の反乱が始まったことで、王の支配に不満をもった民衆や他国に支配されている国々は「我々も反乱を起こせば王政打倒や独立のチャンスがあるかもしれない！」と、考えるようになります。こうして、19世紀のヨーロッパでは、すさまじい数の革命や反乱が起きるようになるのです。

第6章 革命の時代　　　　　　　　　　　　19世紀のフランス

王政に戻ったフランスに再び革命の嵐が吹き荒れる！

またもや倒されたブルボン朝

　ウィーン体制後のフランスを見てみましょう。

　フランスはウィーン会議の結果、**ルイ18世**のもとにブルボン朝が復活しました。ルイ18世は議会に協力的な姿勢を見せますが、聖職者や貴族を重用したため、国民に失望されました。その弟**シャルル10世**は、議会を解散して独裁と絶対主義を強めたために、国民の不満が一層高まります。この不満をそらすため、シャルル10世は<u>アルジェリアに出兵</u>しますが、それでも不満がおさまらないパリ市民はブルボン王政を打倒すべく、再び革命に立ち上がります。

　激しい市街戦の結果（ドラクロアがこの市街戦を題材に『民衆を導く自由の女神』を描いています）、シャルル10世は国外に亡命してブルボン朝は再び倒れ、自由主義者として知られたオルレアン家の**ルイ＝フィリップ**が新しい王に迎えられます（この革命を**七月革命**といいます）。

革命の記憶が民衆に蘇る

　七月革命は、ヨーロッパの民衆の間でフランス革命の記憶が冷めやらぬうちに再び起きた革命でした。「革命を起こせば、支配者を倒せるかもしれない！」という気持ちが民衆の中に再び沸き上がったことで、<u>革命が各地に飛び火し、「ワンチャンス狙いの革命運動」</u>が多発することになるのです。

　ベルギーでは、オランダに対する闘争の結果、独立を手にします。続いてロシアの属国ポーランドが独立を訴え、ロシアに対して反乱を起こしますが鎮圧されます。イタリアでもカルボナリが復活し、自由や権利を求め

て反乱が起こります。

⚔️ 民衆は「金持ち優遇政策」に失望

　七月革命によって王位についたルイ=フィリップの王政は**七月王政**と呼ばれます。もとから人々の自由や権利に理解があり、「国民王」といわれたルイ=フィリップなら、善良な政治をしてくれるとの期待が国民にはありました。

　しかし、ふたを開けてみれば、ルイ=フィリップは金持ちばかりを優遇します。選挙権もお金持ちにしか与えず、普通選挙の要求も退けるルイ=フィリップに「株屋の王」というあだ名がつけられ、農民や労働者階級は不満を募らせました。「やはり王に期待してはいけない。共和政でないとダメだ！」という思いを持った市民が再び蜂起し、革命に立ち上がりました。

　そして、ルイ=フィリップはイギリスに亡命し、共和政が成立します（**二月革命**）。この革命によって成立した共和政は、フランス革命期の「国民公会」による第一共和政に対して**第二共和政**と呼ばれます。

⚔️ ヨーロッパ中の国民が立ち上がる

　二月革命も、七月革命と同様に各地に飛び火して反乱や暴動が起きます。プロイセンやオーストリアでは**三月革命**が起きてウィーン体制を指導していたオーストリア外相メッテルニヒが亡命します。ポーランドでは、再びロシアに対する独立運動、オーストリアでは独立を求めてベーメンやハンガリーで暴動が起きます。イギリスでは労働者が権利の拡大を求めて**チャーティスト運動**が起きました。こうした1848年のフランス二月革命から始まり、ヨーロッパ中に飛び火した反乱、暴動、革命などの運動をまとめて「**諸国民の春**」といいます。**今まで下の身分に置かれていたり、権利が制限されていたり、他国に従属していたりする民族が一斉に蜂起して世の中をひっくり返そうというムードがヨーロッパに充満していきます。**

　もはや、ウィーン体制はあとかたもなく崩壊してしまったのです。

229

⚔ 今度は、農民と労働者が対立

さて、フランスに久しぶりに「王がいない政治」（第二共和政）が戻ってきました。ところが、フランスに**新たな悩ましい問題が起こります。**

それは「農民」と「労働者」という社会の中で大部分を占める２つの階層の対立です。両者は、共に貧しい階層ではありますが、「労働者」は自ら土地や工場などを持たない、**社会の中で最も貧しい階層**、一方の「農民」は**狭いながらも自分の土地を持っている階層、**という違いがあります。

最も貧しい階層の労働者は、土地や工場を国の所有にして、生産物を国中の人々が"平等"に受け取れる「社会主義」を求めます。しかし、農民は、狭くとも自分の土地を持っているので、土地の国有化に強く反発したのです。

王政下では、こうした国内のトラブルを王が"自分勝手"に裁くことができたため、対立が尾をひくことはありませんでした。しかし、**共和政になると、自分たちのトラブルは自分たちで解決しなければならず、**農民と労働者の対立は深まっていき、社会不安が増大しました。

⚔ ナポレオンの甥っ子の登場

ここで**ルイ＝ナポレオン**という人物が登場します。名前からも明らかなとおり、ナポレオンの一族で、甥っ子にあたります。

「ナポレオンの名を持つ彼ならば、農民と労働者の対立を解決してくれるに違いない！」という期待が国民の間に高まりました。その結果、ルイ＝ナポレオンは国民投票によって皇帝の位に就任し、**ナポレオン３世**と名乗ります。彼の政治は**第二帝政**と呼ばれます。

ナポレオン３世は、国民の目を社会不安からそらすため、対外戦争を積極的に行ったり、パリの都市環境を整備したり、万国博覧会を実施したりする人気取りで社会の対立を棚に上げようとしました。

ナポレオン３世が、クリミア戦争、アロー戦争、インドシナ出兵、イタ

リア統一戦争などの対外戦争で勝利を重ね続けたため、国民の人気が急上昇。反比例するかのように、社会各層の不満はおさまっていきました。

ところが、**人気取りの政策を続行するため、ナポレオン３世は、勝算が少し低い戦争にも首を突っ込むようになります。**

メキシコ出兵では、メキシコにフランスの衛星国をつくろうと強引に戦争を行い、大敗北を喫します。続いて、プロイセンのビスマルクに戦争をしかけられ、ナポレオン３世自身が捕虜になるという大失態まで演じてしまい（**プロイセン＝フランス戦争**）、第二帝政は終わりを告げます。

半ばプロイセンに降伏同然となったフランス国内では、しばらく混乱が続きます。社会の最下層が政府を樹立した史上初の労働者政権（**パリ＝コミューン**）ができますが、すぐに武力鎮圧されます。

その後、ようやく**第三共和政**が成立して落ち着きを見せます。プロイセンがドイツ帝国になると、**フランス国民の不満はドイツに向けられるようになり、のちの第一次世界大戦が勃発する原因となるのです。**

図6-7　フランス革命以降の体制の変遷

| 第6章 革命の時代 | 19世紀のイギリス |

イギリス史上空前の繁栄・ヴィクトリア時代

⚔ フランスと違い、イギリスは「改革」

ヨーロッパの19世紀前半は、フランス革命からの七月革命や二月革命、そこから飛び火したベルギーやポーランド、ドイツの暴動や反乱など、混乱続きでした。

しかし、**イギリスでは、もともと王権に対して議会が強かったため**、民衆は武力蜂起による「革命」ではなく、議会に「改革」を求めることで、**平和のうちに自分たちの自由や権利を拡大していきました。**

たとえば、民衆が「商業の自由をよこせ！」と議会に改革を要求すれば、東インド会社の商業活動が全面禁止され、アジア貿易に自由に参加できたり、「イギリス国教会以外のキリスト教徒にも宗教の自由をよこせ！」と改革を要求すると、政治面での宗教差別が撤廃されたりしました。

労働環境を改善する工場法という法律も制定されており、まさに「改革」によって、人々の自由や権利が少しずつ拡大していったのです。

⚔ 「大英帝国」の黄金期、ヴィクトリア時代

そして19世紀後半の**ヴィクトリア女王**の時代に入り、イギリス史上最高の繁栄を迎えます。**アヘン戦争**、**クリミア戦争**、**アロー戦争**などの対外戦争にいずれも勝利し、また、**スエズ運河を買収**して、カナダ、インド、エジプトなどを次々と手中におさめます。

国内の政治では、工業労働者から農民、鉱山労働者へと少しずつ選挙権が拡大し、保守党の**ディズレーリ**首相と自由党の**グラッドストン**首相が交互に政権を担当する安定した二大政党制が誕生しました。

232

第6章 革命の時代　　　　　　　　　　　　　ドイツ・イタリアの統一

軍事・外交の天才
ビスマルクが「ドイツ」をつくる

⚔ 統一が遅れたドイツとイタリア

フランスやイギリスが革命や改革を重ねて強国としての階段を登った一方、**ドイツやイタリアは国内の分裂状態が続き、なかなか１つにまとまることができませんでした。**

経済を例にとっても、国内の小国家同士が関税をかけ合って、小さな競争をしている状態だったので、国が一丸となって製品を生産し、海外に植民地をつくって売りつけていたフランスやイギリスにはどうしても勝てません。軍事面でも、小国家ごとの軍事規模が小さかったため、対外戦争で実力を発揮することができませんでした。ドイツやイタリアは小国家の垣根を壊そうと、何度も一体化を試みるのですが、両国ともに、その道のりは平坦ではなく、なかなか実現が果たせずにいました。

⚔ プロイセンとオーストリアの主導権争い

ドイツはこれまでお話ししてきたとおり、神聖ローマ帝国時代から「領邦」と呼ばれる多くの諸侯が寄せ集まった地域です。ナポレオンによって神聖ローマ帝国は消滅しましたが、小国家の分裂状況は変わりません。

加えて、**プロイセンとオーストリアの二大国家の間で続いていた「意地の張り合い」が、ドイツの統一を阻害していました。**

そこで、プロイセンは関税同盟の結成を提案して経済的な一体化を進め、産業や貿易の面でドイツの団結を促しますが、プロイセンがドイツ内で主導権を握ろうとしていると考えたライバルのオーストリアは、関税同盟に加わろうとしませんでした。

233

⚔ 武力でドイツを統一

「経済的」な一体化に続き、「政治的」にドイツを一体化させるために開かれた会議（**フランクフルト国民議会**）でも、プロイセンとオーストリアは衝突します。**統一ドイツにオーストリアを入れる「大ドイツ主義」と、オーストリアを除外する「小ドイツ主義」が対立したため、いっこうにドイツ統一への道筋はつきませんでした。**状況はプロイセン王**ヴィルヘルム１世**の即位と、その首相**ビスマルク**の就任によって変化します。

ビスマルクは「**ドイツ統一は軍隊と戦争によって成し遂げられる！**」と唱える**鉄血政策**によって軍備を増強し、「ドイツ統一に対してつべこべいうオーストリアを外してしまえ！」と、**プロイセン＝オーストリア戦争**でオーストリアを破ります。そして、ドイツからオーストリアを除外する姿勢を明確にし、プロイセンを中心とする**北ドイツ連邦**を成立させました。

しかし、南ドイツを中心にドイツの中でもプロイセンの支配に従わない小国家たちがまだ存在します。そこでビスマルクはフランスを挑発し、戦争をしかけます。罠にかかったフランスがドイツに宣戦すると、ビスマルクはフランスを「ドイツ人共通の敵」にして、南ドイツの国々に一致団結を訴えかけます。そして、南ドイツの国々を戦争に巻き込んでいくことで、プロイセンの支配下においたのです。

プロイセン＝フランス戦争で、フランスのナポレオン３世を捕虜にするという大勝利をおさめたプロイセンは、戦争に協力した南ドイツの諸国も合わせ、ドイツの盟主として「ドイツ帝国」の成立を宣言しました。

⚔ 「北」からサルデーニャ、「南」からガリバルディが進軍

ドイツと同様、イタリアにも統一の動きが起きます。プロイセンによってドイツの統一が成し遂げられたように、イタリアでは**サルデーニャ王国**が中心となって統一活動がなされます。サルデーニャ王の**ヴィットーリオ＝エマヌエーレ２世**とその首相**カヴール**がフランスの支援をとりつけ、北

部と中部のイタリアを統一しました（**イタリア統一戦争**）。さらに、英雄として名高い**ガリバルディ**という人物が義勇軍「赤シャツ千人隊」を率いてイタリア南部のシチリア島やナポリを占領すると、統一を求める人々の支援も得て、南イタリアをたちまち統一しました。

　北方からサルデーニャ、南方からガリバルディ。2つの統一勢力が衝突するかと思われたそのとき、劇的なシーンが訪れます。**イタリア南部を統一したガリバルディが、サルデーニャ王にイタリア南部を献上し、自身は身を引くことを宣言したのです。**このとき、軍事衝突になっていたら、国を二分した戦争に発展して、イタリアの統一は遅れていたに違いありません。イタリア人らしい身の引きっぷりに、人々は感嘆と称賛を送りました。

　イタリアは統一されたものの、オーストリアが、引き続き北部の一部にイタリア人居住地域（トリエステなど）を支配していたため、この地が、後々、「未回収のイタリア」としてイタリアとオーストリアの間で対立が起きる原因になります。

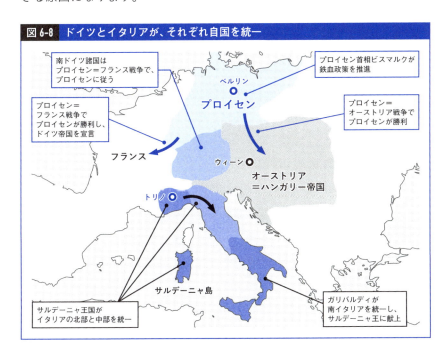

図 6-8　ドイツとイタリアが、それぞれ自国を統一

| 第6章 革命の時代 | ロシアの南下と東方問題 |

暖かい地へ！
ロシア南下の野望と挫折

⚔ 冬に身動きがとれない

　モスクワ遠征においてナポレオンを破った「最高殊勲選手」としてウィーン会議の主役になり、勢いづいたロシアは、南下政策を本格的に進めるようになります。冬になると港が凍りつき、軍事行動も貿易もできなくなる**ロシアにとって、凍らない港の獲得は「悲願」でした。**

　しかし、南下の最短距離だった黒海から地中海の出口、**ボスフォラス海峡**と**ダーダネルス海峡**はオスマン帝国が支配しています。ロシアはオスマン帝国からこの2つの海峡を奪わなければ海に出られなかったのです。

　そこでロシアが目をつけたのは、「バルカン半島のオスマン帝国に支配されている諸民族」でした。セルビア、ルーマニア、ブルガリアなどの国々は、この時点でオスマン帝国に支配されているものの、ゆくゆくは独立したいという意思を持っていたのです。ロシアが、この**小国家たちを味方につけ、オスマン帝国を動揺させて海峡を得ようとした一連の諸問題を「東方問題」といいます。**

　当初、ロシアはオスマン帝国の紛争に介入することで港を得ようとしますが、うまくいきません。そのため、ロシアは**自ら戦争を起こしてオスマン帝国を破り、正面から両海峡を奪いにかかります**（**クリミア戦争**）。

　大国ロシアに正面から襲いかかられたオスマン帝国は、イギリスとフランスに救援要請を出します。イギリスとフランスはライバル国同士ですが、ロシアが凍らない港を得て「鬼に金棒」となることを恐れたのです。

　イギリスのヴィクトリア女王、フランスのナポレオン3世による「最強タッグ」が組まれ、戦史に残る激戦の末、ロシアは敗北します。

そして、戦後、両海峡はおろか、黒海にさえロシア海軍が置けないという厳しい条約が結ばれました（**パリ条約**）。戦争を主導した皇帝ニコライ1世は衰弱し、失意のうちに亡くなってしまいます。

⚔ 英仏との力の差を埋めるため、改革を断行

次の皇帝**アレクサンドル2世**は、クリミア戦争の敗戦の原因は、ロシアの産業革命が不十分なことにあると考えました。ロシアと、すでに産業革命が進んでいたイギリスやフランスとの間には、軍艦や大砲などの軍備に歴然とした差があったのです。そこで、アレクサンドル2世は国内の改革に乗り出します。**最初に着手したのが、農奴解放です。産業革命の基礎となる国の生産力向上のため、「領主に働かされる農奴」を解放して、「自主的にやる気をもって働く自営農民」に変えようと考えたのです。**

ただし、農奴解放令は、農民たちに「お前たちは自由だ！」といっただけで、農民は土地を自分で買わなければなりませんでした。土地を買うお金のない貧しい農民は、ミールという農村共同体から農地を借りて細々と耕作するしかなく、農民にとっては、不満の残る改革でした。

⚔ ロシアの野望を再び阻止したドイツ首相

それでも徴兵制を実施して産業化を押し進めたロシアは、再びオスマン帝国に戦争をしかけ、クリミア戦争のリターンマッチを行います（**ロシア＝トルコ戦争**）。今度はロシアが勝利をおさめ、ルーマニア・セルビア・モンテネグロの独立（親ロシアの国家たち）と、ブルガリアを独立させてロシアの保護国とすることをオスマン帝国に承認させました（サン＝ステファノ条約）。その結果、ロシアは両海峡そのものではなく、**ルーマニアやブルガリアをつたい、ブルガリアの港を使用することで「凍らない港」を得ることになりました。**ロシアに凍らない港を与えると、ロシアの強大化によって世界のパワーバランスが崩れてしまいます。ロシアを危険視したのが、ドイツ首相の**ビスマルク**です。オーストリア、イギリス、フランス、イ

237

タリアなどの同意をとりつけて**ベルリン会議**を開催し、サン＝ステファノ条約に修正条項を加えるよう要求します。ブルガリアを縮小し、地中海沿岸の領地をオスマン帝国に返還させることによって「ロシアが国づたいに地中海に到達できないように」させたのです。こうして、ロシアの野望は再び挫折してしまいました。

 西からの南下ルートを諦め、東へ

地中海方面への強引な進出は、他のヨーロッパ諸国全体を敵に回すことになるとわかったロシアは、方針を転換して東アジア方面からの南下を図ろうと、シベリア鉄道を起工します。しかし、東アジア方面の凍らない港を得ることは、日本と満州や朝鮮半島の主導権を取り合うことを意味します。**日露戦争は、こうしたロシアの方針転換により引き起こされたものなのです。そして日露戦争に敗北したロシアは、再び地中海方面での南下を図って、第一次世界大戦が勃発します。**

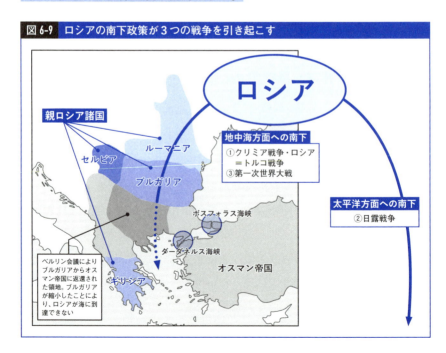

図6-9　ロシアの南下政策が3つの戦争を引き起こす

| 第6章 革命の時代 | アメリカ南北戦争 |

経済政策と奴隷制で真っ二つになったアメリカ

⚔ 独立後、西への拡大を続ける

独立後のアメリカは、買収や併合、時には戦争による割譲などによって、西へ西へと積極的に領土を拡大していきました。西への拡張政策は、アメリカ国内では「明白な天命」といわれていました。

⚔ 奴隷への意見が真っ二つに割れる

西への拡大と時を同じくして持ち上がったアメリカの課題が、奴隷制をめぐる南北対立です。北部の州は商工業が中心で、質の高い商品をつくって売るために、労働力として、教育が与えられた「市民」が必要です。

一方、南部は農業中心で、綿花農場が多かったため、「奴隷」のような安価な労働力が大量に必要でした。**奴隷を解放して労働力として雇用したい北部は奴隷解放を訴え、南部は奴隷がなくなると農場での働き手がいなくなるため、奴隷制の存続を訴えます。**

このような産業構造の違いは貿易政策にも波及し、北部の資本家は政府に安価で質の良いイギリス製品が国内に入ってこな

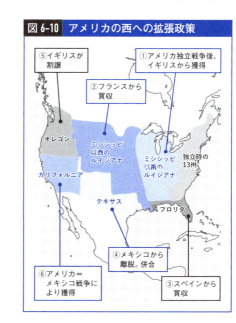

図6-10　アメリカの西への拡張政策

- ①アメリカ独立戦争後、イギリスから獲得
- ②フランスから買収
- ③スペインから買収
- ④メキシコから離脱。併合
- ⑤イギリスが割譲
- ⑥アメリカ＝メキシコ戦争により獲得

オレゴン／ミシシッピ以西のルイジアナ／ミシシッピ以東のルイジアナ／独立時の13州／カリフォルニア／テキサス／フロリダ

いよう**保護貿易**を政府に要求する一方、南部の農場経営者はイギリスの資本家に綿花を大量に買ってほしいので、イギリスとの貿易を促進する**自由貿易**を政府に要求します。奴隷の面でも、貿易の面でも、アメリカの南北は「別の国」といえるほど対立が激化しました。

真の「自由」への道は遠い

　北部の中から奴隷制に反対する**共和党**が成立し、**リンカン**を第16代代表に推すと、南部は、ジェファソン＝デヴィスを大統領に「アメリカ連合国」の建国を宣言して対抗します。こうして、アメリカを２つに割った南北戦争が勃発します。初めは南部が優勢でしたが、リンカンが**奴隷解放宣言**を出し、この戦争の正義は自分たちにあると内外にアピールすると、戦況は次第に北軍優勢となり、**ゲティスバーグの戦い**で北部が決定的勝利をおさめました。ゲティスバーグの戦いの後、「人民の、人民による、人民のための政治」というフレーズでお馴染みのゲティスバーグの演説が行われました。戦後、奴隷解放宣言に基づき、奴隷は解放されました。

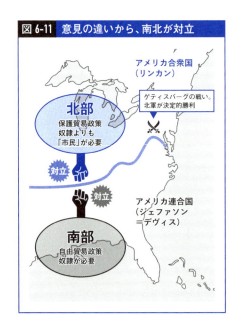

図 6-11　意見の違いから、南北が対立

アメリカ合衆国（リンカン）
ゲティスバーグの戦い。北軍が決定的勝利
北部　保護貿易政策　奴隷よりも「市民」が必要
対立
アメリカ連合国（ジェファソン＝デヴィス）
南部　自由貿易政策　奴隷が必要

自由は与えられたものの、土地も仕事も与えられるわけではありませんでした。そのため、解放された奴隷たちは土地も仕事もイチから手にいれなければなりません。**結局、解放された奴隷たちは仕事を求め、もとの奴隷主のところで小作人として働くことになってしまいます**（分益小作人。シェアクロッパー）。この後も、黒人たちは自由と権利を手に入れるための長い苦労の歴史をたどることになります。

第7章

帝国主義と世界大戦の時代

第7章 帝国主義と世界大戦の時代　あらすじ

歴史の舞台

なぜ、2つの世界大戦は起きてしまったのか？

　本章のメインは、世界中を巻き込んだ2つの世界大戦です。
　大航海時代以来続いていた世界の一体化の動きが、帝国主義の登場により、さらに加速します。
　そして、産業革命を経てつくられた資本主義経済体制は、あくなき市場獲得のための植民地獲得競争へと発展します。
　この競争の行き着く先には、第一次世界大戦、第二次世界大戦という人類史上未曽有の悲劇が待っていました。
　また、この時代には、「平等」を謳った新しいタイプの国家、「社会主義国家」も登場します。

第7章 【帝国主義と世界大戦の時代】の見取り図

帝国主義の成立

帝国主義の進展

| イギリスと
フランス | アフリカ
分割 | ロシアの
南下 | アメリカの
帝国主義 |

ドイツの帝国主義

列強の対立とバルカン情勢

第一次世界大戦　ロシア革命

ヴェルサイユ体制の始まり

アメリカの繁栄と恐慌

平和への10年

世界恐慌

| ブロック経済 | ファシズム |

第二次世界大戦

第7章 帝国主義と世界大戦の時代 | 帝国主義の始まり

資本主義の発展が植民地の拡大をあと押し

「王国」から「帝国」の時代へ

　我々が普段目にする映画やアニメなどには多くの「帝国」が登場します。それらの帝国は強大な力で地球や宇宙を支配しようとしてしばしば主人公の前に立ちはだかります。皆さんにも「帝国」が強大な力を持つ（「悪」の意味を含む）国家という印象があるのではないでしょうか。

　「帝国」という言葉を辞書で引いてみると、**複数の地域や民族を支配する国家**、とあります。ヨーロッパが世界の覇権を握り、爆発的に植民地を各地に形成した19世紀から20世紀の時代を「帝国主義」といいます。

　ヨーロッパ諸国が世界に支配地域を広げたのは、ただ「威張りたかった」だけではありません。**「国内産業の保護」という経済的な側面**もありました。

　18世紀のイギリスで起きた産業革命は、石炭で"お湯を沸かして"蒸気を取り出し、その力で機械を動かしてモノを生産する、という生産様式の変化でした。時代は進んで19世紀後半から20世紀になると、**「石炭は石油に」**、**「蒸気は電力に」置き換わり、モノを生産するのみならず、「モノをつくる機械を機械でつくる」**という「第二次産業革命」という生産様式の変化が見られました。以前は「100個の商品を製造する機械」をつくっていたのが、「100個の商品を製造できる機械を100台つくれる機械」をつくるようになるのです。

ハイリスク・ハイリターンが「帝国主義」を生み出した

　生産力が増えてうれしい反面、機械を使って物をつくる資本家（「産業資本家」）たちは頭を抱えることになります。なぜなら、今まで100個売れば

244

よかった商品を、今度は10000個売らなければならなくなったからです。

全部売り切れれば儲けは100倍ですが、材料や設備投資にお金がかかっているので、売れなければ一発で倒産してしまう可能性があります。

銀行や株主（「金融資本家」）たちも、産業資本家に貸したお金の利子で儲けているので、貸したお金が回収できなければ一発で倒産してしまう可能性もあります。**このように、第二次産業革命以降（そして現在も）の産業構造は、「ハイリスク・ハイリターン」にならざるを得ないのです。**

かくして、産業資本家や金融資本家は政府に要請し、軍隊を各地に派遣して植民地を獲得し、商品の売りつけ先（市場）と原料の供給先を求めることになります。

植民地が広げられなければ国内の企業は倒産して、ライバルの国に先をこされてしまい、ひいては社会不安や革命につながってしまうのです。こうした**「資本主義の高度化」が植民地を拡大し、様々な民族を支配する帝国主義**につながったのです。

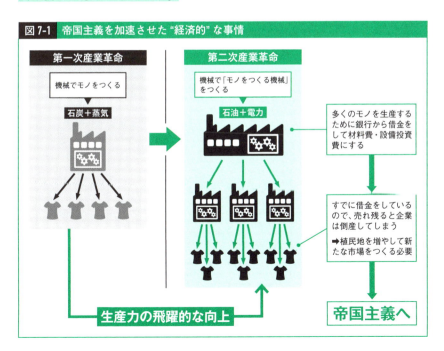

図 7-1　帝国主義を加速させた"経済的"な事情

第7章　帝国主義と世界大戦の時代　　　　　　　英仏の帝国主義

「世界の半分」を支配したイギリスとフランス

 ひと足早く、ひと皮むけた英仏

　帝国主義の代表的な国が、イギリスとフランスです。現在、世界に約190カ国ほどの国がありますが、20世紀初頭、そのうちイギリスが約70カ国、フランスが約30カ国を自国の領土にしていました。2カ国でなんと、「世界の半分」もの土地を手にしていたのです。

　世界に先がけて産業革命を達成し、莫大な資金を手に入れた両国の資本家は、資金を他国の企業に貸し付けることで儲けていました。そして、イギリスのシティは世界金融の中心となり、イギリスは「世界の工場」から

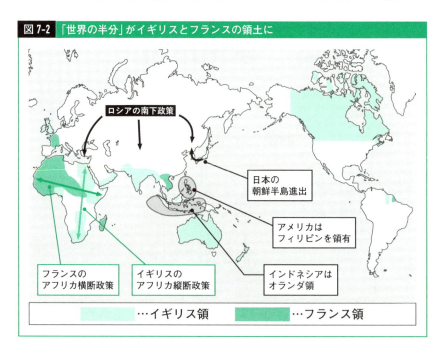

図7-2　「世界の半分」がイギリスとフランスの領土に

「世界の銀行」といわれるようになるのです。また、フランスは成長途中の
ロシアなどに先行投資し、「高利貸し帝国主義」ともいわれていました。

「大英帝国」の栄光

イギリスの帝国主義をリードしたのは、**ディズレーリ首相**やケープ植民
地首相の**セシル＝ローズ**、植民地大臣の**ジョゼフ＝チェンバレン**といった
面々です。ディズレーリは、スエズ運河を買収してインドにイギリス女王
ヴィクトリアを皇帝とする「インド帝国（イギリス領インド）」をつくりま
した。

ケープ植民地首相のセシル＝ローズは、アフリカ縦断政策を推進してア
フリカでの植民地を広げた人物で、「イギリスは地球の表面を１センチでも
とらなければならない。できることなら私は夜空に浮かぶ星さえも併合し
たい」と語っていたほどの熱血派の植民地主義者です。

ジョゼフ＝チェンバレンは「アフリカ縦断政策」の完成のため、オラン
ダ系のアフリカ国家だったトランスヴァール共和国とオレンジ自由国を獲
得するべく南アフリカ戦争をしかけました。結果的には両国を支配します
が、長期戦に引きずり込まれ、イギリスは「圧倒的な首位」から、「先頭集
団の１つ」へ国力を次第に低下させることになっていきます。

ベトナムで「美味しいフランスパン」に出会える理由

フランスは、プロイセン＝フランス戦争に敗北した直後、ドイツに復讐
をしたい右翼的な国民の気持ちがおさえきれずに国内が不安定になり、事
件が多発しました（ドイツのスパイだと疑われたドレフュスというユダヤ
人将校が無罪にもかかわらず逮捕・投獄された事件がその代表です）。

ただし、不安定な国内事情にもかかわらず、海外進出は活発でした。ア
フリカではイギリスに対抗して、モロッコから紅海沿岸のジブチまでを
「横」につなぐアフリカ横断政策をとります。アジアではベトナム・カンボ
ジア・ラオスのフランス領インドシナ連邦を成立させました。

247

第7章 帝国主義と世界大戦の時代　　　アフリカ分割

「早い者勝ち」で次々と植民地化する列強たち

「未知の大陸」の全貌が少しずつ明らかに

　イギリスとフランスをはじめとする列強が、積極的な植民地化を進めた土地がアフリカです。

　アフリカの内陸は、19世紀までヨーロッパ世界にとってほとんど知られていない「未知の大陸」でした。しかし、19世紀半ば、アフリカ内部の探検を行いながら布教していたイギリスの宣教師・**リヴィングストン**が、消息を絶つという事件が起きます。このニュースに食いついたアメリカの新聞『ニューヨーク・ヘラルド』の社長がイギリス人記者の**スタンリー**に「報奨金を出すから、リヴィングストンを見つけ出せ！」と、指令を出します。

　漠然とした旅だったにもかかわらず、スタンリーは、なんと、タンガニーカ湖のほとりで本当に"ばったり"リヴィングストンを発見してしまいます。こうしたリヴィングストンやスタンリーの探検により、**アフリカがただの「未知の大陸」ではなく、電線の材料となる銅や金、ダイヤモンドがとれる「オイシイ土地」であることが次第に明らかになっていきました。**

「早い者勝ち」のルールで植民地化が加速

　そんなアフリカの内陸に最初に手を付けた国は、ベルギーでした。コンゴをベルギー王の私有地にして「コンゴ自由国」と名付けます。このベルギーの勝手な領有宣言に列強が猛反発したため、ヨーロッパ随一の外交能力をもつ**ビスマルク**が、多国間の利害の調整役を買って出ます。ビスマルクは、**ベルリン会議**（ベルリン＝コンゴ会議）を開き、アフリカ分割のルールを定めて列強の利害を調整しました。そして、**「列強の『先占権』を認**

めよう」そして「実効支配をする必要がある」というアフリカ分割のルールが決まりました。要は、「アフリカの分割は『早い者勝ち』で、しかも名目だけではなくて支配の実績も必要」ということです。

「早い者勝ち」と決まったら、早く占領しなければ他国に追い越されます。「早い者勝ち」のワゴンセールの商品がすぐになくなってしまうように、アフリカは一気に植民地化されてしまうのです。リベリアとエチオピアの2カ国を除く、アフリカのすべての国が植民地になってしまいました。

その後、「アフリカ縦断政策」をとったイギリスと、「アフリカ横断政策」をとったフランスが、スーダンのファショダで接触するという事件が起きます（ファショダ事件）。一触即発の危機の中、フランスがイギリスに一歩譲ったため、なんとか衝突は回避されました。フランスが、仮想敵国はあくまでドイツで、イギリスと紛争を起こしてドイツへの復讐の力を失うことは得策ではないと考えたのです。この歩み寄りを境に、イギリスとフランスは次第に接近することになり、のちの「三国協商」につながります。

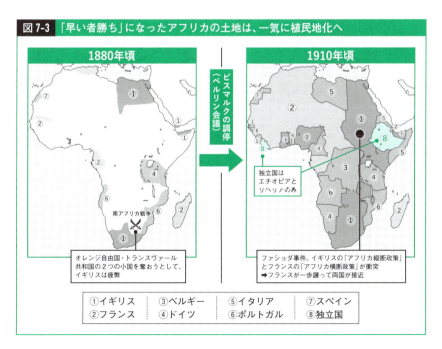

図7-3 「早い者勝ち」になったアフリカの土地は、一気に植民地化へ

第7章 帝国主義と世界大戦の時代　　　　　　　　アメリカの帝国主義

南北戦争で出遅れた米国が太平洋に進出

 遅れを取り戻すべく中国にも進出

　国が真っ二つに割れた内戦、**南北戦争を戦っていたアメリカは、帝国主義の「陣取り」争いに遅れて参入しました。**アメリカは遅れを取り戻すため、南北戦争が終わると、すぐに太平洋分割に参加します。

　その先陣が、**アメリカ＝スペイン戦争**です。スペイン領だったカリブ海の島国のキューバがスペインから独立しようとしたところをアメリカが支援したことで戦争になりました。

　スペインに勝利したアメリカは、スペイン領の**フィリピン**とグアムを獲得し、また、独立を果たしたキューバに対し、アメリカが外交と軍事の権限を握って事実上の保護国にしました。

　そしてその翌年、中国に貿易のために市場開放を要求することを列強に宣言します（**門戸開放宣言**）。すでに中国の半分は日清戦争が終わってイギリス・フランス・ロシア・ドイツ・日本などに半植民地化されていたため、アメリカは後から割って入り、なんとか遅れを取り戻そうとしたのです。

 「裏庭」カリブ海をがっちり押さえたアメリカ

　アメリカは、「裏庭」といわれたカリブ海諸国にも大きな影響力を発揮します。**セオドア＝ローズヴェルト**大統領は「**棍棒外交**」と呼ばれた強硬外交（軍備をちらつかせることで、カリブ海諸国が自発的にアメリカに従うようにしむける）によってカリブ海諸国を支配。お金を貸し付けて、その利子で儲けるようになります。中でも、**パナマ運河**をパナマから獲得（のちに返還）したことは、アメリカにとって大きな利益となりました。

第7章 帝国主義と世界大戦の時代　　日露戦争と第一次ロシア革命

ついに、ロシアの矛先が日本に向けられる

「東からの南下」の通り道に日本がいた

　ロシア＝トルコ戦争後のベルリン会議により、地中海方面への進出を諦めたロシアは、代わりに東アジア方面に進出します。そして、中国の清王朝との**アイグン条約**、次いで**北京条約**によって大きな領土を獲得します（第4章の175ページでお話しした、平和に領土を確定するための「ネルチンスク条約」と違い、この2つの条約は「領土をもぎ取る」ための条約でした）。

　ロシアが中国への本格的南下を図ろうとしていた頃、ちょうど日本も朝鮮半島への進出を図り、清と戦争を行っていました。凍らない港がほしいロシアにとって、日本に中国や朝鮮半島進出で先を越されると、野望達成の足止めになってしまいます。そこで、ロシアは日清戦争後、フランス・ドイツを誘って「**三国干渉**」を行い、日本が日清戦争で得た遼東半島を手放させ、旅順、大連などの都市を自分のものにしてしまいます。

　戦争によって得た領地を、大国の強要によって手放した日本は、悔しくてなりません。そこに南アフリカ戦争で疲弊し、自国だけでロシアの南下を止められないと考えたイギリスが日本に接近して**日英同盟**を結びます。

　ロシアのほうでも、遼東半島南端の都市を得たものの、その出口の日本海や東シナ海の「制海権」が日本にあったので、日本から制海権をもぎとる必要がありました。こうして、日本海奪取を図るロシアと、イギリスの後ろ盾を得た日本の間で**日露戦争**が勃発したのです。

　両国の国力差は大きかったものの、日本が薄氷の勝利を重ねます。途中、アメリカのセオドア＝ローズヴェルト大統領が仲介したことで、日本のい

第1章 ヨーロッパの歴史

第2章 中東の歴史

第3章 インドの歴史

第4章 中国の歴史

第5章 一体化する世界の時代

第6章 革命の時代

第7章 帝国主義と世界大戦の時代

第8章 近代の中東・インド

第9章 近代の中国

第10章 現代の世界

251

わば「判定勝ち」に終わりました（**ポーツマス条約**）。東アジア方面からの南下に失敗したロシアは、再び地中海に狙いを定めます。

 日露戦争中、じつは戦争どころではなかったロシア

日露戦争の裏で、ロシアは非常事態に陥っていました。それが**第一次ロシア革命**と呼ばれる一連の事件です。

日露戦争は、ロシアにとっても非常にダメージの大きい戦争でした。戦況が悪化すると、国内物資の欠乏が目立つようになり、工場では労働者に給料がゆきわたらなかったため、国民の不満がくすぶり始めます。そして、皇帝に生活改善を要求するためのデモが起こります。民衆のデモ行進が、ペテルブルクの王宮前にさしかかったそのとき、「事件」が起きました。

皇帝**ニコライ２世**が、デモの民衆の願いを聞き入れるどころか、皇帝の親衛隊に、民衆への一斉銃撃を命じたのです。結果、2000人もの死者を出す大惨事になりました（**血の日曜日事件**）。「**皇帝は恐ろしいけど頼りになる存在**」という民衆の皇帝観が、「**皇帝はもしかしたら国民の敵かもしれない**」というように変化していきました。

この事件を境に、暴動や反乱がロシアで頻発するようになります。そして、国はまったく信用できないと考えた労働者や農民たちが「**ソヴィエト**」という自治組織を各地で結成し、政府によらない独自の政治を目指すようになるのです。こうして、帝政ロシアの足元はグラグラと揺れ始めていき、のちのロシア革命を招いてしまうのです。

図7-4　日本に南下を阻まれたロシア

第7章 帝国主義と世界大戦の時代　　第一次世界大戦

世界に挑戦状を叩きつけたドイツの"青年"皇帝

「守り」に徹していたビスマルク

　帝国主義諸国の中で、アメリカ以外に、もう1つ**「遅れてやってきた国」がありました。それが、ドイツです。**ドイツはプロイセン＝フランス戦争のあと、ビスマルクによって「守り」の国家戦略をとります。プロイセン＝フランス戦争の復讐をしたいフランスを各国との同盟関係で孤立化させようとしたのです。また、抜群の外交センスのもとに、各国の代表を集めて「ベルリン会議」を何度も開き、各国の利害を調整する「調整役」として、ドイツ帝国を「守る」ことを第一に考える戦略をとりました。そのた

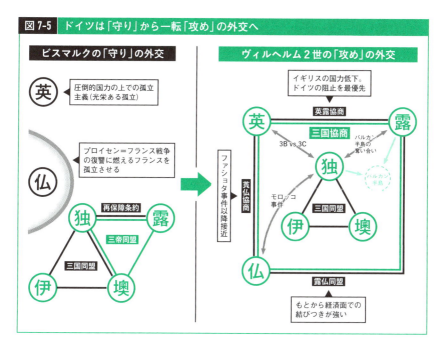

図7-5　ドイツは「守り」から一転「攻め」の外交へ

め、植民地の拡大は、他の列強に比べると活発ではなかったのです。

青年皇帝が、老いたビスマルクを否定

しかし、皇帝**ヴィルヘルム2世**の即位によって状況が変わります。ヴィルヘルム2世が即位したのは29歳、そのときのビスマルクの年齢は73歳でした。若い皇帝にとって、ビスマルクの守りの政策はいかにも"年寄りくさく"感じました。さらに、皇帝である自分を超える名声を首相が持っていることも気に入りません。そのため、ヴィルヘルム2世はビスマルクを引退させて親政を開始し、「世界政策」を唱えて植民地獲得競争に乗り出すことを宣言します。**「守り」から「攻め」に切り替えたドイツは、世界中の国を敵に回し、第一次世界大戦のきっかけをつくることになるのです。**

第一次世界大戦の構図ができあがる

ドイツのヴィルヘルム2世が「世界政策」を唱え、攻撃的姿勢に切り替えると、まず、かねてから関係が悪かったフランスの植民地を横取りしにかかります。フランス領モロッコに軍艦を乗り付け、モロッコを手放すようにフランスに挑戦状を叩きつけました（モロッコ事件）。

さらに、アジアへの進出路を求めて、同じドイツ民族のオーストリアとの同盟関係と、オスマン帝国から獲得した鉄道敷設権を利用し、バルカン半島を通って西アジアのバグダードを結ぶ（**ベルリン・ビザンチウム（イスタンブール）・バグダードを「バグダード鉄道」によって結ぶ**）**3B政策**を展開しようとしました。この出来事が、イギリスとロシアを刺激します。

バグダード鉄道がもし完成すると、輸送能力の高い鉄道でドイツの工業製品をアジアにごっそり運びこめるようになるうえ、兵隊もアジアに送り込めるようになります。**イギリスはカイロ・ケープタウン・カルカッタを船で結ぶという3C政策**を推進していましたが、ドイツの3B政策は「ごっそり儲けを奪ってやる！」というアピールに他なりません。こうして、ドイツとイギリスの対立が深まっていきます。

254

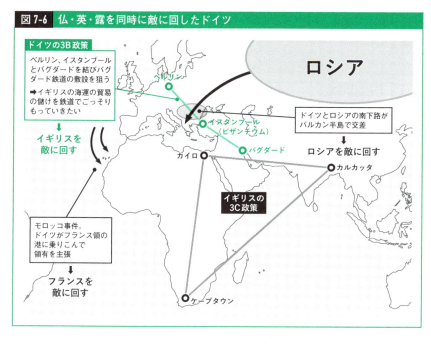

図7-6　仏・英・露を同時に敵に回したドイツ

　ドイツからバルカン半島、そしてトルコ、ペルシア湾までを結ぶバグダード鉄道のルートは、**ロシアの地中海への南下ルートを完全にブロックする格好になります。したがって、バグダード鉄道の建設着手によって、ロシアも敵に回すことになったのです。**

　ロシア・イギリス・フランスも、それぞれの思惑で接近していきます。

　フランスとロシアは、もともと関係が悪くなく、ロシアの産業界がフランスからの融資に頼っている面が多かったこと、かつ、ドイツを「挟み撃ち」にできる地の利があったことから、**露仏同盟**が結ばれます。

　フランスとイギリスは、前述のファショダ事件以来、関係が好転して**英仏協商**が結ばれており、モロッコ事件では、イギリスがフランスを支援しています。日露戦争の際はイギリスとロシアは対立しましたが、イギリスは南アフリカ戦争で、ロシアは日露戦争で疲弊しており、どちらも圧倒的な超大国としての力が陰りを見せてきていました。そのため、「ドイツにバグダード鉄道を敷かせるぐらいだったら、ロシアを地中海へ進出させたほ

うがましだ！」とばかりに、イギリスは、ロシアの南下政策を認める英露協商を結びます。

　かくして、ビスマルク体制以来の関係であるドイツ・オーストリア・イタリアの三国同盟と、**イギリス・フランス・ロシアの「英仏協商・英露協商・露仏同盟」を足し合わせた**三国協商が成立し、第一次世界大戦の舞台が整いました。

「ヨーロッパの火薬庫」に火が付く

　いよいよ第一次世界大戦の舞台が整い、あとは、火を付けるだけになりました。そして、戦争の「火種」が、「ヨーロッパの火薬庫」と呼ばれるバルカン半島から起こります。

　バルカン半島には"ドイツ寄り"のオーストリアやオスマン帝国、"ロシア寄り"のセルビア・ルーマニア・ブルガリア・ギリシアなどの諸国が存在し、かつ、ゲルマン系やスラヴ系の諸民族も混在していました。

　ドイツ・ロシアともに、**これら小国たちを同盟国として取り込んだうえで、ドイツはバグダード鉄道のルート、ロシアは南下ルートとして利用したいという思惑がありました。**ドイツ側の同盟拡大の動きを「ゲルマン人」国家のドイツのもとに諸国を統合するパン＝ゲルマン主義、ロシア側の同盟拡大の動きを「スラヴ人」国家のロシアに諸国を統合するパン＝スラヴ主義といいます。

　バルカン半島に先に着手したのは、ドイツの同盟国、オーストリアでした。オーストリアはボスニア・ヘルツェゴビナを併合し、「はじめの一手」を打ちます。ドイツ勢力がバルカン半島に進入したことを危険視した親ロシアの諸国はバルカン同盟を結成します。

　そしてバルカン同盟が、「親分」のロシアの「海への道」を開けるためにバルカン戦争を起こし、バルカン半島からオスマン帝国勢力を排除しようとしました。2度のバルカン戦争において、**バルカン同盟諸国に攻撃されたオスマン帝国と、領土の分配によって周囲の国から叩かれたブルガリア**

がドイツ側に回ることになります。

「一発の銃弾」から世界大戦が始まる

ここに、第一次世界大戦の開戦前夜の状況ができあがりました。ドイツ側はオーストリア・ブルガリア・オスマン帝国を結んで「バグダード鉄道」の敷設を、ロシア側はルーマニア・セルビア・ギリシアを結んで南下ルートの確保を図り、**それぞれの進出ルートがバルカン半島で交差することになりました。**

こうした状況下で、オーストリアの皇太子がボスニアの首都サライェヴォでセルビア人秘密結社の青年に暗殺されるという**サライェヴォ事件**がおきました。オーストリアがセルビアに宣戦布告し、セルビアは「親分」のロシアに救援を要請します。続いて、ロシアがオーストリアに宣戦布告、オーストリアはドイツに救援を要請という流れで、ドイツ、イギリス、フランスを巻き込む**第一次世界大戦**になっていくのです。

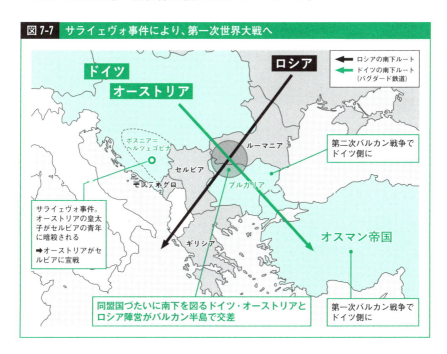

図 7-7 サライェヴォ事件により、第一次世界大戦へ

「戦争」の概念をはるかに超える一大消耗戦

　第一次世界大戦中、**戦車**や**航空機**から**毒ガス**、**潜水艦**まで、次々と「殺戮兵器」が生み出されて戦争が長期化し、死者は恐ろしい数にのぼりました。戦前に準備された弾薬量をひと月で使い切ってしまうような消耗戦が4年間も続き、国のすべての生産力を使い切る**総力戦**の様相を呈し始め、最終的に**生産力の基盤となる市民までもが攻撃対象となりました。**

　ドイツにとって誤算だったのは、同盟国イタリアが土壇場で協商国側に寝返ったことにより、フランス・ロシア・イギリス・イタリアに包囲されてしまったことです。そのため、短期に決着をつけようと焦ったドイツは、潜水艦「Uボート」を利用した**無制限潜水艦作戦**に手を出します。そして、英仏に向かう中立国アメリカの輸送船をも沈めたことから、アメリカが協商国側として参戦。ドイツは決定的な敗北へ追い込まれ、第一次世界大戦はイギリス・フランス・アメリカなど、協商国の勝利に終わります。

図7-8　第一次世界大戦

第7章 帝国主義と世界大戦の時代　　ロシア革命

2度の革命で"世界初"の社会主義国が誕生

 兵士のソヴィエト結成に皇帝が退位を決意

　第一次世界大戦の裏で、ロシアに再び革命の火が付いていました。

　第一次ロシア革命後、革命がいったん下火になったため、ロシアの帝政は再び国民に抑圧的な政策をとったのです。ところが、第一次世界大戦が長引き、国民に物資が行きわたらなくなったため、再び国民の不満が爆発。都ペトログラード（ペテルブルク）で食糧配給を求める主婦たちのデモが一気に拡大し、労働者や農民、そして兵士たちの一斉蜂起が起きました。**皇帝の独裁を支えてきた軍隊までもがソヴィエトを結成して反乱に加わったことから**、皇帝**ニコライ2世**は「もはやこれまで」と退位を決意し、ロマノフ朝が滅亡します。これがロシアの**二月革命**です。

 レーニンが動き、2度目の革命が起きる

　二月革命で皇帝が退位し、代わりに**臨時政府**が成立しました。ところが、**臨時政府は国民の期待を裏切り、戦争を続行する方針を打ち出します**。臨時政府の構成員には工場を持つような資本家が多く、武器弾薬や物資を大量に消費する戦争は、とても儲かったのです。

　民衆が物資や食料の不足で苦しんでいるにもかかわらず、戦争が続行されるという状況下で登場したのが、社会主義者の**レーニン**です。レーニンは亡命先のスイスから舞い戻り、「戦争をすぐにやめよう！」「すべての権力をソヴィエトに集め、自分たちの自治政府をつくろう！」という「**四月テーゼ**」を発表します。その半年後には、彼の率いる急進的社会主義政党、**ボリシェヴィキ**が武装蜂起を行い、一気に臨時政府を倒します（**十月革命**）。

259

世界で初めて「生産手段を国有化」した国家

臨時政府を打倒したレーニンは「土地も賠償金もいらない。すぐに戦争をやめよう」「すべての土地を国の所有にして、生産物は平等に分配しよう」という布告を出します。そして、ブレスト＝リトフスク条約を同盟国と結び、**第一次世界大戦から自ら降りる形で離脱します。**

ボリシェヴィキは共産党と改称し、ソヴィエト（自治政府）が国家を動かし、**土地と生産手段を国家に集めて、生み出された生産物を国民に平等に分配するという、「平等」を国の柱とする社会主義政策を進めていきます。**

しかし、「世界初の社会主義国家ができそうだ」という情報は、世界の国々の政府にとっては、けっして喜ばしいニュースではありませんでした。

なにしろ、労働者が勝手に自治政府をつくり、暴動を起こして国を乗っ取ってしまったのです。こんなことが自分の国で起きては困る、といわんばかりにイギリス・フランス・アメリカ・日本などがロシアの革命を潰すための干渉戦争を起こします。この干渉戦争は、できたばかりのソヴィエト政権にとって大変苦しい戦いとなり、戦争をしのぐために農村からの強制収奪が行われ、多数の餓死者が出ました。干渉戦争を乗り越え、ようやくロシア・ウクライナ・ベラルーシ・カフカス地域による「ソヴィエト社会主義共和国連邦」、いわゆる「ソ連」が成立します。レーニンの死後はスターリンに引き継がれ、五か年計画などの社会主義政策が打ち出され、社会主義化が進められました。

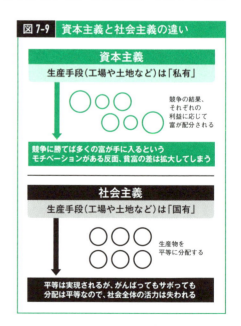

図7-9 資本主義と社会主義の違い

第7章 帝国主義と世界大戦の時代　　ヴェルサイユ体制

新体制は次の戦争への「つかの間の平和」に終わる

 支払いに91年かかる額の賠償金を科せられたドイツ

　まず、ロシア革命によりロシアが戦争から離脱します。そして、ドイツにも革命が起きて皇帝ヴィルヘルム2世が退位すると、第一次世界大戦は次第に収束へと向かい、戦後処理のための**パリ講和会議**が開かれました。

　この講和会議の基本原則が、アメリカ大統領**ウィルソン**による「**十四カ条の平和原則**」です。軍備縮小と国際平和機構の設立、そして秘密外交の禁止、**その民族が望むかぎりにおいて、その民族の国家を建てるべきだ**という「**民族自決**」の原則などが打ち出されました。

　そして、敗戦国となったドイツとは講和条約の**ヴェルサイユ条約**が結ばれました。ドイツはすべての植民地を失い、軍備にも制限が与えられたうえに、"天文学的"といわれるほどの多額の賠償金をかけられます。国民総所得の2.5倍といわれたので、今の日本に例えると1250兆円ほど、つまり国民ひとり当たり1000万円ほどの額です。この賠償金を払い終えたのは、なんとつい最近のことで、2010年10月3日です。

 国際連盟は「非力な組織」となった

　パリ講和会議によってつくられた新しい世界秩序は**ヴェルサイユ体制**といいます。「民族自決」の原則により、ドイツやロシア、オーストリアに支配されていたフィンランド、ポーランド、ハンガリーなどの民族が次々と独立を果たしました。ただし、**「民族自決」の原則はヨーロッパ諸国には適用されたものの、アジアやアフリカの植民地諸国は、依然「ヨーロッパの所有物」**でした。世界秩序をスローガンにしながらも、「戦勝国の既得権益

261

の維持とドイツを封じ込めたい」というのが、ヴェルサイユ体制の本音だったのです。

　また、パリ講和会議の翌年、アメリカ大統領ウィルソンの提唱により国際連盟が設立されます。国際平和維持機関ができたこと自体は画期的でしたが、**国際平和の維持という面で見れば国際連盟は非力でした。**決定事項は総会による全会一致を原則としており、「平和のためには全員が納得する決定をしよう」という趣旨は理解できますが、40カ国以上もの加盟国が「全会一致」するなんてそもそも不可能です。また、平和のためだとしても、国連軍のような武力による制裁ができず、制裁は経済制裁に限られました。しかも、**アメリカ国内の議会の反対により、提唱者のアメリカが加盟しなかったため、まったく説得力がない集団になってしまったのです。**

　ただ、何はともあれ、戦後社会は平和に向けて大きく舵を切ることになります。ここから10年間、各国は軍縮を行い、不戦条約などの条約により協調的な外交政策をとって、着実に平和へと向かっていくのです。

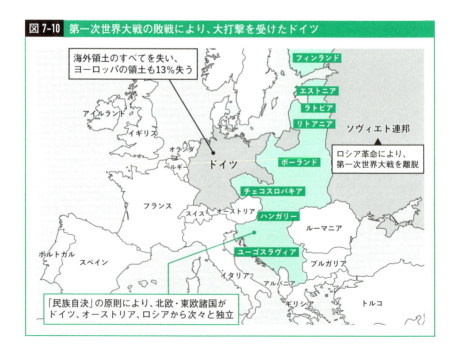

図 7-10　第一次世界大戦の敗戦により、大打撃を受けたドイツ

第7章 帝国主義と世界大戦の時代 　　　　　　　　大戦後のヨーロッパ

"お金持ち"アメリカが
荒廃したヨーロッパを救う

英仏のたそがれと敗戦国ドイツの危機

　第一次世界大戦前のイギリス・フランスは超大国の名をほしいままにしていました。しかし、**戦勝国となったものの、第一次世界大戦で消耗しつくした両国は、戦争で多額の借金をアメリカに負ってしまいました。**そして、両国の勢いは停滞し、超大国の座をアメリカに譲ることになります。特に国土の東半分が戦場となったフランスの荒廃は激しく、復興のためにはドイツからの賠償金を何が何でも得なければなりませんでした。

　一方、敗戦国ドイツは**ヴァイマル共和国**といわれ、共和制の国家として再出発しましたが、天文学的な額の賠償金を科せられ、非常に困難な状況からのスタートでした。戦場になった自分の国も復興させなければならないのに、隣のフランスが「うちの国の戦後復興のために賠償金を早くよこせ！」と催促してくるのです。当然、支払いは滞っていきます。

　そこで、フランスがベルギーを誘って行ったのが**ルール占領**です。賠償金の「カタ」にドイツ工業の心臓部のルール工業地帯を占領して、賠償金の督促を行ったのです。

　この占領によってルール工業地帯からのドイツ国内の物資供給が滞り、極端な物資不足に陥りました。一方、戦後の復興のための建築や土木の費用、労働者の給料のお金も必要となります。そのため、ドイツ政府は紙幣を印刷し続け、当座の経済を回そうとしていました。**ドイツ国内に「物資の不足と紙幣の供給」が同時並行に起こり、モノに対する貨幣の価値が下がりはじめると、一気にインフレーションが加速し、戦後から10年間で物価が1.2兆倍になるという嘘のようなハイパーインフレが起こりました。**

アメリカによる助け舟で世界は平和に

　ますます苦境に立たされるドイツに、アメリカが介入していくことになります。アメリカは、イギリス・フランス・ドイツにこの賠償金問題の解決を提案します（ドーズ案）。

　アメリカの「ドーズ案」の内容は、まずドイツ企業にお金を融資します。ドイツの経済が好転すると、ドイツはそのお金をイギリスやフランスの賠償金の支払いにあてます。イギリスやフランスはそのお金でアメリカに借りていた第一次世界大戦の際の借金を返済することができました。

　アメリカは、そのお金をドイツへの融資に回すと、**アメリカ発の資金が回りまわって賠償金の返済や借金の返済にあてられ、どの国にとっても好循環になります。**ドイツ企業にはアメリカへの借金が残りますが、「賠償金」よりも「借金」のほうがまだマシでした。

　アメリカの介入によってフランスのルール占領が終わり、インフレも終息してドイツもようやく落ち着きます。ドイツはロカルノ条約を結び、再び軍事行動を起こさないことを約束して国際連盟への加盟が許されました。ドイツの復興はヨーロッパに安定をもたらし、人々は徐々に大戦の傷跡を癒していきます。不戦条約の締結、軍縮条約と、世界は順調に平和に向かいました。しかし、この安定はアメリカの融資頼みだったのです。「カネの切れ目は縁の切れ目」、**アメリカ経済が恐慌を迎えると同時に、この安定はむなしく崩壊していくのです。**

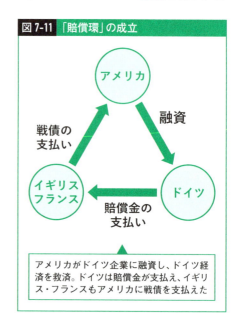

図7-11 「賠償環」の成立

アメリカがドイツ企業に融資し、ドイツ経済を救済。ドイツは賠償金が支払え、イギリス・フランスもアメリカに戦債を支払えた

第7章 帝国主義と世界大戦の時代　　アメリカの繁栄と世界恐慌

「永遠の繁栄」といわれた
アメリカ経済のまさかの転落

第一次大戦はアメリカの「登竜門」だった

　結果的に、第一次世界大戦はアメリカにとって「超大国」に仲間入りするための登竜門となりました。自らの国土が荒廃することなく戦争の後半に「勝ち馬」に乗ることができ、しかも、戦争中にイギリス・フランスに莫大な額の貸し付けを行えたことで、**大戦中に債務国（借金を背負った国）から債権国（借金をさせている国）へと、見事、転身できたのです。**

　第一次世界大戦以降、アメリカは、荒廃したヨーロッパの国々に代わって世界経済の中心になります。ディズニー、ジャズ、コカ・コーラなどは、この時代にアメリカが生み出した大衆消費社会の代表的な文化です。

フーヴァー大統領は「永遠の繁栄」と豪語

　こうした時代にアメリカ大統領になったハーディング、クーリッジ、**フーヴァー**は、好調な経済に支えられ、自由放任の経済政策をとりました。商品はつくればつくるほど売れ、株を買えば必ず上がる。そうした「バブル経済」にアメリカの人々は浮かれに浮かれました。

「暗黒の木曜日」が世界に広がる

　そんな超好景気の中、突然、のちに「暗黒の木曜日」と呼ばれることになる1929年10月24日がやってきます。

　当日、ニューヨーク株式市場の株価が突如大暴落します。木曜に始まった暴落は金曜になっても止まらず、週末に大暴落のニュースが国内中にゆきわたると週明けに投げ売りが始まり、壊滅的な恐慌となりました。

265

前述の帝国主義の項目でも説明しましたが、企業は銀行や株主から借金をして商品を生産しているので「売れ残り」が出れば、一発で倒産の危機に陥ります。

　黄金期のアメリカでは、銀行や株主がどんどん企業にお金を融資して、アメリカ企業が商品をつくりまくっていたため、市場は大量の売れ残りの商品で溢れました。売れ残れば借金を返せず、株主に配当も払えません。

　そして、企業と融資を行った銀行が連鎖倒産になります。アメリカ経済の崩壊はドイツ経済の崩壊を招き、イギリス・フランスの崩壊へとつながる「世界恐慌」に発展していきます。

「自由放任」を捨てて政府が経済に積極介入

　恐慌に直面した共和党のフーヴァー大統領は、市場への放任主義を変えることができず、失業者ばかりがいたずらに増加していきます。失業率は25％を超え、社会不安が一気に増大したところで大統領選挙を迎えました。

　選挙では、新たに「ニューディール政策（新規まき直し政策）」を掲げた民主党の**フランクリン＝ローズヴェルト**大統領が勝利し、恐慌に対応することになります。彼は積極的に経済への介入を進めました。

　企業の「一発倒産」を防ぐため、「つくりすぎ」を防止する生産調整を行い、つくりすぎた農産物は国が買い上げて価格の低下を防ぎました。また、公共事業を行って失業者を雇用することで、からくも危機をしのぐことに成功したのです。

図7-12　好景気から大不況に転落した米国経済

第7章 帝国主義と世界大戦の時代　　ブロック経済とファシズム

第二次世界大戦の構図は「持てる国」と「持たざる国」

「金の切れ目が縁の切れ目」

アメリカの恐慌はヨーロッパにも波及し、深刻な影響を与えました。

その中で、**「持てる国」といわれた経済的基盤が強い国（豊富な植民地を持つイギリス・フランスやソ連のような社会主義国）**と、**「持たざる国」といわれた経済的基盤が弱い国（ドイツ・イタリア）の間で明暗が分かれる**ことになります。

「持てる国」の恐慌対策

イギリス・フランスは恐慌により失業率が向上してしまったものの、豊富な植民地をもっていることが幸いしました。植民地と本国で**ブロック経済圏**をつくり、アメリカとの経済的なつながりを切って自給自足態勢に切り替えたのです。イギリスは「ポンド＝ブロック」、フランスは「フラン＝ブロック」という経済圏をつくり、それ以外の国々との貿易に高い関税をかけることでブロック外との貿易を制限し、**他国の経済的影響が自分のブロックに及ばないようにしました。**また、失業者の増加から、英仏ともに労働者寄りの政権が誕生しています。

一方、ソ連は**社会主義**による計画経済で、人々は国営企業や国営農業で働き、平等な分配を受けるという仕組みをとっており、「つくりすぎ」による**恐慌になりにくい体質がありました。**恐慌で苦しむ諸国をよそに、ソ連経済は躍進し、社会主義の優位を諸国に大いにアピールしました。

ただ、躍進の裏にはレーニンの後継者、スターリンの独裁と個人崇拝が強められ、反スターリン派の大量処刑があったことも事実です。

267

「持たざる国」はファシズムに走った

　植民地のおかげでなんとか恐慌をしのいだイギリスやフランス、社会主義政策で恐慌をはねのけて躍進したソ連に対し、植民地も持たず、経済基盤も弱い「持たざる国」のドイツやイタリアは、自給自足ができず、**ファシズム**に走ります。

　ファシズムとは「結束」を語源とした言葉で、権力で民衆をおさえ、他国に侵略主義をとる独裁的国家体制のことです。独裁者が恐慌による不安を利用して権力の座にのぼりつめ、**「この苦しい状況を俺がなんとかするから言うことを聞け！」と、独裁的な全体主義をとる**政治体制です。

イタリアのファシズムはムッソリーニから

　イタリアは恐慌の前からすでにファシズムが始まっていました。第一次世界大戦ではドイツを裏切って協商国側に参戦し、一応勝ち組になったものの、期待していたような植民地は得られず、国民の不満が高まります。その機運をうまくとらえた人物が**ファシスト党**を率いた**ムッソリーニ**です。ムッソリーニ政権はファシスト党一党独裁体制を築くと、アドリア海の港湾都市フィウメを占領し、アルバニアの保護国化を果たします。世界恐慌で打撃を受けた後も、エチオピアを併合することで国民の不満をそらして、国内での支持を固めていきました。

 ### ドイツのファシズムはヒトラーから

　世界恐慌の影響はドイツで最も深刻でした。ドイツの復興はアメリカからの融資が頼みの綱で、ドイツ企業もアメリカの融資を多く受けていたからです。そこからの資金が滞り、ドイツ経済は壊滅してしまいます。

　その機会をうまくとらえたのが**ヒトラー**率いる**ナチ党**、すなわち「国家社会主義ドイツ労働者党＝ナチス」です。ヒトラーは「ドイツの苦境はヴェルサイユ条約の賠償金にあること、再軍備をして活路を開くこと」すな

わちヴェルサイユ条約の破棄と再軍備を訴えます。そして「ドイツ民族こそ最も優れた民族である！」と民族意識の高揚を訴え、敗戦によって沈んだ国民の気持ちを鼓舞します。「フォルクスワーゲン」で知られる自動車産業の育成やアウトバーン（高速道路）の建設などによって失業者に仕事も与えます。**ドイツ民族はヒトラーに熱狂し、選挙のたびにナチ党の議席は増え、ほぼ100％の議席数を獲得するに至りました。**ナチ党への支持が拡大する中で全権委任法を成立させ、次いで国際連盟を脱退し、ヒトラーは「総統」の地位に上り詰めます。そこからは公然とヴェルサイユ条約を破っていきます。再軍備を宣言して徴兵制を復活、フランス国境のラインラントに兵を置き、臨戦態勢を高めていきます。

「危険な2人」が1つになった

　イタリアのムッソリーニ、ドイツのヒトラーと「世界で最も危険な2人」が歴史の舞台に登場しました。今度は、いよいよその2人が手を組むことになります。きっかけは、スペイン内戦です。スペインでブルボン朝の王家が倒れたことを機に、スペインでは「人民戦線内閣」という社会主義寄りの政権と、資本家たちが支援するフランコ将軍が対立します。そのフランコの支援に回ったのがムッソリーニとヒトラーでした。

　敵となる人民戦線内閣を、ヒトラーが仮想敵国としていたソ連が支援していたこともヒトラーがスペインに介入するきっかけとなりました。

　結果的にフランコの反乱は成功し、**ヒトラーとムッソリーニはこの内戦をきっかけに接近して、ドイツ、イタリアによる同盟関係が形成されます。**国際連盟を脱退した日本もドイツ・イタリアに接近し、日独伊三国の軍事同盟が形成され、第二次世界大戦の同盟関係が組まれていきます。

　一方、スペイン内戦に対してイギリス・フランスは、ヒトラーを刺激することを避けるため、不干渉政策をとってヒトラーたちの軍事行動を正面から阻止しませんでした（両国の"傍観者"的姿勢がヒトラーを阻止するチャンスを逃したと、後世に批判されることになります）。

| 第7章 | 帝国主義と世界大戦の時代 | 第二次世界大戦 |

破竹の勢いのナチス、及び腰の英仏

ヒトラーを思い上がらせてしまった宥和政策

　ヒトラーの勢いは、とどまるところを知りません。東ヨーロッパのドイツ民族の統合を唱えて、ドイツの支配圏を拡大していきます。

　まず、同じドイツ系からなるオーストリアを併合し、ドイツの一部にしてしまいます。そして、チェコスロヴァキアの中でも、ドイツ人の多い**ズデーテン**地方の獲得を狙い、チェコスロヴァキアに「ズデーテン地方をくれ！」と要求します。

　チェコスロヴァキアは当然断りますが、ヒトラー、ムッソリーニに加え、イギリスのネヴィル＝チェンバレン、フランスのダラディエによる独・伊・英・仏の**ミュンヘン会談**が開かれました。その結果、イギリス・フランスはヒトラーの要求をのみ、チェコスロヴァキアに「ズデーテンをヒトラーに譲ってやれよ」ということになりました。

　イギリス・フランス両国は「ヒトラーの要求を認めなければ戦争になってしまう」と、及び腰で、ヒトラーのご機嫌をうかがい、戦争を回避する政策「宥和政策」をとってしまいます。ミュンヘン会談にも招かれず、大国に翻弄されるチェコスロヴァキアは泣く泣くズデーテンを手放し、今でもチェコの歴史の最大の屈辱として語られています。

　以降、ますます調子を上げていったヒトラーは、チェコを併合し、さらにスロヴァキアも保護国化します。

　イギリスとフランスがドイツにとった「宥和政策」は、ヒトラーを思い上がらせ、第二次世界大戦の原因をつくったと、ここでも後世の批判を受ける事実をつくってしまいます。

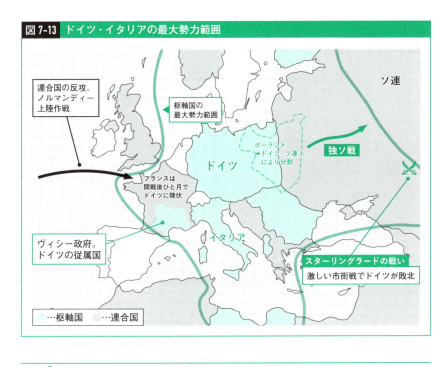

図 7-13 ドイツ・イタリアの最大勢力範囲

ドイツとロシアに真っ二つにされたポーランド

　ドイツの次なるターゲットはポーランドです。今までの仮想敵国であり、スペイン内戦でも敵味方に分かれたソ連と**独ソ不可侵条約**を結び、ポーランドに侵攻してドイツとソ連で一気にポーランドを真っ二つに分割してしまいます。ここまできてようやくイギリスとフランスの目が覚めます。「ドイツをこのまま調子に乗らせてはならない！」とドイツに宣戦布告し、ヨーロッパでの戦争が始まりました（**ヨーロッパ戦線**）。

　ドイツはポーランドの西半分を支配すると、返す刀でフランスに攻め込み、わずかひと月でフランスを降伏させます。フランス北部はドイツが直接おさめ、南部は**ヴィシー**という町に政府をおくドイツの従属国とします。

　フランスの**ド＝ゴール**将軍はイギリスに逃れ、自由フランス政府という地下組織をつくり、フランス奪回のため、粘り強い抵抗活動を続けます。

　そして、ヒトラーは、ついにイギリス本土空襲を開始します。

独ソ戦と太平洋戦争の始まり

しかし、イギリスもなかなか降伏しませんでした。ソ連からの支援を疑ったヒトラーは、ソ連にも大軍を差し向けます（**独ソ戦**）。そこでソ連は、かつてナポレオンを破った「敵をモスクワ近くまで引き込み、冬の到来とともに一気に反撃する」という作戦を再び用いて、ドイツを苦戦に追い込みました。

ドイツの同盟国、日本もこの時期に真珠湾を攻撃し、**太平洋戦争**が始まります。太平洋戦争の開戦によって、ヨーロッパの戦争と太平洋の戦争がつながり、**第二次世界大戦**に発展していくのです。

人類が経験した最大の戦争

第二次世界大戦は、人類が経験した最大の戦争になりました。戦争の犠牲者は第一次世界大戦の3倍にものぼる、6000万人〜8000万人ともいわれています。犠牲者の中には、ナチスの絶滅政策によって虐殺されたユダヤ人の数も含まれています。ナチスはアウシュヴィッツなどの強制収容所を各地に建設し、ガス室に送り込むなどしてユダヤ人を大量虐殺（ホロコースト）しました。また、太平洋戦争において原子爆弾が実戦使用されたことにより、世界は新たに核の時代に突入することにもなったのです。

「史上最大の作戦」を境に終戦に向かった

独ソ戦最大の市街戦、スターリングラードの戦いにドイツが敗北した頃から戦況が傾き出します。**ノルマンディー上陸作戦**において圧倒的物量を誇るアメリカを中心とする連合国軍が北フランスに上陸すると、ドイツはあっという間にパリを失います。ソ連もドイツに侵攻して挟み撃ちにし、ドイツの首都ベルリンを占領しました。その10日後、ヒトラーが自殺したことで、ヨーロッパの戦いは終結します。3か月後、日本も無条件降伏したことで太平洋戦争も終結し、第二次世界大戦は終わりを告げました。

第8章

近代の中東・インド

第8章 近代の中東・インド　あらすじ

歴史の舞台

イギリスとロシアの争いに巻き込まれていった中東・インド

　中東とインドは、近代において、ヨーロッパの列強に"支配される側"に回ることになります。

　中東では、強大さを誇ったオスマン帝国が次第に衰えを見せ始め、代わりにロシアやイギリスが、進出します。イランにも、ロシア・イギリス勢力が圧力を加えます。

　インドでは、イギリスによる「インド帝国」が成立します。南下を図るロシアに対し、エジプトやインド、中国などの支配を固めて、ロシアの南下阻止を図るイギリスとの間で勃発した植民地獲得競争に中東・インドが否応なく巻き込まれていきます。

第8章 【近代の中東・インド】の見取り図

オスマン帝国

カージャール朝

ムガル帝国

ギリシア

エジプト

クリミア

英・露の圧迫

ブルガリア
ルーマニア
セルビア

インド帝国

イラク
ヨルダン
シリア

トルコ共和国

パフレヴィー朝

ガンディー
の活動

第二次世界大戦

第1章 ヨーロッパの歴史

第2章 中東の歴史

第3章 インドの歴史

第4章 中国の歴史

第5章 一体化する世界の時代

第6章 革命の時代

第7章 帝国主義と世界大戦の時代

第8章 近代の中東・インド

第9章 近代の中国

第10章 現代の世界

| 第8章 | 近代の中東・インド | オスマン帝国の衰退 |

「内から」「外から」衰退した オスマン帝国

🐫 内部から崩壊したオスマン帝国

　第2章「中東の歴史」で、最終的に勝ち残ったのはオスマン帝国だったとお話ししました。オスマン帝国は、西アジアの超大国としてウィーンを包囲するなど、ヨーロッパの国々を苦しめる存在でしたが、17世紀末の**第二次ウィーン包囲**に失敗すると、次第に弱体化を始め、以降、一貫して衰退を続けていきます。

　オスマン帝国の衰退の原因は2つあります。1つは「外」の要因で、主権国家体制の確立や産業革命によってヨーロッパの国々が強大化したことです。特に、オスマン帝国を南下政策のターゲットにしたロシアから、しつこく狙われます。2つ目は「内」の要因で、帝国内の様々な民族が独立を求めたために内部崩壊をしていったことです。

　オスマン帝国は、「トルコ人」が様々な民族を支配しているという多民族国家の構造だったため、民族の手綱を握る「握力」の低下と比例するように、地方勢力が次々とオスマン帝国からの独立を求めたのです。

🐫 「我々はトルコ人ではない！」と目覚めたアラブ人

　そうしたオスマン帝国の「握力低下」に影響を与えたのが、**ワッハーブ派**の運動です。ワッハーブという人物が起こした運動に、**サウード家**という有力部族（サウジアラビアは"サウード家のアラビア"という意味）が協力してアラビア半島に**ワッハーブ王国**という国が成立します。

　ワッハーブ派の主張は「今のイスラームは堕落してしまった。ムハンマドが創始した純粋なイスラームに戻ろう！」という内容で、特にトルコ人

やイラン人など、アラブ人にとっては「よそ者」がイスラーム世界を支配していることを批判したことが、**「トルコ人」国家であるオスマン帝国内部の「アラブ人」の民族意識**（「我々はトルコ人ではなく、アラブ人なのだ！」ということです）を目覚めさせ、じわじわとオスマン帝国を弱体化させていくことになります。

「エース」までもがオスマン帝国からの独立を画策

18、19世紀のオスマン帝国は弱体化と改革の時代でした。第二次ウィーン包囲の失敗からハンガリーを失い、ロシアのエカチェリーナ2世に攻められてクリミア半島を失います。ナポレオンによってエジプトが攻撃を受け、ナポレオンの脅威が去った後、今度は、ギリシアが独立戦争をしかけてきたことでギリシアを失いました。

このような状況の中で、オスマン帝国のエジプト総督**ムハンマド＝アリー**がオスマン帝国からの自立を要求して、**エジプト＝トルコ戦争**を起こしました。ムハンマド＝アリーは、数百人の小部隊長から実力によってメキメキと頭角を現し、ついにオスマン帝国からエジプトを任されることになる「軍事上のエース」でした。そのエース率いるエジプトが富国強兵と近代化をおし進め、オスマン帝国からの独立を要求したのです。

ムハンマド＝アリーはこの戦いに勝利してエジプトの行政権を獲得。事実上の独立を達成し、エジプトに**ムハンマド＝アリー朝**を起こします。

その後、エジプトはフランスと共同してスエズ運河を完成させますが、建設費が増大して多額の借金をすることになり、結局イギリスにスエズ運河の株式を売却してイギリスに「美味しいとこ取り」をされてしまいます。そして、イギリスの軍事占領をうけ、エジプトはイギリスの保護国となってしまいました。

ハンガリー、クリミア、ギリシア、エジプトを次々と失い、オスマン帝国はやせ細っていきます。この弱体化につけ込むように、今度は、ロシアが本格的に南下し始めるのです。

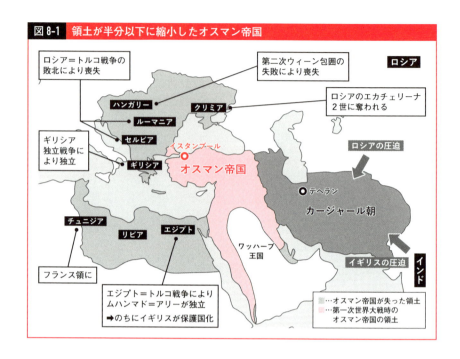

図 8-1 領土が半分以下に縮小したオスマン帝国

最大の敵はロシアだ!

　次々と領土を失い、挙句の果てに軍事的エースにまで反抗された状況をオスマン帝国も黙って見ているわけではありませんでした。スルタンの**アブデュルメジト1世**は**タンジマート**（恩恵改革）といわれる改革を始め、オスマン帝国の西洋化と近代化を進めます。

　この改革は産業の近代化や法の整備など一定の成果をあげるものの、西洋化の中でヨーロッパの経済に組み込まれて、外国製品が流入してしまい、国内産業が衰退してしまいました。

　そこに南下をしてきたのが、ロシアです。オスマン帝国の所有する黒海の出口の**ボスフォラス・ダーダネルス**両海峡を求め、**クリミア戦争**をしかけてきたロシアを、イギリスとフランスの助けを得てなんとか撃破しますが、この戦争によってオスマン帝国は完全に破産してしまいました。

　この危機に宰相の**ミドハト＝パシャ**という人物は、アジアで最初の憲法

といわれる**ミドハト憲法**を制定します。

議会を設けたり、イスラーム教徒と非イスラーム教徒の平等を図ったりしながら「同じオスマン人」という「国民意識」をつくり出し、国民を一体化させてこの事態を乗り切ることを図ったのです。

しかし、この改革は不十分に終わってしまいます。ロシアが再び南下を図り、**ロシア＝トルコ戦争**をしかけてきたのです。戦争を利用してリーダーシップをとることで自らの独裁を強めたいスルタンの**アブデュルハミト2世**は憲法を停止し、議会も閉鎖をして独裁制に戻します。

我々も「明治維新」を起こそう！

しかし、このロシア＝トルコ戦争はオスマン帝国の惨敗に終わり、ルーマニア・セルビア・モンテネグロ・ブルガリアを失います。アブデュルハミト2世に対する国民の不満はつのっていきます。そんなときに衝撃的なニュースが流れました。はるか東で日本があのロシアを破ったという日露戦争のニュースです。

「我々も『明治維新』を起こし、近代化しよう！」と、「統一と進歩委員会（**青年トルコ**）」が中心となり人々が蜂起、アブデュルハミト2世にミドハト憲法の復活を受け入れさせる**青年トルコ革命**を起こします。

ロシアとイギリスの進出にさらされたイラン

イランもオスマン帝国と同じく、ヨーロッパの圧力、特にロシアとイギリスにじわじわと圧迫されていきました。

サファヴィー朝の滅亡後のイランに新しく**カージャール朝**が成立した頃には、すでにロシアに狙われ、ロシアに突き付けられた不平等条約の**トルコマンチャーイ条約**を結ぶことになってしまいます。その後イランは次々と利権をヨーロッパ諸国に与え、諸国の「食い物」になってしまいました。国内の人々はこれに反発し、特にイギリスのタバコの独占権に抵抗し、タバコを口にしないという**タバコ＝ボイコット運動**が広がり、イギリスにそ

の利権を手放させるという実力行使にでました。

こうした運動がイラン人の民族意識を高め、ついには議会と憲法を求める**イラン立憲革命**に発展しました。しかし、ロシアに介入され、この革命は半ばで挫折してしまいます。

トルコやイランが「親日国」になった理由

トルコやイランにおいて、議会や憲法を求める革命が起きた1つの要因は、日本の「明治維新」です。明治維新によって議会や憲法が成立した日本は急速な近代化を果たし、日露戦争ではトルコやイランにとっても共通の敵だったロシアを破るに至ったのです。

日露戦争の間、ロシアの圧迫が緩んだため、トルコやイランは日本に深く感謝しました。また、「私たちも議会や憲法を持ち、国民の力を結集して近代化を図れば、ロシアに勝てるかもしれない！」という希望をトルコやイランに持たせたことが、両国が現在においても親日国の理由なのです。

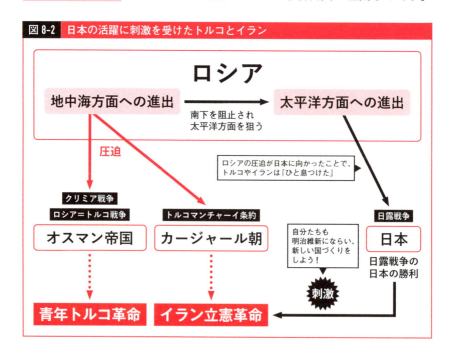

図 8-2 日本の活躍に刺激を受けたトルコとイラン

| 第8章 近代の中東・インド | トルコ革命 |

「トルコの父」が
トルコ共和国をつくった

🐫 第一次大戦後で「敗戦国」になったトルコ

第一次大戦中、ロシアへの敵対心からドイツ側についたトルコは、ドイツの敗北とともに敗戦国になってしまいました。

領土をごっそり削られ、イラクやシリア、ヨルダン、レバノンなどを失います（**セーヴル条約**）。これらの地域はのちに独立が認められ、現在の中東の国家のルーツになります。

中でも、パレスチナは、イギリスが第一次大戦中に敵側のオスマン帝国を内部から苦しめるために、トルコ人に支配されていた「アラブ人」と「ユダヤ人」の両方に独立国家の建設を約束するというイギリスの「二枚舌外交の地」に利用されてしまいました。

しかも、イギリスは2つの民族とのどちらの約束も履行せず、パレスチナの地をイギリスの委任統治領、すなわち自分の管理下にしてしまうのです。以降、アラブ人とユダヤ人は、パレスチナの地をめぐって対立してしまい、「パレスチナ問題」として現在まで続く紛争へと発展してしまうことになるのです。

🐫 「トルコの父」による革命

第一次大戦の敗戦によりごっそり領土を削られたトルコですが、ここでひとりの人物がトルコの苦境を救います。それが**ムスタファ＝ケマル**です。

ケマルは、第一次大戦で敗北したトルコにもう一太刀あびせようと、迫ってきたギリシア軍を撃退して、戦勝国の列強にも反転攻勢の姿勢を見せ始めたのです。そして**アンカラ**に新政府を立て、オスマン帝国のスルタン

制を廃止してオスマン帝国を滅亡させ、新たに**トルコ共和国**の樹立を宣言します（**トルコ革命**）。列強は、戦勝国にも攻勢をしかけようとするケマルに驚き、セーヴル条約を破棄して**ローザンヌ条約**を新たに結ぶことを承認します。この中には領土の一部回復や不平等条約の撤廃などが含まれます。

敗戦国が実力で条約を結び直させ、領土を回復したことは、歴史上でも非常に珍しい出来事です。ケマルのただ者ではない能力がわかります。

こうしてケマルは、「**アタテュルク**（トルコの父）」というニックネームをつけられ、トルコ共和国の初代大統領になりました。彼は文字をアラビア文字からアルファベットに全面的に転換する、それまでの文字を捨てさせるという思い切った**文字改革**を行い、さらに女性の参政権を確立し、伝統的服装から洋服へ改めるなど、次々と国内の改革を進めていきます。

現在の中東諸国の骨格ができた

イギリスの保護国だったエジプトは第一次大戦後、独立が認められ、ムハンマド＝アリー朝がエジプト王国として独立しました。しかし、スエズ運河はイギリスが持ったままで、イギリスのエジプト支配は実質的に続きます。サウジアラビアでは、サウード家がアラビア半島を支配下におき、サウジアラビア王国を建国しました。現在でもサウード家がサウジアラビアの王家です。イランではレザー＝ハーンという人物がカージャール朝を乗っ取ってパフレヴィー朝を開き、のちに国名をイランと改称します。

第8章 近代の中東・インド　　　　　　　　　　　　　　　インド帝国の成立

女王が統治する
イギリスの最重要植民地

🐪 反乱の原因は、動物の脂？

　オスマン帝国と同様、インドもヨーロッパ諸国の進出を受けて弱体化していきます。特にイギリスは、プラッシーの戦いなどによりフランス勢力をインド国内から追い払ってインドへの支配を確立していきました。

　イギリスのインド支配を担当したのは、東インド会社です。かつては「貿易会社」だった東インド会社ですが、イギリスの個人や様々な企業がアジア貿易に参入するようになると、「国策貿易会社」は不要となり、**19世紀には「インド統治機関」へと変容しました。**

　東インド会社のインド支配が強まると、イギリス製の安い綿織物がインドに流入し、インドの伝統的な手織りの綿織物工業は衰退していきます。

　また、東インド会社は新しい土地と税の制度を施行しましたが、そこにもインドの人々の不満が高まっていきました。

　そうした中、東インド会社が雇っていたインド人の傭兵（シパーヒー）が暴動を起こし、その暴動が全インドを巻き込む**インド大反乱**に発展しました。事の発端は、インド人の傭兵に配った銃の火薬の包み紙（刑事ドラマや映画で銃を撃ったあとに飛び出てくる「薬きょう」を見ますよね。あの部分が当時は包み紙だったのです）の潤滑のために豚や牛の脂が使われており、銃に弾を込めるときにはその包み紙を歯でかみ切らなければなりません。豚や牛の脂が口に入ることに対し、豚を忌み嫌うイスラーム教徒や牛を神聖なものとするヒンドゥー教徒が反発したのです。

　２年もの長期間続いたインドの反乱を鎮めたイギリスは、この反乱の責任を東インド会社に押し付け、その統治能力に限界があったとして東イン

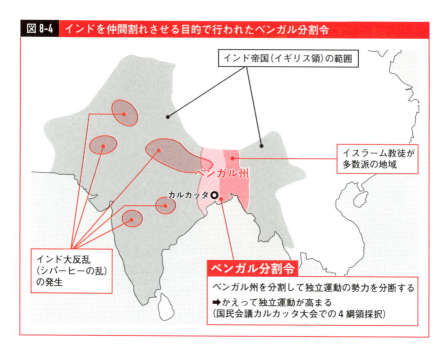

ド会社を解散させるとともに、形だけ残っていたムガル帝国を滅亡させ、**イギリスが直接おさめる領土とします。そして、ヴィクトリア女王がインド皇帝に即位する形で「インド帝国」を成立させます。**

　インドを「最重要植民地」と考えていたイギリスは、東インド会社の統治の失敗を二度と繰り返さないよう、官僚組織や司法制度を整備して、イギリスの統治が隅々までゆきわたる仕組みづくりを行いました。

「ガス抜き」に失敗し、不満が高まる

　インド帝国が成立すると、インドでは、イギリスに対する不満が高まります。「植民地慣れ」しているイギリスにとって、それは「想定の範囲内」でもありました。そこで、すぐに**インド国民会議**を開き、年4回程度の会議でインド人の不満を聞きつつ、インド人のエリート層を植民地支配の協力者としてとりこもうとしたのです。

　しかし、「穏健でいこう」というイギリスの思惑どおりにいくはずもあり

ません。急進的なティラクという人物が指導者となって自治・独立を訴えていくと、国民会議は急速に反イギリスの声をあげるための性格が強くなります。

反イギリスの声と独立・自治の要求が強くなると、イギリスはインドの宗教構成に目をつけ、インドを「仲間割れ」させてイギリスへの不満をそらそうとしました。

独立運動が最も激しいベンガル州を**ベンガル分割令**で東西に分割し、イスラーム教徒が多数派の「東ベンガル」に大幅な自治を認めてイスラーム教徒を味方にとりこみ、親英的な州をつくろうとしたのです。逆に勢力を削がれる格好となったヒンドゥー教中心の独立派は反発しました。

「仲間割れ」を起こして矛先をかわそうとしたイギリス

見え見えのイギリスによる「仲間割れ作戦」に対して、反イギリス派はヒートアップします。

カルカッタで開催されたインド国民会議では、「**英貨排斥・スワデーシ**（国産品愛用）」（イギリス製品を買わず、国産品を愛用して国内産業を守ろう）、そして「**民族教育・スワラージ**（自治獲得）」（民族意識を高めて独立を勝ち取ろう）という「4綱領」を定めて民族運動を盛り上げます。

国民会議派が正面切って独立を訴えると、イギリスは当初の「仲間割れ作戦」を隠し立てもせず、堂々と進めることにします。

イスラーム教徒を支援して**全インド＝ムスリム連盟**を結成させ、ヒンドゥー教徒との仲間割れを推し進めて、インドを2つに割ろうとしたのです。

この作戦によってイスラーム教徒は親イギリス的な性格を持ち、「**反イギリス的性格を持つヒンドゥー教徒中心のインド国民会議派**」、「**親イギリス的性格を持つイスラーム教徒中心の全インド＝ムスリム同盟派**」というように分裂していきます。

両派の対立は、現在も続くインドとパキスタンの対立の原因にもなっています。

第8章 近代の中東・インド | 第一次大戦後のインド

約束を守らないイギリスに不服従運動が始まる

約束を破られ、弾圧される

　こうした中、世界は第一次世界大戦に突入していきます。戦いに勝つために「猫の手もかりたい」イギリスは、インドの手も借りようとしました。イギリスは、インドに戦後の自治を約束することと引き換えに戦争への協力を求めたのです。インドは、「独立のためなら」と、たくさんの兵士をヨーロッパに送り込みます（第一次大戦の写真を見ると、ターバンを巻いたインド人の兵士が様々な場面で見られます）。

　第一次大戦はインドの協力もあって、イギリスの勝利に終わりました。

　イギリスは、「戦争に協力した以上、約束どおりに自治を獲得できる」と思っていたインドの人々に、ローラット法を制定し、インド人に対する令状なしの逮捕や裁判なしの投獄を認め、むしろ、民族運動を弾圧する動きを見せました。

　インド人がこの法への抗議集会を開くと、イギリス軍は突如発砲して弾圧（アムリットサール事件）。1500人以上の死傷者が出ると、イギリスの裏切りに、インド人の怒りは頂点に達しました。

"偉大なる魂"ガンディーの登場

　そこに登場したのが「偉大なる魂（マハートマー）」として、インドの人々に称えられたガンディーです。第一次大戦では、イギリスのインド自治の約束を信じて、インドの人々にイギリス軍への志願を呼びかける運動を行っていました。

　しかし、イギリスに裏切られると、ガンディーは「イギリスに協力的な

姿勢をとっても独立にはつながらない」ことを身をもって知り、「イギリスには「不服従」の態度で臨むべきだ」と考えるようになりました。

そして、ガンディーはインドの完全な独立「プールナ＝スワラージ」を要求し、非暴力・不服従運動を展開したのです。

当時のこの運動を写した映像には、警察に棒や拳でメチャクチャに殴られながらも、けっして殴り返さず、頑として独立への主張やイギリス製品の不買運動を続けるインドの人々の姿が見られます。

そんなガンディーの「非暴力・不服従」の大デモンストレーションが「塩の行進」です。当時のインドでは、塩はイギリスの独占販売商品であり、勝手に塩をつくることは法で禁止されていました。

誰でもつくることができる生活必需品さえも、イギリスの搾取の道具になっている。そんな状況に疑問を抱いたガンディーは、400キロもの道のりを歩いて海岸に行き、自分たちで塩をつくろうと訴えたのです。「自分たちの生活のため、イギリスの法を堂々と破りにいくのだ！」というガンディーの主張に共鳴する人々が行進に次々と加わり、数千人の行進へと発展しました。ぼろきれのような布をまとってただ「歩くだけ」で抵抗する姿こそ、ガンディーの「非暴力・不服従」の姿そのものでした。

そして、海岸にたどり着いたガンディーの一行は、海水を煮てひと握りの塩をつくり、「この塩がイギリスを揺るがすのだ！」といったと伝えられています。ガンディーが巧みだったのは、この行進に新聞記者の同行を許し、世界中に報道させたことです。

塩の行進をきっかけに、インドに世界中の耳目が集まり、ガンディーの投獄や、棒でめったうちにされるインドの人々の姿が報道されるたびに、イギリス国内にもガンディーに同情的な論調が巻き起こり、イギリスの植民地主義に対する批判が高まったのです。

イギリスの妥協に、今度はインドが応じない

こうした世論の圧力や、世界恐慌による経済の落ち込みによって立場が

悪化したイギリスは、自らインドに歩み寄っていきます。

インドに自治を与えるため、妥協を図った**英印円卓会議**を開こうとしますが、「求めるものは、自治ではなく完全なる独立だ！」と、今度はインド国民会議派が歩み寄らずに合意に至りません。焦ったイギリスは、さらに妥協しますが、完全独立には遠いものでした（新インド統治法）。**世界恐慌によって経済的に落ち込むイギリスにとって、インドはイギリスの収益を支える大切な植民地だったので、インドにヘソを曲げられると、一気に窮地に立たされてしまいます。イギリスにとっては、「イギリスから離れてしまわない程度の自治」を与えるという難しい局面でした。**

また、イギリスは妥協とともに、インドの宗教的分裂を図る「仲間割れ作戦」も並行して行っており、親英的なイスラーム教教徒と反英的なヒンドゥー教徒というように、宗教的対立も深まっていきました。

こうした対立を抱えながら、インドは第二次大戦後の独立を迎えることになるのです。

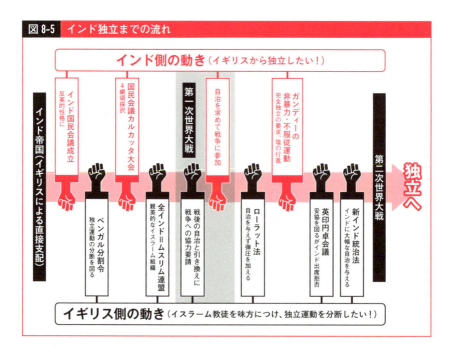

第9章

近代の中国

第9章 近代の中国　あらすじ

歴史の舞台

清王朝が衰退して
新たな革命勢力が台頭

　本章の主役は、中国最後の王朝となった清王朝と、清が倒されて成立した中華民国です。

　清王朝の前半は名君に恵まれ栄えましたが、後半は次第に衰えていきます。この衰退期と、欧米が帝国主義を始めた時期がちょうど重なり、清は海外の圧力に悩まされることになります。

　清の内部から何度も改革運動が起きますが、皇帝による支配という根本的な部分が変わらず、すべて中途半端に終わってしまいます。

　そして、最終的に清王朝の打倒と近代化、民主主義化を唱えた革命勢力が台頭し、新たな中国が誕生するのです。

第9章 【近代の中国】の見取り図

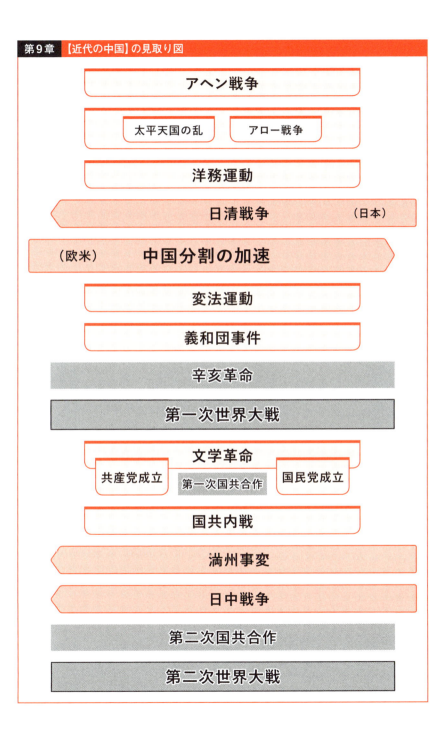

| 第9章 近代の中国 | アヘン戦争 |

「お茶」を求めてイギリスが中国に進出

イギリスで、中国のお茶が大人気！

　イギリスが世界に先がけて産業革命を達成し、貿易路を拡げると、はるか東の中国（清王朝）の物産がイギリスに流入するようになりました。

　陶磁器や生糸も人気でしたが、独特な香りと甘みのある中国の紅茶は特に人気を博しました。イギリスでは喫茶の風習が広がり、中国との貿易額の9割以上がお茶の輸入になりました（上流階級の習慣のみならず、資本家たちが労働者の労働効率を高めるため、カフェインを含んだお茶を積極的に勧めたことで、社会の全階層で喫茶の風習が広がりました）。

　一方、中国は、清の乾隆帝の時代、貿易制限令を施行し、中国の対外的な貿易港を広州のみに絞り、公行という組織に対外貿易の独占権を与えました。イギリス商人がお茶を買う場合、公行から買い取るほかなかったため、**公行にお茶の値段をどれだけ釣り上げられても黙って買うしかなく、対価としての銀がイギリスから中国にどんどん流出してしまいました。**

　困ったイギリスは、清に公行以外の商人からもお茶が自由に買えるようにしてほしいと要求しますが、「貿易させてやるだけでも皇帝様の特別な温情なのに、不満があるとは何ごとだ！」と中国に一蹴されてしまいます。

お茶を買うためにアヘンを売ったイギリス

　そこで、イギリスはインド産の麻薬の**アヘン**を中国に輸出し、インドを経由して支払いに使った銀を回収するという**三角貿易**を始めます。

　アヘンは、中毒性と禁断症状が特に強い麻薬です。中国社会は、皇族から官僚、民間にいたるまであっという間に“薬漬け”になった結果、アヘ

292

ンの輸入が増加し、今度は中国からイギリスに銀が大量に流出するようになりました。

慌てた清はアヘン貿易を禁じますが、薬漬けの官僚たちが商人たちと結託し、密輸入という形で大量に輸入しようとします。

このままでは、全国民がアヘン漬けになり、かつ銀が大量流出することで、王朝の存続にもかかわる事態になってしまうと焦った清王朝の中から、林則徐という人物が立ち上がります。

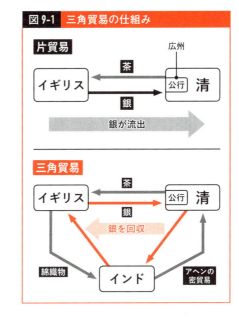

林則徐は、さっそく特命大臣としての命を受け、アヘン貿易の取り締まりを行いました。アヘンを持ち込んでいるイギリス人居住区を軍隊で取り囲み、2万箱という大量のアヘンを没収して廃棄するという実力行使に踏み切ったのです。

軍隊がイギリスの居住区を取り囲むという実力行使に出たことを理由に、イギリスは清王朝にアヘン戦争をしかけます。

戦争は、海軍力で上回るイギリスの一方的な勝利に終わり、イギリスは清に南京条約を結ばせました。香港島をイギリス領土にすることに加え、お茶の独占販売を行っていた公行を廃止し、商人同士の自由な取引を可能にさせました。

また、広州1港に絞られていた貿易港を上海、厦門などの5港に拡大させます。こうすれば、イギリスは、お茶を最も安い値段を示した商人から買い取ることができるというわけです。

さらに、追加の条約を次々と結ばせ、治外法権や協定関税などのオプションを付けながら「不平等条約化」を推し進めていきました。

293

第9章 近代の中国　　アロー戦争と太平天国の乱

国内外で起こる戦争に
お手上げになった清

🏛 イギリスがさらなる利権の拡大を狙う

アヘン戦争に勝利したイギリスは、南京条約に満足しませんでした。

中国南部の5港を開かせたものの、中国の最大消費地の北京の周辺の港が開港されていなかったこと、また、イギリスが本当に売りたいのは密輸していた「アヘン」ではなく、産業革命によって大量生産されていた主力商品の「綿織物」だったからです。

イギリスがより儲けるためには、戦争をしかけてさらに貿易港を開港させ、自由に商売をできるようにさせてほしいと考えたのです。

そんなときに、**アロー号事件**という事件が起きます。

ある日、「アロー号」というイギリス船を装った中国人の海賊船が、広州沖に泊まっていました。その情報を聞きつけた清の役人が、取り締まりのためにアロー号に踏み込むと、やはり中国人の海賊がいました。清の役人が海賊を逮捕して一件落着、というところまではよかったのですが、余計なことに船に踏み込む際、海賊が偽装に使っていたイギリス国旗を清の役人が引きずりおろして、海に捨ててしまったのです。

この出来事をイギリスに対する侮辱と見たイギリスは、フランスを誘って戦争を起こしました。これが「第二次アヘン戦争」ともいわれる**アロー戦争**です。

イギリス・フランス連合軍を前に清軍は降伏し、**天津条約**によって停戦が成立しました。英仏両軍は一度本国でこの条約を承認してもらうために持ち帰ったのですが、持ち帰っている間に清の内部ではこの条約への反対勢力が主流になり、徹底的に外国と戦うべきだという意見が占めました。

294

　そして、英仏両軍が条約の最終確認のために再び清を訪れたときに事件は起きます。清の軍隊が、天津港で英仏艦隊を砲撃したのです。

　停戦のための条約を結びにやってきたのに、突然の砲撃という裏切りに激怒した英仏両軍は、北京まで侵攻して、清皇帝の離宮であった円明園を破壊し、略奪しました。

　たまらず清はロシアに仲介を依頼し、**北京条約**が結ばれて再度停戦しますが、結ばれかかった条約を反故にした代償は大きく、清国政府は、**九竜半島南部の割譲**（香港島の"向かい側"にあたります）、天津などの11港の開港、**アヘン貿易の公認**、そして外国人の中国旅行の自由などを認めました。この条約によって、イギリスは中国のどこでも自由に商売することが可能になり、アヘンも持ち込み放題になりました。

　結果、中国の銀はさらにイギリスに流出することになり、また、仲介をしたロシアにも、要求されるがままにウラジヴォストーク周辺の**沿海州**を譲りました。

🏛 欧米の力を借りなければ、国内の反乱をおさえられず

アヘン貿易公認や開港などにより、中国の銀はイギリスにどんどん流失しました。苦しむのは、中国の民衆です。当時、民衆は銀で税を納付していたので、**中国の銀がイギリスに流出してしまうと、銀が手に入りにくくなる中、銀をかき集めて納付しなければならず、実質的な増税になっていました。**

清の民衆が苦境に立たされる中、**洪秀全**という人物が立ち上がります。「拝上帝会」というキリスト教結社の一員だった洪秀全は、貧農や失業者を吸収し、清を倒して新たな国家、「太平天国」を建国しようと訴え、挙兵します。スローガンは「滅満興漢」。**「満州族」の清の外交や税制に不満を持った民衆が新たに「漢民族」の国を興そう、という意味です。**不満をもった民衆は次々と太平天国に加わり、南京を占領して「天京」として新国家建設を宣言します。

この大規模反乱に清の正規軍はまったくの無力で、各地で太平天国軍に撃破されていきました。太平天国を潰し、清朝の危機を救ったのは**曾国藩・李鴻章**といった地方の有力者が組織した義勇軍と、イギリス・アメリカからなる「常勝軍」といわれた欧米の軍隊でした。**イギリスはアロー戦争で清と戦いながら、太平天国の乱では清を助けるという奇妙な状況でしたが、清はせっかく不平等条約を結んだ相手なので、滅亡させずに「生かさず殺さず」にできるだけお金を絞り取りたいというのが本音だったのです。**

🏛 近代化を目指した改革

アヘン戦争やアロー戦争、そして太平天国の乱という一連の戦いにおいて、イギリスやフランス、アメリカを敵と味方の両方の立場で間近で見た清の曾国藩と李鴻章は、先進国の近代的な装備の威力に驚き、うらやましくも思ったのでしょう。彼らは**洋務運動**という近代化運動を行い、兵器工場の建設や鉱山の開発などを通じて積極的に装備の充実を図りました。

| 第9章 | 近代の中国 | | 中国分割 |

弱体化が全世界にバレた
清が半植民地化の道へ

🏛 "格下"のはずだった日本に敗北

ところが、「洋務運動」は、日清戦争の敗北という事実を前にして、失敗だったことが明らかになります。

当時、日本は、朝鮮半島への進出を図っていました。朝鮮は清の属国だったため、日本が朝鮮に圧力をかければかけるほど、朝鮮は「親分」の清を頼ります。日本が朝鮮に対して、様々な条約を結んで植民地化したいと思っても、親分の清が介入しては進出を妨げます。そのため、清と朝鮮の属国関係を断ち切って朝鮮と単独で条約を結びたい日本と、清の対立が深まっていき、日清戦争が勃発します。

戦争そのものは日本の圧倒的優勢のうちに進みます。両国の兵器の質は同等だったものの、軍隊の質において日本が圧倒的に勝っていたからです。

明治維新を経た**日本は、憲法や議会、教育の成果により「国民国家」を成立させ、「我々は日本人であり、国を背負って戦う」というモチベーションが兵士の隅々にまでゆきわたっていました。**

一方、清の軍隊は「洋務運動」によって日本にも引けをとらない軍事力を備えていたものの、**強い独裁権を持つ皇帝のもと、官僚が一方的に国民を支配する体制のもと、「命令されたから戦っているだけ」という戦意が非常に低い兵士たちの集まりにすぎませんでした。**

日清戦争の結果結ばれた**下関条約**では、朝鮮王朝の清からの独立（日本が狙っていた清と朝鮮の属国関係の切り離し）と、台湾と遼東半島の割譲と賠償金の支払いが決定されました（遼東半島は、「三国干渉」によって清に返還されました）。

弱みにつけ込まれ、半植民地化が進む

　日清戦争で清が日本に敗北したことによって、列強の清を見る目が変わりました。清はなんといってもユーラシア大陸の東部を覆いつくすほどの大国で、本気で戦えば痛い目にあう「眠れる獅子」という見方が多勢を占めていましたが、**清よりも格下とされていた日本に完敗したことにより、一転して、清の深刻な弱体化が印象付けられてしまったのです。**

　その結果、列強は遠慮なく清に進出するようになります。租借地を設けて、居住区での支配権を強化し、また、鉄道を敷設して鉱山の採掘や経済活動を行うなど、勢力圏をさらに拡大して「半植民地化」していきました。

　また、南北戦争やアメリカ＝スペイン戦争のゴタゴタによって中国分割競争に遅れをとったアメリカは、「門戸開放宣言」を出して、列強の中国完全植民地化をけん制し、中国市場への経済的進出の機会均等を訴えました。

第9章 近代の中国 | 辛亥革命

近代化の道を自ら閉ざした清がついに滅亡

握り潰された改革

列強による激しい進出を受け、中国全土が「半植民地化」する事態に至って、ようやく清は重い腰をあげます。それが変法運動です。

皇帝による独裁を改め、憲法の制定を目標に政治改革を行うという、日本の明治維新をモデルにした改革を始めました。中国も、"身も心も"完全に近代化をしようとの試みでした。

しかし、この改革も失敗に終わります。「皇帝の独裁が終わると、自分たちの権威も低下してしまう」と考えた皇帝の"取り巻き"たちと、西太后という皇帝の叔母が中心になって変法運動を握り潰したのです。

北京を占領され、苦境に立たされた清

さらに、事態は二転三転します。義和団という宗教結社が中心になって、列強の半植民地化に対抗して外国人を追い払おうという大規模な反乱を起こします。スローガンは「扶清滅洋」。「清を助けて外国人を滅ぼそう！」という意味です。民衆が自ら外国勢力を追い払ってくれるのは、清王朝にとっても好都合でした。西太后は義和団の力を借りて列強を追い払おうと、列強諸国に宣戦布告しますが、逆にイギリス・ロシア・日本など、列強8カ国の出兵により返り討ちにあいました。首都北京や紫禁城をも占領され、莫大な賠償金や、外国軍隊の北京駐留を受け入れるという非常に厳しい北京議定書を結ばされてしまいます。清は自ら「変法運動」という改革のチャンスを潰したうえ、列強に戦争まで挑んだのに、敗北して厳しい条約を結ばされるというチグハグな動きになってしまったのです。

第1章 ヨーロッパの歴史
第2章 中東の歴史
第3章 インドの歴史
第4章 中国の歴史
第5章 一体化する世界の時代
第6章 革命の時代
第7章 帝国主義と世界大戦の時代
第8章 近代の中東・インド
第9章 近代の中国
第10章 現代の世界

299

🏛 「新しい中国」は海外からの視点で始まった

　ここで孫文という人物が登場します。ハワイやイギリス領の香港、日本など、海外での暮らしが長いグローバルな人物です。清王朝の一連の動きを海外から客観的に眺められる立場だった孫文は、**中国を救うには、清王朝を打倒して、新たな民主主義国家を樹立しなくてはならないと考え**、革命組織の中国同盟会を東京で組織しました。

　清に不満を持つ四川地方の土着の資本家たちを中心に暴動（四川暴動）が起きると、中国同盟会の息のかかった革命派は、この暴動を清王朝打倒の機会と捉え、武昌という都市で蜂起して清王朝からの独立を宣言します。

　さらに、中国同盟会とつながりがあった組織も次々とこの蜂起に加わり、各省で独立宣言が相次ぎました。アメリカで、中国国内の革命の開始を知った孫文は、直ちに中国に舞い戻ると、熱狂のうちに民衆に迎えられます。

　そして、孫文は共和政の「中華民国」の建国を宣言し、臨時大総統という役に就任するのです。清が倒れ、中華民国が成立するまでの一連の動きを辛亥革命といいます。

　一方、清王朝は政変のあおりで失脚していた軍のエース、**袁世凱**を起用し、軍を与えて中華民国の打倒を図ります。ところが、孫文たちとひそかに連絡をかわし、自身の中華民国の臨時大総統就任を約束された袁世凱は、清を裏切って、逆に軍隊を北京に差し向け、清の皇帝、**宣統帝**に退位を迫りました。**軍のエースが裏切って中華民国のリーダーとなり、逆に退位を迫ってきたのですから、清王朝は、もはや成す術がありません。宣統帝は退位して、清は滅亡します。**

　中華民国のトップになった袁世凱は、独裁を強めて、自ら皇帝になろうと画策しました。「皇帝のいない中国」を求めた民衆は、袁世凱の動きに失望し、地方の有力者が次々と袁世凱を見限って反乱を起こします。そして、孤立した袁世凱はさびしく病死します。ここから中国は、反乱を起こした地域の有力者（軍閥）たちが互いに争う、新たな「戦国時代」に入ります。

第9章 近代の中国　　　　　　　　　　　　　　　　　国共合作と分離

国民党と共産党、二大勢力の誕生

🏛 第一次大戦により、日本の中国進出が強まる

　清の滅亡の２年後に勃発した**第一次世界大戦中、中国に進出していたヨーロッパ諸国がヨーロッパでの戦争にかかりきりになったため、列強の中国への圧迫がやや緩みました。**

　しかし、その入れ替わりに、今度は、日本が中国進出を強めていったのです。

　そうした動きの中、北京大学の学生を中心とする運動が高揚します。

　袁世凱の帝位就任や、日本が袁世凱政府につきつけた「**二十一カ条の要求**」に対する反発が、学生のエネルギーになり、学生運動が起こりました。

　こうした学生運動の思想的な背景になったのは、**文学革命**です。

　雑誌『**新青年**』の**陳独秀**、作家の胡適や魯迅を中心に、今までの「年長者の言うことには大人しく従いなさい！」という儒教道徳を批判し、若い知識人たちが「若者たちのエネルギーで新たな中国をつくろう！」というメッセージを込めた文学を発表することで、思想面の改革運動を起こしたのです。

　日本の「二十一カ条の要求」は、遼東半島や山東半島での日本の利権を拡大するためのもので、圧力によって権益を一方的に「よこせ！」といわれるという中国にとっては屈辱的なものでした。

　さらに、第一次大戦後のパリ講和会議において、日本の「二十一カ条の要求」を列強が承認したことで、北京大学の学生を中心に、パリ講和会議の反対と抗日を訴えるデモが起こり、全国規模に拡大します。この運動は、開始された日付をとって**五・四運動**といいます。

🏛 「水と油」の国民党と共産党が手を握った理由

「五・四運動」の大きな民衆の声の高まりやロシア革命をうけて、2つの政党が成立しました。1つは、孫文が中心となって創設した民主主義政党の中国国民党、もう1つは社会主義政党の中国共産党です。中国に社会主義を紹介した陳独秀や李大釗などが中心になり、中国にソ連のような社会主義国家建設を求める政党です。

知識人や資本家が中心の国民党と貧しい労働者や農民が中心の共産党では、政党の性格が大きく異なります。しかし、中国北部では軍閥が「戦国時代」のように争っている状況があり、この争いが長引くと列強（特に日本）に中国進出のチャンスを与えてしまうため、国民党と共産党は軍閥打倒のために手を組むことになります（第一次国共合作）。

🏛 つかの間に終わってしまった「国共合作」

しかし、国共合作は、突然崩壊します。軍閥を討つための「北伐軍」の司令官だった蔣介石が、突如、共産党員を虐殺したことで、国民党と共産党が分離してしまったのです（上海クーデタ）。この後、蔣介石は国民党だけの軍隊を率いて次々と軍閥を破り、ついに北京に入って北伐を完成させ、国民党による中国統一を宣言しました。

北伐によって北京を追われた軍閥の中に、日本が支援していた軍閥の張作霖という人物がいます。北伐軍によって北京を失った張作霖が根拠地の満州に戻る途中、満州の日本軍（関東軍）が列車ごと爆破して張作霖を殺害するという事件が起きました。

この事件は、北伐軍が満州に及ぶ前に張作霖を爆殺して満州を「空席」にすることで、満州進出を容易にするためだったと考えられています。

一方、上海クーデタによって国民党から排除された後、瑞金という町に拠点を築いて社会主義革命のタイミングをうかがっていた共産党は、国民党の圧迫を受けたことで、内戦に発展しました。

| 第9章　近代の中国 | 満州事変と第二次国共合作 |

日本の大陸進出が
ライバル同士を結び付けた

満州国の成立で、日本の中国進出が本格化

　ここで2つの状況が同時進行します。1つは日本の大陸進出、もう1つは、中国内部の国民党と共産党の争いです。

　満州の日本軍である関東軍は柳条湖という湖のほとりで日本が経営していた南満州鉄道を自ら爆破し、それを中国軍のしわざとして軍事行動を開始し、満州を占領してしまいました（満州事変）。

　その後、日本は、清の最後の皇帝（宣統帝）だった溥儀を執政という役につけ、日本の従属国、満州国の建国を宣言します。この軍事行動の非は日本にある、と中国から訴えられた国際連盟は、リットン調査団を派遣します。結果、国際連盟は日本の非を指摘し、満州国を承認しませんでした。そのため、日本は国際連盟を脱退することになります。

国民党に追い回された共産党

　一方、中国内部の国民党と共産党の争いのほうは、新たな局面を迎えていました。南京国民政府（国民党の政府）は、満州事変の対応よりも、まずは内部の敵である共産党勢力の打倒を優先して、共産党の根拠地の瑞金を厳しく包囲攻撃します。共産党はたまらず、瑞金を放棄し、国民党の攻撃を受けながらも新しい拠点を求めて転戦します。

　そして、全行程1万2500kmに及ぶ長征といわれた大行軍の最中、難所越えと国民党の追撃によって当初10万人いた兵力が1万人を下回るほどの苦闘を強いられた後、延安という町にようやく本拠地を移すことができました。

再び手を握った国民党と共産党

　このように激しく戦う国民党と共産党は、突如、手を握り、**第二次国共合作**を成立させます。張作霖の子、**張学良**という人物が、西安に滞在中、彼を訪ねてきた蒋介石の宿舎を襲い、身柄を監禁し、共産党の周恩来を西安まで呼びよせると、「日本に対抗するために、今すぐ協力関係を結ぶべきだ！」と２人に訴え、強引に握手させたのです（**西安事件**）。親の張作霖を失い、根拠地の満州を日本に奪われた張学良にとっては、中国進出の勢いを強める日本こそが「真の敵」だという想いが強かったのでしょう。

　第二次国共合作の成立後、日本に対抗する「抗日民族統一戦線」が結成されました。そして、**盧溝橋事件**から本格的に中国に侵攻した日本は、**日中戦争**を始めます。アメリカの支援を受けた「抗日民族統一戦線」の粘り強い戦いにより、日中戦争はやがて泥沼化していきます。戦況打開のため、日本がアメリカに宣戦布告することで、太平洋戦争が始まります。

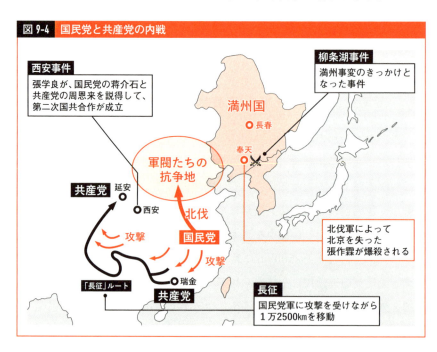

図 9-4　国民党と共産党の内戦

第10章

現代の世界

第10章 現代の世界　あらすじ

歴史の舞台

世界を二分した
アメリカとソ連のにらみ合い

　いよいよ最終章は、第二次世界大戦後の世界です。

　主役は、アメリカとソ連です。これまで、両国は世界史の中では、どちらかといえば「脇役」の存在でした。しかし、第二次世界大戦以降、アメリカが資本主義、ソ連が社会主義をそれぞれ代表して、核兵器を持ってにらみ合い、「冷戦」といわれる世界を二分するほどの激しい対立を繰り広げるようになります。

　冷戦構造が終結すると、世界は多様化に向かいますが、冷戦の最中には見えなかった民族対立や新たな難問に世界が直面することになります。

第10章 【現代の世界】の見取り図

EU
EC

戦後の西ヨーロッパ

戦後の東ヨーロッパ

アメリカ（西）側の動き

ベトナム戦争

雪どけ

キューバ危機

雪どけ

SEATO・ANZUS結成

朝鮮戦争

NATO結成

ベルリン封鎖

マーシャル=プラン

冷戦の崩壊

プラハの春

ワルシャワ条約機構結成

コメコン結成

コミンフォルム結成

ソ連（東）側の動き

戦後の中東

戦後のインド

戦後の中国

第10章 現代の世界　　　　　　　　　　　　　　国際連合の成立

新たな国際秩序の中心は戦勝国たちだった

「戦勝国サロン」だった国際連合

　第二次世界大戦は、イタリア・ドイツの無条件降伏と日本のポツダム宣言受諾によって終結しました。以降、第一次大戦に続き、第二次大戦でも国土のほとんどが戦場にならずに戦勝国となったアメリカが、戦争で国土が荒廃したヨーロッパになり代わって覇権を握ることになります。

　サンフランシスコ会議において、戦後の国際機構として国際連合が設立されますが、**戦争の終結は「戦勝国による世界秩序」の始まりに他なりませんでした。**

「国際連合」を英語にすると「United Nations」になります。これは大戦中の「連合国」という意味で、第二次世界大戦に勝った連合国の名称をそのまま使い続けているということです。

　そのため、戦勝国側の5大国、アメリカ・ソ連・イギリス・フランス・中国（当時は「中華民国」）は安全保障理事会の常任理事国とされ、拒否権という強い権限を持つ一方、敗戦国の日本は戦後11年間、イタリアは10年間、ドイツに至っては28年もの間、国連に加盟できませんでした。

　国際連合は、平和の維持のために「名より実」をとります。国際連盟がヒトラーやムッソリーニの軍事行動をおさえられなかった反省から、国際連盟の「全会一致で決定に時間がかかる」「国際連盟では軍事力を持たない」という2点を改善します。具体的には、「安全保障理事会の11カ国（のちに15カ国）で決まりさえすれば、それが国連の決定になる（実際は常任理事国の5カ国の合意があれば決まる）」「軍事制裁に国連軍を使用できる」として、意思決定を迅速にし、かつ軍事力も備えるようにしたのです。

第二次大戦の終戦は「冷戦の開戦」だった

　第二次大戦では、アメリカとソ連は協力関係を築いていました。

　しかし、共通の敵であるファシズム陣営を倒すと、資本主義のアメリカと社会主義のソ連という政治的スタンスの溝が浮き彫りとなります。

　アメリカの原子爆弾投下の4年後、ソ連も核兵器保有を宣言したことで、**2つの超大国が核兵器のすさまじい威力からお互いに直接の戦争には踏み切れずに睨み合う**という「冷戦（冷たい戦争）」が始まりました。そして、両国は自分の味方を増やそうと、争うように影響力を拡大するための行動に出るのです。

ヨーロッパを取り込もうとするアメリカ

　先に動いたのは、アメリカです。ソ連が東ヨーロッパの国々を社会主義陣営に引き込むと、アメリカはヨーロッパの国々にソ連の影響力が及ぶことを阻止するため、封じ込め政策を開始しました。具体的には、ヨーロッパの国々へのマーシャル＝プランという計画に基づいた経済援助を行い、お金によるヨーロッパ諸国のアメリカ陣営への取り込みを図ったのです。

　対して、ソ連はコミンフォルム（共産党情報局）を結成して、アメリカの取り込み政策に乗せられないように東ヨーロッパの共産党の結束を固めていきます。こうしてアメリカとソ連の「意地の張り合い」が始まります。

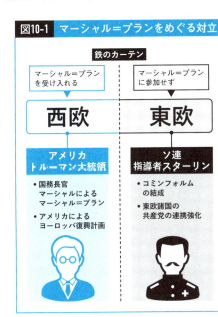

| 第10章 現代の世界 | ベルリン封鎖 |

アメリカの物量が冷戦の第1ラウンドを制す

 社会主義の"浮き島"になってしまった西ベルリン

　アメリカとソ連の冷戦の第1ラウンドの舞台は、敗戦を迎えて占領状態にあったドイツです。戦後、ドイツの土地は4つに分けられ、アメリカ・イギリス・フランス・ソ連の4カ国がそれぞれ占領しました。そして、首都のベルリンも4カ国に分割占領されます。

　アメリカ・イギリス・フランスの占領した地域は資本主義のアメリカ側、ソ連が占領した地域は社会主義のソ連側に組み込まれます。

　特に、**ベルリンの西側地域（西ベルリン）は、ソ連側の中に浮かぶアメリカ側の"浮き島"のようになってしまいました。**

　最初にしかけたのは、アメリカ側です。チェコスロヴァキアを社会主義化させたソ連の次の狙いがドイツと見たアメリカ側は、ソ連の影響がドイツ全域に及ぶ前に、占領地域の西ドイツと西ベルリンに新しい通貨を発行しました（「通貨改革」）。アメリカドルに裏付けられた西側の通貨の価値は高騰し、東側の通貨とかけ離れた価値を持つまでに至ります。

　そこでソ連は、ベルリン封鎖を実行します。東ドイツの中の浮き島である西ベルリンの鉄道・道路を遮断し、東ドイツから送電している電気の供給もストップさせたのです。西ベルリンには、200万人もの市民がいました。鉄道・道路・電気の供給がストップして、西ベルリンはたちまち物資不足に陥り、飢えが目前に迫るようになってしまいます。

 アメリカの物量が「意地の張り合い」を制した

　ソ連の狙いは、この「兵糧攻め」により、アメリカ側の通貨改革を中止

させるとともに、困窮した西ベルリン市民が社会主義革命を起こして、手を焼いたアメリカ側に西ベルリンを放棄させることにありました。

しかし、ここでアメリカは世界をあっと驚かす手に出ます。なんと、**空から200万人分の物資を西ベルリンに運んで、人々を飢えから救おうとしたのです。**輸送機が次々と西ベルリンの空港に降りたって物資を供給し続けた結果、ベルリン市民は、約1年間、飢えをしのぐことができました（<u>ベルリン空輸</u>）。圧倒的な物量を前にソ連の思惑は打ち砕かれ、国際的な非難を浴びてしまいます。その結果、ソ連は封鎖を解除せざるをえなくなり、「米ソの意地の張り合い」はアメリカの勝利で終わります。

ベルリン封鎖後、ドイツの分裂はもはや決定的になり、西ドイツと東ドイツは完全に別々の国になりました。

以後、アメリカ側はNATO（北大西洋条約機構）という軍事機構を、ソ連側もCOMECON（経済相互援助会議）という経済組織を設立して、お互いの陣営の足場を固めていきます。

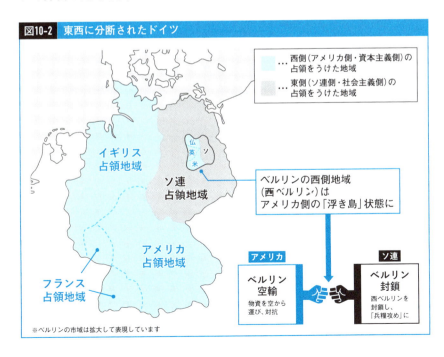

図10-2 東西に分断されたドイツ

| 第10章 現代の世界 | 朝鮮戦争 |

冷戦の第2ラウンドはアジアでの"熱い戦争"

 朝鮮半島全土が戦場に

「冷戦」、とはいうものの、この期間にアジアでは東西の軍隊の衝突を伴う「熱い戦争」がしばしば勃発しました。そうした「熱い戦争」の1つ、朝鮮戦争がベルリン封鎖に続く米ソ対立の第2ラウンドとなります。

日本に併合されていた朝鮮半島は、終戦後のドイツのように北をソ連、南をアメリカに分割占領され、日本の支配が終わってもすぐに独立はできませんでした。

「1つの朝鮮」としての独立が不調に終わり、ドイツが東西に分離独立したように、朝鮮半島も南北に分裂して独立することになります。

まず、南側がアメリカの支援を受け、**李承晩**を大統領にした大韓民国（韓国）が建国されると、北側はソ連の支援を受けて**金日成**を首相にした朝鮮民主主義人民共和国（北朝鮮）が建国されます。両国は、成立直後からお互いを屈服させようと激しく対立しました。

そして突如、北朝鮮が韓国へ侵攻します。突如、国境線を越えてきた北朝鮮軍に意表をつかれた格好で、韓国は釜山の付近まで後退を余儀なくされました。

そこに登場したのが、アメリカです。ソ連が欠席中だった国連の安全保障理事会でアメリカ軍を主力とする国連軍の派遣を決定して、韓国の手助けをするために参戦します。

アメリカ軍の火力が加わった韓国軍は形勢を一気に逆転し、今度は北朝鮮軍を押し返して、中国の国境まで迫ります。北朝鮮はソ連・中華人民共和国に協力を求めますが、ヨーロッパに力を入れたいソ連は、表立った支

援を行わず、中華人民共和国もアメリカと全面対決を避けるため、国としてではなく、志願兵からなる「義勇軍」という形で北朝鮮を支援します。「義勇軍」といっても、80万人にものぼる大兵力だったので、今度は韓国側が押されてしまい、結局、戦争前の両国の国境だった北緯38度線で膠着し、休戦を迎えます（**現在も「休戦」が続いており、戦争が終結したわけではありません**）。

この戦争は、兵士だけで100万人、非戦闘員で300万人の死傷者を出すほどの激戦になりました。朝鮮半島全域が戦場になったため、一家が北と南に離れ離れになるような悲劇も各地で相次ぎました。

結局、朝鮮戦争は引き分けに終わりますが、冷戦が「熱い戦争」に発展したことで米ソの緊張はさらに高まっていきます。

アメリカ側は、戦争中に日米安全保障条約、オーストラリア・ニュージーランドとANZUS、戦後にも東南アジアの国々とSEATOという軍事同盟を結成します。ソ連側も軍事同盟のワルシャワ条約機構を結成しました。

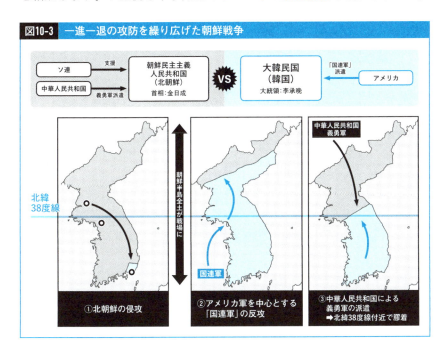

図10-3　一進一退の攻防を繰り広げた朝鮮戦争

第10章 現代の世界　　　　　　　　　　　　　　　　　雪どけ

世界の構造を変えた スターリンの死

スターリンの死によって東西の緊張が緩和

　ここまでのアメリカとソ連の意地の張り合いの状況をまとめたのが、下の図です。両国の緊張が、次第に高まっていっていることがわかると思います。しかし、ここで意外な形で米ソの緊張が緩みます。

　そのきっかけになったのが、ソ連の指導者・**スターリンの死**です。

　米ソ対立を主導してきた「急先鋒」のスターリンが朝鮮戦争の最中に死去したことで、対立ムードがやわらぎ、世界は急速に「平和共存」路線に舵を切るのです。

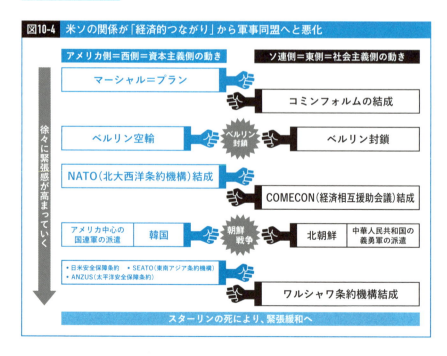

図10-4　米ソの関係が「経済的つながり」から軍事同盟へと悪化

314

たったひとりの人物の死によって、歴史が大きく動いたという状況を見ると、スターリンの存在がいかに大きなものだったかがわかります。

スイスのジュネーヴでは、アメリカ・イギリス・フランス・ソ連の首脳の会談、ジュネーヴ4巨頭会談が実現します。

スターリンの後にソ連の指導者となったフルシチョフは、共産党大会でスターリンのやり方を批判し、アメリカとの平和共存を唱えると、ぐっとアメリカとソ連が歩み寄り、雪どけといわれる緊張緩和の状況が生まれました。

「ベルリンの壁」の構築

アメリカとソ連が突然接近した格好になったので、多くの国がこの状況に戸惑い、様々な動きを見せます。

中華人民共和国はソ連と同盟関係にあり、アメリカに対抗して朝鮮戦争に義勇軍を派遣していたそばから、ソ連がいきなりそれまでのやり方を変えてしまったので、怒った中国との間に中ソ対立が起きます。

また、ソ連の締め付けが緩んだハンガリーやポーランドでは、反ソ暴動が起こり、ドイツでは東ドイツから西ベルリンを経由しての西ドイツへの亡命が相次ぎました。

アメリカに接近したものの、こうした「子分」の国々の自由は許さなかったソ連は、反ソ暴動を鎮圧します。さらに、東ドイツは西ベルリンへの流出を防ぐための壁、すなわちベルリンの壁を建設しました。

アメリカ側にも、変化が生じます。

西ヨーロッパ諸国はこの状況にアメリカばかりに頼ることはできないとフランス・西ドイツを中心とする協力関係が模索され、EEC（ヨーロッパ経済共同体）などが結成されました。

また、インドのネルーや中国の周恩来、インドネシアのスカルノなどが主導し、アメリカ側にもソ連側にもつかない第三勢力の構築がアジアやアフリカ諸国を中心に図られました。

第10章 現代の世界　　スプートニク=ショックとキューバ危機

「雪どけ」から一転、世界中が核戦争の危機に

 ミサイル技術を先に手に入れたソ連

「雪どけ」を迎え、一時は平和に向かったかのように見えたアメリカとソ連ですが、ここで状況は急転し、世界は一気に全面核戦争の危機を迎えることになります。**「平和共存」から「核戦争の危機」と、ずいぶん急な変化**が起きたものですが、その理由は、ソ連が秘密裏に開発していた人工衛星**スプートニク**の打ち上げ成功というニュースが世界を駆けめぐったからです。

人工衛星をロケットで飛ばせるということは、重量のある弾薬や核弾頭を積んで飛ばすミサイル技術を開発したということでもあります。

宇宙空間まで核弾頭を打ち上げ、敵の大陸上で落下させれば、「大陸間弾道ミサイル」ICBMになるのです。**それまで核兵器の開発や爆撃機の数では劣っていたソ連が、「安全な場所からいつでも大陸を飛び越えてアメリカを狙える」**という優位な立場に立ったのです。

アメリカもすぐにロケットの実験を行いますが、ソ連に対抗して開発したヴァンガードロケットは大失敗に終わり、アメリカの自信を失わせることとなりました。ソ連はミサイルの開発を声高に宣言し、アメリカは大いに動揺します（**スプートニク=ショック**）。

ミサイル技術で先を越されたという感覚は「いつでもどこでも狙われ、逃げられない」という恐怖感をアメリカ国民に深く植え付けたのです。

 核戦争の危機に世界が震えた

こうした状況下で、アメリカのふところ、カリブ海の島国のキューバで変化が生まれます。革命家の**カストロ**やゲバラが主導した**キューバ革命**が

起きて、アメリカに対して従属的な立場だったキューバが一転してソ連側にまわったのです。**アメリカの懐に存在しているキューバが、ソ連側に寝返ったことで、アメリカの危機感は一気に高まりました。**

　ソ連がキューバにミサイル基地を建設していることがわかると、就任したばかりのケネディ大統領はキューバを海上封鎖し、ミサイルの運び込みのためにキューバに向かうソ連船をキューバに入れないように臨戦態勢をとります。双方の海軍がにらみ合い、1つ間違えばすぐに全面核戦争に突入しかねないこの事態を**キューバ危機**といいます。米ソがお互いに核兵器を持ち合い、核兵器を使用したら最後、人類が絶滅しかねないという緊張感の中、アメリカのケネディとソ連のフルシチョフは水面下で交渉を続け、ようやくアメリカがキューバを攻撃しないことと引き換えに（キューバがソ連側にとどまることを承認させ）、ソ連がミサイル基地を撤去することでようやく危機は回避されます。

 本格的な緊張緩和の到来

　全面核戦争の危機に立たされて米ソ両国はようやく、核兵器の使用は相手を破滅させるだけでなく、報復攻撃によって自らも破滅を招くことを気づかされることになります。**部分的核実験停止条約**や**核拡散防止条約**が結ばれるとともに戦略兵器削減交渉が始まり、世界は冷戦の本格的終結に向けて動き出します。この状況を**デタント**（フランス語で「緊張緩和」）といいます。

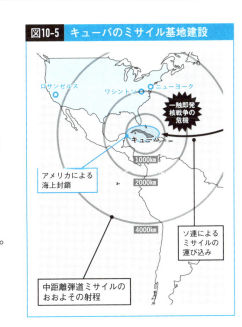

図10-5　キューバのミサイル基地建設

第10章　現代の世界　　　　　　　　ベトナム戦争とプラハの春

「テレビの力」が冷戦を終結に導く

 ゲリラが超大国アメリカを揺るがす

　こうしたデタントの動きの中、「ベトナム戦争」と「プラハの春」というアメリカとソ連の国際的地位が同時期に一気に低下し、冷戦構造が決定的に崩壊するきっかけとなる事件が起きます。

　戦後、ベトナムはフランスからの独立を求めましたが、フランスはそれを許しませんでした。**ホー＝チ＝ミン**を中心とした**ベトナム民主共和国**がソ連の支援を受けて独立を宣言すると、フランスと戦い、ベトナム北部で独立を勝ち取ることに成功します。しかし、そこにアメリカが乗り込み、ベトナム民主共和国を潰すために**ベトナム戦争**を起こします。

　アメリカは、独立したベトナムがソ連の影響によって社会主義陣営に加われば、同じくフランスから独立したラオスやカンボジア、イギリスから独立したミャンマー、インドまでもが連鎖的に社会主義国になってしまうと考え、ベトナム民主共和国を徹底的に潰そうとしました。

　圧倒的な物量を誇るアメリカに対し、北ベトナムは密林に潜んで罠をしかけ、物陰から攻撃をする徹底的なゲリラ戦を展開します。

　アメリカ軍は、これに対抗して「北爆」という大規模な爆撃を繰り返し、ベトナム側にゲリラ戦を展開させないように猛毒のダイオキシンを含む「枯葉剤」を散布して密林の草木を枯らすという作戦を展開しました。

　そんな泥沼の戦争を終結に導いた1つの要因に「テレビの普及」が挙げられます。**ベトナム戦争は、テレビで全世界にその様子が報道された初めての戦争**でもあります。ゲリラ戦で次第に消耗し、死傷者が増えていくアメリカ軍の様子や、圧倒的な物量で北ベトナムを爆撃するアメリカ軍、そ

して逃げ惑うベトナムの市民の様子が報道されるたびに、**「アメリカのやっていることは、果たして『正義』なのだろうか？」という疑問が世界中で沸き起こります。**こうしたテレビ報道の力がアメリカに対する非難の声を世界中で高め、世界的な反戦運動へつながります。

また、戦果が上がらない戦争を続けるアメリカの財政赤字もかさんでいき、ついにアメリカはベトナムから撤退し、独立を果たしたベトナムは「ベトナム社会主義共和国」として社会主義国の道を歩み始めます。

ベトナムの隣国、カンボジア国内にも反米勢力と親米勢力の2派ができ、お互いに争うようになりました。

アメリカがベトナム戦争に敗北し、インドシナ半島から手を引くと、親米勢力は急速に力を失って、実権が中国の支援を受けたポル＝ポト率いる反米勢力のクメール＝ルージュに移ります。ポル＝ポトは、強引な共産主義化と死者が200万人にのぼる虐殺を行いました。

🌐 プラハの春

一方、ソ連も国際的な非難を浴びることになります。フルシチョフの後釜となったブレジネフは、**アメリカ側とはデタント（緊張緩和）に応じる姿勢を見せるものの、東ヨーロッパの「子分」の国に対しては手綱を緩めることなく、厳しい姿勢で臨みました。**折りしも、チェコでは第一書記ドプチェクらによる民主化運動（**プラハの春**）が起きましたが、ソ連はワルシャワ条約機構加盟5カ国による共同出兵を行い、軍事的にプラハの春を鎮圧します。**テレビ報道により、市民のデモに対して遠慮なく戦車を差し向けるソ連軍の様子を全世界が知ることとなり、ソ連もまたアメリカと同じように「ソ連がやっていることは本当に『正義』なのだろうか？」という疑問が世界中で沸き起こることになりました。**

ベトナム戦争とプラハの春は、テレビやジャーナリズムの力を世に示す1つのきっかけとなり、米ソに国際世論を無視するわけにはいかないと痛感させる事件になりました。これを境に冷戦は、急速に終結に向かいます。

アメリカの動揺

　ベトナム戦争の失敗は、世界におけるアメリカの影響力を大きく減少させることにつながりました。

　アメリカ国内では公民権運動という人種差別撤廃運動が反戦運動と結びついて大きな流れになり、**キング牧師**などの粘り強い運動によって公民権法が制定され、法の上での人種差別が撤廃されました。また、ベトナム戦争の戦費の支出の増大で、アメリカの手持ちの金（きん）が目減りしたため、**ニクソン**大統領はドルと金の交換停止を宣言します。

　それまで、アメリカが世界の経済をリードできたのは、アメリカドルに"絶対的な"金の保有量の裏付けがあり、アメリカドルに絶対的な価値が与えられていたからです。

　しかし、以降は、アメリカドルが他の通貨との「相対的」な価値をもつ変動相場制に移行していき、アメリカの絶対性が揺らぐことになります。

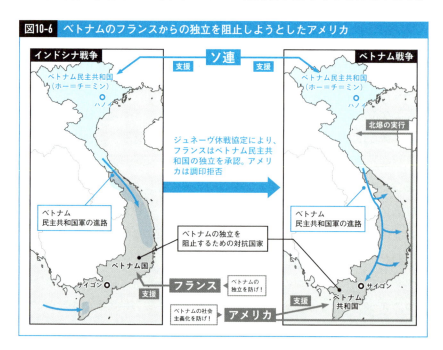

図10-6　ベトナムのフランスからの独立を阻止しようとしたアメリカ

第10章 現代の世界　　　　　冷戦の終結

チェルノブイリの事故がソ連を崩壊に追い込む

🌏 マルタ島で終結を確認

　その後、アフガニスタンをめぐる対立や、アメリカのレーガン大統領による軍備拡大による対立など、「新冷戦」といわれる状況もありましたが、総じて、米ソ両国の国際的な影響力は低下していきます。

　特にソ連の**チェルノブイリ原子力発電所の事故**では、事故の隠ぺいを図ったソ連に対して、放射能の数値が跳ね上がった周辺諸国の指摘によって事故が明るみに出され、ソ連に対しての国際的な非難が高まる大事件となりました。

　改革（ペレストロイカ）を進めていた当時のソ連の書記長**ゴルバチョフ**は、事故を受けて情報公開（グラスノスチ）を強めていきます。

　チェルノブイリ原子力発電所の事故によって国の威信が低下し、冷戦どころではなくなったソ連のゴルバチョフは、マルタ島でのアメリカ大統領ブッシュとの会談に応じ、共同で**冷戦終結宣言**を発表します。

　ソ連の影響力が低下すると、「子分」の東欧諸国も次第にソ連の思惑から外れて行動するようになります。

　ベルリンの壁が崩壊して東西ドイツが統一されると、ハンガリー、ブルガリア、チェコスロヴァキア、ルーマニアなどでも次々と政変が起きます。共産党独裁体制が崩壊し、市場経済と民主主義の国に移行しました。

完全に消滅したソ連

　こうした指導力の低下を受けてソ連は「社会主義」の看板を外すかどうかで揺れ出します。ゴルバチョフ大統領が市場経済の導入を段階的に始め

る改革に着手すると、共産党の幹部たちは「ソ連が社会主義の看板を外すことは、自分たちの権力が奪われるということだ」と、クーデタを起こしてゴルバチョフを軟禁します。

ロシア共和国大統領の**エリツィン**という人物がこのクーデタをおさめたことで権力を握り、ロシア共和国がソ連からの独立を宣言します。

軟禁から救出されたゴルバチョフは、ソ連共産党を解党させて、ソ連大統領を辞任します。こうして、ソ連は完全に解体してしまうのです。

 経済危機から一転、ロシアが「資源大国」に

冷戦終結後、ソ連だった諸国は**CIS**（独立国家共同体）という組織に再編されますが、共同体の連携は強いものではありません。

CISの中心となったロシアは、エリツィン大統領のもと、資本主義体制へ急速に舵を切りました。

急激な改革による混乱もあり、ロシア経済は停滞し、一時は破綻寸前になりましたが、**プーチン**政権になると、石油や天然ガス、レアメタルなどの資源輸出によって経済は好転し、再び世界への影響力を強めていきます。

 "唯一"の超大国となったアメリカ

冷戦終結期にソ連が崩壊したことにより、（アメリカの影響力が増したというよりソ連がコケてくれたために）アメリカは唯一の超大国として存在するようになりました。経済的にも政治的にも世界で最も大きな力を持つようになったアメリカは、湾岸戦争でクウェートに侵攻したイラクに攻撃を加えたり、ユーゴスラヴィアのコソボ紛争でNATO軍による空爆を主導したりと、様々な紛争に介入するようになります。

こうした動きの中で、アメリカは超大国ではありながらも「文明間の対話こそが必要だ！」という意見と「強いアメリカを誇示しながら力の政策で相手をおさえるべきだ！」という意見の間で、揺れながらオバマ政権からトランプ政権に移行し、現在に至ることになります。

第10章 現代の世界　　　戦後のヨーロッパ

戦後の荒廃の中から復興し、統一を模索

独自の動きを模索する西ヨーロッパ

　アジア・アフリカなどに豊富な植民地を持ち、世界をリードしていた西ヨーロッパ諸国は、第一次大戦に続いて第二次大戦においても戦場となったことで荒廃し、国際的な地位を低下させていきました。

　このような状況下で、西ヨーロッパの国々はアメリカを頼ることになりました。マーシャル＝プランの受け入れや、NATOへの加盟など、西側諸国の一員としてアメリカと共同歩調をとったのです。

　戦後復興の道を進み始めたフランスと西ドイツを中心とする西ヨーロッパの国々は、**ヨーロッパの経済の復興のためにはヨーロッパの安定、特に長いライバル関係にあるフランスとドイツが対立せずに経済的に協力することが大切**と考えました。

　こうして、**ECSC**（ヨーロッパ石炭鉄鋼共同体）や**EEC**（ヨーロッパ経済共同体）、**EURATOM**（ヨーロッパ原子力共同体）の結成により、市場の一体化が進んでいきます。

　フランスと西ドイツ中心の動きに対して、イギリスはEECへの参加を拒否し、「一歩離れたスタンス」をとります。

　イギリスは、ヨーロッパの統合よりも、アメリカや旧植民地諸国との関係を重視する傾向があり、何よりもフランス・ドイツのグループに「あとから」入ることはイギリスのプライドが傷つくと考えたのでしょう。

　しかし、「英国病」といわれるような経済の停滞を迎えたイギリスは、方針を転換してEECへの加盟を申請します。しかし今度はフランスのド＝ゴール大統領の拒否にあい、加盟できませんでした。

🌏 EC、EU の発足

ECSC・EEC・EURATOM が統合され、EC（ヨーロッパ共同体）が成立しても、フランスのド＝ゴール大統領は、ヨーロッパの独自性を重視し、アメリカとの結びつきが深いイギリスをこの流れに加えることを認めませんでした。ド＝ゴールの死去後、ようやくイギリスは EC への加盟が認められ、ヨーロッパ統合の流れに加わります。EC は、マーストリヒト条約の締結によって EU（ヨーロッパ連合）に発展拡大されて東ヨーロッパの国々も加わっていき、加盟国数を増やしました。

経済的な統合も進み、統一通貨ユーロも導入されますが、経済発展が遅れている東ヨーロッパの国々が EU に加盟したことにより、現在では、東ヨーロッパの国々から「出稼ぎ」する人々がイギリス・フランス・ドイツなどに流入し、人々の仕事を奪っているという現実があります。そのため、イギリスは、移民政策の違いなどから、EU の脱退を議決しています。

🌏「鉄のカーテン」の内側に入った東ヨーロッパ

一方、戦後の東ヨーロッパでは、ソ連がナチス＝ドイツからの解放を進めたため、各地で共産党政権が成立し、ソ連の衛星国となっていきます。

ソ連の影響力が東ヨーロッパ諸国に及び、ソ連共産党の支配に服している状況を、イギリスのチャーチルは、「ソ連が鉄のカーテンを下ろしている」と、批判しました。ソ連はコミンフォルム（各国の共産党のまとまり）やコメコン（経済機構）、ワルシャワ条約機構（軍事機構）を結成して結束を固めますが、東欧にあって唯一、ユーゴスラヴィアだけは、ソ連の軍事力に頼らずに自力でナチス＝ドイツの支配を打破したことにより、ソ連とは違った形の社会主義を模索し、アメリカのマーシャル＝プランを受け入れようとしてソ連と対立したため、ソ連にコミンフォルムから除名されます。その後、ユーゴスラヴィア以外の東欧諸国はソ連の強い指導力のもと、ソ連の衛星国として支配を受けます。

ソ連崩壊によって民主化が一気に進む

抑圧的な政策には、当然反発がつきもの。ソ連の指導力が低下するたび、東欧の民衆はソ連からの影響を脱するべく暴動を企てては鎮圧されました。「親分」のソ連が崩壊し、冷戦が終結すると、ポーランド・ハンガリー・ルーマニア・ブルガリアなどの東欧諸国の民主化が一気に進み、独裁者や共産党が次々と打ち倒されて社会主義を捨てていきました。

この民主化の波を受けて独自の社会主義路線をとっていたユーゴスラヴィアも、民主化に舵を切ります。

しかし、ユーゴスラヴィアは5つの民族、4つの言語、3つの宗教を持つ複雑な多民族国家だったため、民主化を進めるほどに、お互いの民族や宗教の主張がぶつかって民族対立が表面化しました。ユーゴスラヴィアの「盟主」であるセルビアとクロアチア、スロベニアの内戦は、ボスニアにも拡大し、内戦の末にユーゴスラヴィアは四散してしまいました。

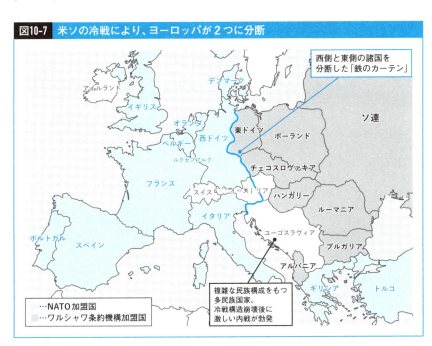

図10-7 米ソの冷戦により、ヨーロッパが2つに分断

|第10章　現代の世界|　　　　　　　　　　　　　　　　　パレスチナ問題|

宗教対立から始まった未だ解決しない「世界の宿題」

 イギリスの「二枚舌」から始まった宗教対立

　戦後の中東世界を巻き込んだ宗教対立問題が**パレスチナ問題**です。ことの発端は、第一次大戦中、**イギリスが戦争への協力を取りつけるため、ユダヤ教徒（ユダヤ人）とイスラーム教徒（アラブ人）の両方にオスマン帝国が支配していたパレスチナの地への建国を認める約束をしたこと**によります。パレスチナの地の中心である**イェルサレム**は、ユダヤ人にとってもアラブ人にとっても聖地のため、国家の建設は両者ともに悲願でした。しかし、パレスチナの地は1つしかありませんので、当然、両者の間でパレスチナの「奪い合い」が始まります。

 アメリカはユダヤ人に肩入れをした

　第二次大戦後、国連がパレスチナの領有を激しく主張するユダヤ人とアラブ人の仲介に入ります。そして、国連は「人口では約3分の1のユダヤ人にパレスチナの約6割の地を与える」という、ユダヤ人に対して有利な案を提示したのです（**パレスチナ分割案**）。

　なぜ、このような不平等な案が国連から出されたかというと、国連のリーダーが、アメリカだからです。アメリカにとって、アメリカの経済・文化に深くかかわっているユダヤ人（アメリカの日銀総裁にあたる、FRBの元議長のバーナンキや映画監督のスピルバーグはユダヤ系）は、無視できない重要な存在だったのです。

　国連の分割案を受け、ユダヤ人地域にユダヤ人国家である**イスラエル**が建国されると、**アラブ人と周辺のアラブ諸国はパレスチナ分割案を不服と**

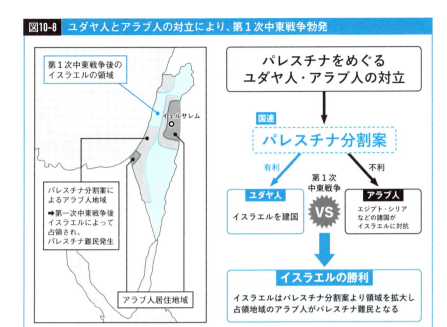

して、建国されたばかりのイスラエルに攻撃を加えます（第１次中東戦争）。

イスラエルがこの戦争に勝利し、パレスチナ分割案の時よりもイスラエルの領域を大幅に拡大しました。一方、敗北して土地を失ったアラブ人たちは、約100万人の**パレスチナ難民**となり、周辺諸国に流入しました。

民族対立を利用したイギリスに国際的な非難が集中

２回目の中東戦争は、エジプトが発端でした。エジプト大統領ナセルが、イギリスの所有だったスエズ運河の国有化を宣言したのです。すると、**スエズ運河を渡したくないイギリスが、第１次中東戦争でエジプトと戦ったイスラエルをけしかけて、フランスとともにエジプトに対して戦争を起こしました**（第２次中東戦争）。英仏とイスラエル側が戦争に勝利したものの、「イギリスが自らの利害のために民族対立を利用して戦争をしかけた」という事実に国際的な非難が集中し、イギリスがスエズ運河から手を引いたため、結果的には、エジプトの勝利に終わったといってよいでしょう。

327

第２次中東戦争後、イスラエルからのパレスチナ奪還と、パレスチナ難民の帰還を目標にしたパレスチナ解放機構（PLO）が設立されると、PLOはイスラエルへ武力闘争を開始します。

　PLOのゲリラ活動に手を焼いたイスラエルは、「アラブ側を黙らせる」"示威行動"として、突如エジプト・シリア・ヨルダンを攻撃し、パレスチナとシナイ半島の全域を占領します（第３次中東戦争）。たった６日間でイスラエル側に敗北したアラブ人は、パレスチナを完全に失い、新たなパレスチナ難民となりました。

世界中を巻き込んだ「石油戦略」

　第３次中東戦争によって失った大幅な領地を回復するため、今度は、アラブ側が戦争をしかけます（第４次中東戦争）。それまでの中東戦争で、イスラエルに軍事的に大きな力の差を見せつけられていたアラブ側は「奥の手」を使います。アラブ側に産油国が多いことからOAPEC（アラブ石油輸出国機構）を結成し、石油の輸出制限を行ったのです。**原油価格を高騰させて世界で「オイルショック」を起こし、パレスチナのアラブ人の権利回復と失地回復を世界に訴える「石油戦略」をとりました。**石油を"人質"にとって戦った結果、アメリカが調停に入り、アラブ側はシナイ半島のガザ地区、ヨルダン川西岸地区を回復することに成功します。

世界の「宿題」となってしまったパレスチナ問題

　ここまで戦争を重ねると、話し合いだけではなかなか解決しません。

　和平のための「エジプト＝イスラエル平和条約」では、エジプト大統領のサダトが同じアラブ人に暗殺され、「パレスチナ暫定自治協定」では、イスラエル首相のラビンが同じユダヤ人に殺されてしまいます。

　いずれも、味方を標的にした暗殺であることから、この問題の複雑さがわかります。また、イスラエルを一貫して支援するアメリカに対するイスラームの反発も激しく、過激派のテロがアメリカや同盟国で頻発しました。

図10-9　一進一退の攻防を繰り広げた、第2次〜第4次中東戦争

第2次中東戦争

エジプトによるスエズ運河国有化

イギリス
スエズ運河をエジプトに渡したくない！

利害一致

イスラエル
シナイ半島の支配権を奪いたい！

第2次中東戦争 VS **エジプト**

戦闘的には、イスラエルの勝利。
政治的には、スエズ運河を手にしたエジプトの勝利

第3次中東戦争

イスラエルによる奇襲攻撃

イスラエル VS **エジプト** **シリア** など

第3次中東戦争

6日間の戦闘でイスラエルが圧勝
シナイ半島・ヨルダン川西岸地区を占領
➡パレスチナ難民の大量発生

第4次中東戦争

第3次中東戦争でのアラブ側の失地回復

第4次中東戦争

 イスラエル VS **エジプト** **シリア** など OAPEC アラブ石油輸出国機構結成

OAPECによる「石油戦略」

オイル＝ショックが欧米中心におきる

➡アメリカによる調停。
・エジプト＝イスラエル平和条約により、アラブ側が失地回復

| 第10章 現代の世界 | インドの独立 |

ガンディーの思いもむなしく、インドは分裂した

 宗教対立からインドとパキスタンに分かれた

　大半がヨーロッパ諸国の植民地となっていた南アジアや東南アジアでは、本国が大戦により荒廃したため、戦後、独立運動が活発化しました。

　イギリスの植民地であったビルマ（ミャンマー）やマレーシア、シンガポールは、イギリスが独立を容認したために戦争によらずに独立できた一方、オランダ領のインドネシアやフランス領のベトナムでは本国が独立を許さず、独立戦争を経て独立しました。

　イギリスの植民地だったインドは、独立戦争の形をとらずに戦後の独立が認められます。

　しかし、インドの場合、イギリスが独立運動をしのぐための「ヒンドゥー教徒・イスラーム教徒の仲間割れ作戦」が効いており、宗教融和を唱えるガンディーの思いもむなしく、ヒンドゥー教徒の多い**インド連邦**とイスラーム教徒中心の**パキスタン**に分離独立してしまいます。

　以降、ガンディーはヒンドゥー教徒とイスラーム教徒の融和に努めますが、インド独立の半年後、ガンディーと同じヒンドゥー教徒から暗殺されます。

　パレスチナ問題と同様、「敵と手を握ろうとする人は、味方から殺される」というパターンです。

 カシミール問題とパキスタンの分裂

　独立後のインドとパキスタンは北部の国境未画定の地域、**カシミール地方**をどちらの領土にするかで激しく対立し、現在に至っても、この問題は

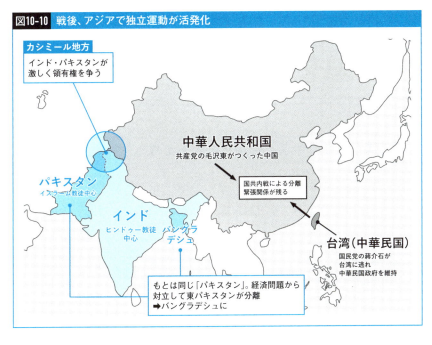

図10-10 戦後、アジアで独立運動が活発化

カシミール地方
インド・パキスタンが激しく領有権を争う

中華人民共和国
共産党の毛沢東がつくった中国

国共内戦による分離
緊張関係が残る

パキスタン
イスラーム教徒中心

インド
ヒンドゥー教徒中心

バングラデシュ

台湾（中華民国）
国民党の蔣介石が台湾に逃れ中華民国政府を維持

もとは同じ「パキスタン」。経済問題から対立して東パキスタンが分離
→バングラデシュに

未解決のままです。インドもパキスタンも核兵器の保有国ですから、現に対立する2つの国の双方が核兵器を持っているという世界の大きなリスク要因になっています。

また、独立後のパキスタンは、現在のパキスタンとバングラデシュを合わせた「飛び地国家」でしたが、東西のパキスタンの経済格差による対立が原因となって現在の両国に分裂することになりました。

独立が、かえって「不安定化」を招いた

南アジアや東南アジアと同様、ほとんどの国がヨーロッパの植民地だったアフリカも、1960年の「アフリカの年」前後に独立を果たしました。

ただし、独立戦争に多くの犠牲を払った国や、ヨーロッパの国々が手を引いたことによって、かえって政治的・経済的に不安定になった国も多く、コンゴ動乱やルワンダ内戦、ソマリア内戦など、内戦が頻発することになりました。

第10章 現代の世界　　　　　　　　　　　　　　　　　　戦後の中国

共産党と国民党の対立が中国を2つに分けた

 ### 国共対立は中国と台湾に分かれて続く

「国民党」と「共産党」の二大勢力は大戦中、日本と戦うために一時的に「第二次国共合作」として手を組んでいましたが、戦争が終結し、**共通の敵であった日本が敗北するとすぐに国共合作は解消され、国民党と共産党は再び内戦を始めます。**

この国共内戦で勝利をおさめたのは、共産党のほうでした。**毛沢東**を主席、**周恩来**を首相とする中華人民共和国を成立させ、中ソ友好同盟相互援助条約を結んで冷戦構造の中で「ソ連側」につくことをアピールしました。

敗れた国民党は、台湾に逃れて国民政府を維持し、「共産党」が中国本土に、「国民党」が台湾に政府をつくり、どちらも「正統な中国政府」であることを主張するという構造ができました。

 ### 大きすぎるスローガンは計画倒れに終わった

共産党が支配する中華人民共和国では、毛沢東を中心とする政府による計画経済が始まります。社会主義を唱える共産党政権なので、地主や資本家の土地や資産を没収して農民に分配し、国家の計画のもとに経済を動かすことになります。

その計画が「五か年計画」や「大躍進政策」といわれる改革ですが、重工業を中心とする急激な改革により国民は疲弊したうえに、生産した鉄鋼の大半が粗悪品であり、農村では「食料増産に成功した」という報告に無理やり合わせるために、農民から食料を没収して国庫におさめました。そのため、膨大な餓死者が発生し、不満の矛先は毛沢東に向かいます。

毛沢東の「逆ギレ」は社会の混乱を招いた

「大躍進政策」失敗の批判の矛先が毛沢東に向かうと、毛沢東は"逆ギレ"のような形で**プロレタリア文化大革命**の発動を指示します。

毛沢東に忠誠を誓う学生たちを「紅衛兵」として組織し、毛沢東に逆らう勢力や知識人を「社会主義の敵」として徹底的に迫害を行う大衆運動を展開しました。文化大革命を通じた暴力や自殺による死者は、少なく見積もっても数百万人にのぼるといわれ、社会はますます大混乱に陥りました。

 ## 中国と台湾、どちらを正式と認めるか

文化大革命の時期、中国に、外交的に大きな変化ももたらされました。ソ連と中国の「中ソ対立」が深刻化し、国境での軍事衝突に至りました。ソ連と対抗するアメリカがこの構造を利用し、ベトナム戦争への介入を阻止するため、突如アメリカは台湾(中華民国)に代わって中国(中華人民共和国)を正式な中国政府と認めました。

国連の代表権を中華人民共和国に与え、翌年にニクソン大統領の訪中も実現します。台湾と親密な関係にあった日本は特に衝撃を受け、アメリカにならって中華人民共和国を唯一の政府と認めるようになります。

 ## 経済は自由、でも政治は自由ではない

毛沢東の死によって文化大革命が終結し、代わって**鄧小平**が最高実力者になると、鄧小平は「改革開放」を進め、市場経済の導入を開始しました。

自由な市場原理を導入し、外国の資本を導入するなど、社会主義を捨てて資本主義に移行することで、中国経済は急速に発展します。

民衆は「経済的に自由化したのだから、政治的にも自由化させてほしい」と要求し、天安門広場に集まりますが(天安門事件)、中国政府はそれを鎮圧し、**「経済は自由だが政治は一党独裁を続行」というスタンスを維持したまま胡錦濤政権、習近平政権に受け継がれています。**

おわりに

　今後、知識を中心に合否の判定を行っていたこれまでの入試と異なり、思考力や表現力などの様々な力を問う問題が増加していきます。

　大学入試が「知識の有無を問われる場」から「自分で考え、表現する場」に間違いなく変化していくでしょう。

　しかし、考えたり表現したりするには歴史の流れをあらかじめ頭に入れておかなければなりません。いち早く歴史の「フレームワーク」を知ることが、入試で人に差をつける第1歩なのです。

　本書は細かい語句や年号の網羅性を競うような"従来型"の参考書ではなく、「わかりやすさ」「ストーリー」に特化した「新しい参考書」を目指しました。

　本書で得た歴史のとらえ方、考え方はきっと皆さんの思考や表現の基礎となり、生涯「忘れず」に活用できる教養となってくれるでしょう。

　また、高校生のみならず、社会人の方々にとっても世界史を「学び直す」ことの重要性も非常に高まっています。

　刻一刻とグローバル化が進行し、本書の第5章で解説した大航海時代以上のスケールで世界は一体化しています。日本人、アメリカ人、中国人などと明確に区分できなくなり、1つの「世界人」としてお互いに影響を与え合う時代に突入しているのです。

　そんな時代に生きる私たちにとって、世界史を学ぶことで得られる知見は「頼もしい武器」になるはずです。

　最後になりましたが、埼玉県立坂戸高等学校、福岡県立太宰府高等学校、福岡県立嘉穂東高等学校、福岡県公立古賀竟成館高等学校の教え子の皆さん、本当にありがとう。

　本書の「フレームワーク」は、皆さんとの日々の授業の中で培われました。深く感謝をしたいと思います。

2018年7月　　　　　　　　　　　　　　　　　　　　　　　山﨑 圭一

巻末付録

- 文化史
- 世界史年表

巻末付録　教養としておさえておきたい文化史

第1章／ギリシア文化

〜ヨーロッパ文化の「ルーツ」となった明るく合理的な「人間中心」文化〜

文学	
ホメロス	『イリアス』
ヘシオドス	『神統記』
サッフォー	女性詩人
アイスキュロス	『アガメムノン』
ソフォクレス	『オイディプス王』
アリストファネス	『女の平和』

歴史	
ヘロドトス	ペルシア戦争史
トゥキディデス	ペロポネソス戦争史

彫刻	
フェイディアス	アテナ女神像

哲学・自然哲学	
タレス	万物の根源は「水」
ピタゴラス	万物の根源は「数」
ヘラクレイトス	万物の根源は「火」
デモクリトス	万物の根源は「原子」
プロタゴラス	ソフィストの代表
ソクラテス	真理の絶対性を説く
プラトン	イデア論を説く
アリストテレス	万学の祖

建築
パルテノン神殿

第1章／ヘレニズム文化

〜巨大なアレクサンドロスの帝国が東西文化の融合を生んだ〜

哲学・自然科学	
エピクロス	エピクロス派の祖
ゼノン	ストア派の祖
エラトステネス	地球の円周計測
アリスタルコス	太陽中心説
アルキメデス	浮力やてこの原理

彫刻
ミロのヴィーナス
ラオコーン

付録 文化史

第1章／ローマ文化

〜実用的分野において優れた文化を残す〜

文学	
キケロ	『国家論』
ホラティウス	『叙情詩集』
ヴェルギリウス	『アエネイス』

哲学	
セネカ	ストア派『幸福論』
エピクテトス	ストア派『語録』
マルクス＝アウレリウス＝アントニヌス	ストア派『自省録』

神学	
アウグスティヌス	『神の国』

歴史・地理	
カエサル	『ガリア戦記』
リウィウス	『ローマ史』
プルタルコス	『対比列伝』
タキトゥス	『ゲルマニア』

自然科学	
プリニウス	『博物誌』
プトレマイオス	天動説

建築
コロッセウム
パンテオン

第1章／中世ヨーロッパ文化

〜様々な国や民族に統一性をもたらすキリスト教基調の文化〜

神学	
アルクィン	カロリング＝ルネサンスの中心人物
アンセルムス	実在論
アベラール	唯名論
ロジャー＝ベーコン	自然科学
トマス＝アクィナス	『神学大全』
ウィリアム＝オブ＝オッカム	唯名論

騎士道物語
アーサー王伝説

民族叙事詩
ニーベルンゲンの歌

建築	
ビザンツ様式	ハギア＝ソフィア聖堂
ロマネスク様式	ピサ大聖堂
ゴシック様式	ケルン大聖堂

巻末付録　教養としておさえておきたい文化史

第2章／イスラーム文化

〜様々な地域の文化をイスラーム教が融合〜

神学	
ガザーリー	神学と神秘主義の融合

歴史	
ラシード＝アッディーン	『集史』
イブン＝ハルドゥーン	『世界史序説』

医学	
イブン＝シーナー	『医学典範』
イブン＝ルシュド	『医学大全』

地理学	
イブン＝バットゥータ	『三大陸周遊記』

数学	
フワーリズミー	代数学

文学	
千夜一夜物語	説話の集大成
ウマル＝ハイヤーム	『ルバイヤート』

建築
アルハンブラ宮殿

第3章／グプタ朝文化

〜インド古典文化の盛期〜

文学	
マハーバーラタ	
ラーマーヤナ	
カーリダーサ	『シャクンタラー』

石窟寺院
アジャンター石窟寺院
エローラ石窟寺院

第3章／インド＝イスラーム文化

〜ヒンドゥー教文化にイスラーム教文化が融合〜

建築
タージ＝マハル

絵画
ムガル絵画

第4章／前漢・後漢の文化

～儒教を中心とする中国の古典文化～

儒学	
董仲舒	儒学の官学化
鄭玄	訓詁学

歴史	
司馬遷	『史記』
班固	『漢書』

発明	
蔡倫	製紙法の改良

宗教	
太平道	黄巾の乱を起こす
五斗米道	道教の源流となる

第4章／六朝文化

～南北朝時代の「南朝」の文化。江南の高い生産力に支えられた貴族文化～

詩	
陶淵明	「帰去来辞」

書	
王羲之	「蘭亭序」

文	
昭明太子	『文選』

絵画	
顧愷之	「女史箴図」

第4章／唐の文化

～国際色豊かな貴族文化～

詩	
李白	詩仙
王維	自然詩人
杜甫	詩聖
白居易	『長恨歌』

儒学	
孔穎達	『五経正義』

書
顔真卿

巻末付録　教養としておさえておきたい文化史

第4章／宋の文化

〜科挙官僚たちによるマニアックな文化〜

儒学	
周敦頤	朱子学の基礎
朱熹	朱子学の大成
陸九淵	陽明学の源流

文学	
欧陽脩	唐宋八大家の1人
蘇軾	『赤壁賦』

工芸	
景徳鎮	青磁・白磁の産地

歴史	
司馬光	『資治通鑑』

絵画	
徽宗皇帝	院体画の代表
米芾	文人画の代表

宋代の三大発明
活字印刷
羅針盤
火薬

第4章／元の文化

〜科挙官僚たちの地位は低下、庶民文化の発達〜

暦	
郭守敬	授時暦

書・画
趙孟頫

文学	
元曲	『西廂記』『琵琶記』

付録 文化史

第4章／明の文化

〜官僚は秘密警察にビクビクだけど、庶民は意外と伸び伸び〜

編纂事業	
永楽帝	『四書大全』『五経大全』

儒学	
王陽明	陽明学を開く

実学	
李時珍	『本草綱目』
宋応星	『天工開物』
徐光啓	『農政全書』

庶民文学	
羅貫中	『三国志演義』
施耐庵・羅貫中	『水滸伝』
『西遊記』	
『金瓶梅』	

イエズス会宣教師の活動	
マテオ=リッチ	『幾何原本』

第4章／清の文化

〜優れた皇帝のもと、大編纂事業が起こされる〜

編纂事業	
康熙帝	『康熙字典』
康熙帝・雍正帝	『古今図書集成』
乾隆帝	『四庫全書』

儒学	
顧炎武・銭大昕	考証学
康有為	公羊学

小説	
『紅楼夢』	
『儒林外史』	

イエズス会宣教師の活動	
ブーヴェ	『皇輿全覧図』
フェルビースト	大砲の鋳造
カスティリオーネ	円明園の設計

341

巻末付録　教養としておさえておきたい文化史

 第5章／ルネサンス

～「神」中心から「人」中心に、文化が大きく転換した～

イタリア／文学	
ダンテ	『神曲』
ペトラルカ	『叙情詩集』
ボッカチオ	『デカメロン』

イタリア／美術	
ジョット	ルネサンス絵画の祖
ボッティチェリ	『春』
レオナルド＝ダ＝ヴィンチ	『最後の晩餐』
ミケランジェロ	『最後の審判』
ラファエロ	聖母子像
ブルネレスキ	大ドーム建築
ブラマンテ	聖ピエトロ大聖堂

イタリア／思想	
マキャベリ	君主論

イタリア／自然科学	
ガリレイ	地動説の主張

イギリス／文学	
チョーサー	『カンタベリ物語』
シェークスピア	『ハムレット』
トマス＝モア	『ユートピア』

フランス／文学	
ラブレー	『ガルガンチュア物語』
モンテーニュ	『随想録』

ネーデルラント／思想	
エラスムス	『愚神礼賛』

ネーデルラント／美術	
ファン・アイク兄弟	油絵の技法
ブリューゲル	農民画

ドイツ／発明	
グーテンベルク	活版印刷術

ドイツ／美術	
デューラー	「四人の使徒」

第5章・第6章／17・18世紀のヨーロッパ文化

～絶対王政から市民の時代へ、神の時代から科学の時代への移行期～

哲学

フランシス＝ベーコン	経験論
デカルト	『方法序説』合理論
パスカル	『瞑想録』
カント	『純粋理性批判』観念論

啓蒙思想

ヴォルテール	『哲学書簡』
ディドロ	『百科全書』

自然科学

ニュートン	万有引力
リンネ	植物の分類
ハーヴェー	血液の循環
ラヴォワジェ	質量保存の法則

文学

モリエール	古典喜劇
デフォー	『ロビンソン・クルーソー』
ミルトン	『失楽園』
スウィフト	『ガリバー旅行記』

建築

ヴェルサイユ宮殿
サン＝スーシ宮殿

政治思想

ボシュエ	王権神授説
グロティウス	『戦争と平和の法』
ホッブズ	『リヴァイアサン』
モンテスキュー	『法の精神』
ロック	『市民政府二論』
ルソー	『社会契約論』

経済思想

コルベール	重商主義
アダム＝スミス	古典派経済学

音楽

バッハ	音楽の父
ヘンデル	「水上の音楽」
ハイドン	交響曲の父
モーツァルト	『フィガロの結婚』

美術

エル＝グレコ	トレドで活躍
ベラスケス	「ラス・メニーナス」
ルーベンス	フランドル派
レンブラント	「夜警」
ワトー	ロココ美術の代表

巻末付録　教養としておさえておきたい文化史

第6章／19世紀のヨーロッパ文化

～文化の多様性と科学技術のさらなる発展～

哲学

ヘーゲル	弁証法哲学
ベンサム	功利主義
コント	実証主義哲学
ニーチェ	「超人」思想

自然科学

マイヤー	エネルギー保存の法則
キュリー夫妻	ラジウム発見
メンデル	遺伝の法則
レントゲン	X線発見
ダーウィン	進化論『種の起源』
ノーベル	ダイナマイト

古典主義

文学：ゲーテ	『ファウスト』
絵画：アングル	「泉」

ロマン主義

文学：ユゴー	『レ=ミゼラブル』
文学：ハイネ	『歌の本』
文学：バイロン	ロマン派詩人の代表
絵画：ドラクロア	『民衆を導く自由の女神』

経済思想

マルサス	『人口論』
リスト	歴史学派経済学

社会主義思想

オーウェン	労働条件の改善
プルードン	無政府主義
マルクス	『資本論』
エンゲルス	『空想から科学へ』

発明

ライト兄弟	飛行機
エディソン	電灯・蓄音機

写実主義

文学：スタンダール	『赤と黒』
文学：バルザック	『人間喜劇』

自然主義

文学：ドストエフスキー	『罪と罰』
絵画：ミレー	『落穂拾い』

印象派

モネ	「印象・日の出」

後期印象派

ゴッホ	「ひまわり」

第9章／文学革命

〜儒教批判と口語による文学運動〜

雑誌	
陳独秀	「新青年」

小説	
魯迅	『狂人日記』『阿Q正伝』

第7章・第10章／20世紀の文化

〜メディアの発達による大衆文化、科学の飛躍的な発展〜

哲学	
サルトル	実存哲学
ヤスパース	実存哲学
デューイ	プラグマティズム

文学	
ロマン=ロラン	『ジャン・クリストフ』
バーナード=ショー	劇作家
カフカ	『変身』
トーマス=マン	『魔の山』
ヘミングウェー	『武器よさらば』
スタインベック	『怒りの葡萄』

建築	
ガウディ	サグラダ=ファミリア

経済学	
ケインズ	近代経済学の確立
マックス=ヴェーバー	『プロテスタンティズムの倫理と資本主義の精神』

心理学	
フロイト	精神分析学

自然科学	
アインシュタイン	相対性理論

美術	
マティス	野獣派
ピカソ	「ゲルニカ」
ダリ	「内乱の予感」

巻末付録　年号も覚えておきたい人のための世界史年表

年号	出来事	参照ページ
1万年前	**地球が温暖化** 今の人々のライフスタイルの原型が生まれる	序章 P31
前5000頃	**仰韶文化の成立** 黄河流域に畑作を中心とする文化が誕生する	第4章 P132
前3000頃	**エーゲ文明の誕生** クレタ島を中心に文明が誕生した	第1章 P36
前2700頃	**シュメールの都市国家誕生・エジプト古王国開始** オリエントに相次いで古代文明が誕生する	第2章 P84、P86
前2600頃	**インダス文明で都市文明が栄える** ハラッパー・モエンジョ＝ダーロに高度な文明が起こる	第3章 P116
前770	**春秋時代の開始** 周王朝が異民族に攻められ、覇者が「尊王攘夷」を唱える	第4章 P135
前586	**バビロン捕囚** ヘブライ人が新バビロニア王国に連行され、奴隷となる	第2章 P90
前500頃	**仏教の成立** ガウタマ＝シッダールタが菩提樹の下で悟りをひらく	第3章 P119
前500	**ペルシア戦争の開始** アケメネス朝のダレイオス1世がギリシアに侵攻	第1章 P41、第2章 P92
前403	**戦国時代の開始** 晋が韓・魏・趙に3分し、下克上の風潮が加速	第4章 P135
前334	**アレクサンドロスの東方遠征開始** アレクサンドロスがアケメネス朝征服の遠征開始	第1章 P43、第2章 P92
前221	**始皇帝の中国統一** 「初めて」中国を統一し、「初めて」の統一事業を行う	第4章 P139
前218	**第2回ポエニ戦争** カルタゴのハンニバルの戦術にはまったローマが、滅亡の危機に立たされる	第1章 P46
前202	**前漢の成立** 劉邦が項羽との戦いを制し、前漢王朝を建てる	第4章 P142

※大学受験対策として「覚えておきたい年号」をまとめています
※多くの地域や国にまたがるような、歴史の重要な転機となった出来事を中心に選んでいます

付録
世界史年表

年号	出来事	参照ページ
前27	**ローマの帝政の開始** オクタウィアヌスが元首政を開始し、ローマの初代皇帝となる	第1章 P50
96〜180	**五賢帝による統治** ローマの最大領域がもたらされ、黄金期が訪れる	第1章 P51
220	**三国時代始まる** 後漢王朝が滅亡し、「三国志」の時代へ	第4章 P147
313	**ミラノ勅令** コンスタンティヌス帝がキリスト教を公認する	第1章 P52
375	**ゲルマン人の大移動** フン族に圧迫され、ゲルマン人が各地に散らばる	第1章 P56
395	**ローマ帝国の東西分裂** テオドシウス帝の死後、ローマが分裂し、帝国の時代が終わる	第1章 P53
476	**西ローマ帝国の滅亡** ゲルマン移動の混乱の中、西ローマ帝国が滅亡する	第1章 P56
581	**隋王朝成立** 長い分裂期を終わらせ、隋が中国を1つにまとめる	第4章 P151
618	**唐王朝成立** 「隋のおかげ」で長命王朝となった唐王朝が始まる	第4章 P154
622	**ヒジュラ** ムハンマドの拠点移動はイスラームの「元年」となる	第2章 P95
732	**トゥール・ポワティエ間の戦い** キリスト教世界とイスラーム世界、初の激突	第1章 P58、第2章 P99
751	**タラス河畔の戦い** イスラーム世界が中国の唐王朝に勝利し、製紙法が伝わる	第2章 P100、第4章 P158
800	**カール大帝の戴冠** カトリックとフランク王国が接近、西ローマ帝国の復活が宣言される	第1章 P59
843、870	**ヴェルダン条約・メルセン条約** フランク王国が分裂し、現在の仏・独・伊のもとが生まれる	第1章 P59

347

巻末付録　年号も覚えておきたい人のための世界史年表

年号	出来事	参照ページ
907	**唐の滅亡** 300年近く続いた唐は節度使の成長によって崩壊	第4章 P159
962	**オットー1世の戴冠** 「名前だけは立派」な神聖ローマ帝国が成立	第1章 P59
1004	**澶淵の盟** 宋王朝が遼との平和をカネで買った	第4章 P161
1066	**ノルマン朝の成立** 現在のイギリス王家のルーツが誕生	第1章 P61
1077	**カノッサの屈辱** 神聖ローマ皇帝が、ローマ教皇の権威の前にひれ伏した	第1章 P67
1096	**第1回十字軍** キリスト対イスラームの「聖戦」開始	第1章 P70、 第2章 P104
1126	**靖康の変** 皇帝が芸術に溺れた宋王朝を金が一気に攻め取る	第4章 P162
1189	**第3回十字軍** リチャード1世とサラディンが死闘を演じた	第1章 P71、 第2章 P106
1215	**マグナ=カルタ** 愚かなジョン王に貴族がたたきつけた「大憲章」	第1章 P75
1241	**ワールシュタットの戦い** モンゴル軍はヨーロッパにも「死体の山」を築く	第4章 P165
1271	**元の建国** フビライ=ハンが巨大なモンゴル帝国の盟主となる	第4章 P165
1303	**アナーニ事件** フランス王がローマ教皇を屈服させ、教皇の権威が低下した	第1章 P73
1339	**百年戦争の開始** 中世世界の決勝戦、イギリスとフランスが激突	第1章 P77
1368	**明の建国** モンゴル民族を倒し、朱元璋が漢民族の国を復活	第4章 P168

※大学受験対策として「覚えておきたい年号」をまとめています
※多くの地域や国にまたがるような、歴史の重要な転機となった出来事を中心に選んでいます

年号	出来事	参照ページ
1402	**アンカラの戦い** オスマン帝国が「鬼武者」ティムールの前に敗北	第2章 P110
1405	**鄭和の大航海** 永楽帝の命により巨大船団を率い、アフリカに到達した	第4章 P170
1453	**コンスタンティノープル陥落・百年戦争終結** オスマン帝国の黄金期が始まり、中世が終わりにさしかかる	第1章 P63、 第1章 P78、 第2章 P111
1492	**レコンキスタの完成・コロンブスの新大陸到達** スペインが西へ西へと進出	第1章 P79、 第2章 P109、 第5章 P181
1517	**九十五か条の論題** ルターが投げた疑問が、ヨーロッパを揺るがせる	第5章 P186
1534	**首長法の発布** 「イギリスのキリスト教」誕生の理由は、ヘンリ8世の離婚から	第5章 P188
1555	**アウクスブルクの和議** ルター派に神聖ローマ皇帝が妥協した	第5章 P187
1564	**ジズヤを廃止** 宗教融和を図ったアクバルによって、ムガル帝国が発展	第3章 P127
1588	**アルマダ海戦** 「無敵」を競った争いにエリザベスが勝利	第5章 P194
1598	**ナントの王令** アンリ4世の奥の手がフランスの分裂を救った	第5章 P198
1616	**後金建国** ヌルハチがのちの清王朝の基礎をつくる	第4章173P
1648	**ウエストファリア条約** 三十年戦争は神聖ローマ帝国を崩壊させた	第5章 P201
1689	**ネルチンスク条約** ピョートル1世と康熙帝が、国境を取り決める	第4章 P175、 第5章 P205
1701	**スペイン継承戦争** 「太陽王」のごり押しから、フランスの斜陽が始まる	第5章 P199

付録
世界史年表

巻末付録 年号も覚えておきたい人のための世界史年表

年号	出来事	参照ページ
1740	**オーストリア継承戦争** フリードリヒ２世とマリア＝テレジアが初の激突	第5章 P202
1773	**ボストン茶会事件** ボストン港が茶の色に染まり、アメリカ独立戦争が始まる	第6章 P215、 P216
1783	**パリ条約** 「超大国」アメリカ合衆国が産声をあげる	第6章 P216
1789	**フランス革命勃発** バスティーユ牢獄が襲われ、革命の火の手があがる	第6章 P218
1804	**ナポレオン皇帝就任** 民衆が選んだ独裁者が、世界に誕生した	第6章 P223
1814	**ウィーン会議** ナポレオン戦争の戦後処理で、各国はモメにモメた	第6章 P226
1831	**エジプト＝トルコ戦争** オスマン帝国の「エース」がオスマン帝国から離脱を図った	第8章 P277
1840	**アヘン戦争** アヘンの密輸で揺さぶりをかけるイギリスに清王朝は完敗	第9章 P293
1848	**二月革命** 王政に対する民衆の反乱は「諸国民の春」となる	第6章 P229
1853	**クリミア戦争** ロシアの南下を英仏の最強タッグが阻止	第6章 P236、 第8章 P278
1861	**南北戦争** 貿易・奴隷、政策の違いからアメリカが「真っ二つ」に	第6章 P240
1870	**プロイセン＝フランス戦争** ビスマルクがナポレオン3世に「完勝」	第6章 P231、 P234
1877	**インド帝国成立** ヴィクトリア女王が、インドの皇帝としても君臨する	第7章 P247、 第8章 P284
1899	**南アフリカ戦争** イギリスの強引な勢力拡大はイギリスの弱体化を招いた	第7章 P247

※大学受験対策として「覚えておきたい年号」をまとめています
※多くの地域や国にまたがるような、歴史の重要な転機となった出来事を中心に選んでいます

付録
世界史年表

年号	出来事	参照ページ
1908	**青年トルコ革命** 「青年トルコ」が専制君主に憲法の復活を訴える	第8章 P279
1911	**辛亥革命** 孫文に揺さぶられた清王朝が、ついに滅びる	第9章 P300
1914	**第一次世界大戦** 列強の利害が交錯し、「総力戦」となる	第7章 P258
1917	**ロシア革命** 二月・十月の二度の革命で初の社会主義国成立	第7章 P259
1919	**パリ講和会議・ヴェルサイユ条約** 新しい世界秩序は、「つかの間の平和」だった	第7章 P261
1922	**トルコ革命** ムスタファ＝ケマルが新たな「トルコの父」となる	第8章 P282
1929	**世界恐慌** 「金の切れ目は縁の切れ目」世界は不穏な空気に包まれる	第7章 P265
1930	**塩の行進** ガンディーの非暴力・不服従運動が頂点に達する	第8章 P287
1939	**第二次世界大戦** ヒトラーとスターリンが、ポーランドを真っ二つに分割	第7章 P271
1945	**第二次世界大戦終結** 第二次大戦の終結後、冷戦が始まる	第7章 P272、 第10章 P308
1947	**パレスチナ分割案** ユダヤ人たちの悲願は叶ったものの、新たな戦争が生まれる	第10章 P326
1950	**朝鮮戦争** 冷戦中の「熱い戦争」が、朝鮮で勃発する	第10章 P312
1965	**ベトナム戦争** ゲリラとテレビがアメリカを揺るがせる	第10章 P318
1991	**ソ連解体** 社会主義国の理想はソ連の崩壊によって終わる	第10章 P322

著者プロフィール

山﨑圭一（やまさき・けいいち）

福岡県立高校教諭。1975年、福岡県太宰府市生まれ。早稲田大学教育学部卒業後、埼玉県立高校教諭を経て現職。昔の教え子から「もう一度、先生の世界史の授業を受けたい！」という要望を受け、YouTubeで授業の動画配信を決意。2016年から、200回にわたる「世界史20話プロジェクト」の配信を開始する。現在では、世界史だけでなく、日本史や地理の授業動画も公開しており、これまでに配信した動画は500本以上にのぼる。

授業動画の配信を始めると、元教え子だけでなく、たちまち全国の受験生や教育関係者、社会科目の学び直しをしている社会人の間で「わかりやすくて面白い！」と口コミが広がって「神授業」として話題になり、瞬く間に累計再生回数が850万回を突破。チャンネル登録者数も2万5千人を超えている。

著者Twitter：@ofrjfz

公立高校教師YouTuberが書いた
一度読んだら絶対に忘れない世界史の教科書

2018年8月27日　初版第1刷発行
2025年2月26日　初版第56刷発行

著　者	山﨑圭一
発行者	出井貴完
発行所	SBクリエイティブ株式会社 〒105-0001　東京都港区虎ノ門2-2-1

装　丁	西垂水敦（krran）
本文デザイン・DTP	斎藤 充（クロロス）
編集担当	鯨岡純一
印刷・製本	三松堂株式会社

本書をお読みになったご意見・ご感想を下記URL、QRコードよりお寄せください。
https://isbn.sbcr.jp/97123/

落丁本、乱丁本は小社営業部にてお取り替えいたします。
定価はカバーに記載されております。
本書の内容に関するご質問等は、小社学芸書籍 編集部まで必ず書面にてご連絡いただきますようお願いいたします。

©Keiichi Yamasaki 2018 Printed in Japan
ISBN 978-4-7973-9712-3